黄河水利委员会水土保持科研基金项目

黄河中游多沙粗沙区区域界定及产沙输沙规律研究

徐建华　吕光圻　张胜利　甘枝茂　等编著

黄河水利出版社

图书在版编目(CIP)数据

黄河中游多沙粗沙区区域界定及产沙输沙规律研究/
徐建华等编著. —郑州:黄河水利出版社,2000. 11
ISBN 7-80621-452-6

Ⅰ.黄… Ⅱ.徐… Ⅲ.黄河-中游河段-泥沙-研究
Ⅳ. TV152

中国版本图书馆 CIP 数据核字(2000)第 55351 号

责任编辑:雷元静	封面设计:郭 琦
责任校对:杨秀英	责任印制:常红昕

出版发行:黄河水利出版社
　　　　　地址:河南省郑州市金水路 11 号　邮编:450003
　　　　　发行部电话:(0371)6302620　　传真:6302219
　　　　　E-mail:yrcp@public2.zz.ha.cn
印　　刷:河南第二新华印刷厂

开　　本:787mm×1092mm　1/16		印　　张:10.875	
版　　次:2000 年 11 月　第 1 版		印　　数:1-1 000	
印　　次:2000 年 11 月　郑州第 1 次印刷		字　　数:251 千字	

定　价:40.00 元

序

　　黄河流域是中华民族的摇篮。早在远古时代,先民就在黄土高原这块神奇的土地上创造了中华文明。然而,长期以来,由于黄土高原地区突出的水土流失,带来黄河下游的严重淤积,使得每年有16亿t泥沙进入黄河,其中约有1/4淤积在下游河道,使下游成为"悬河"。造成历史上"三年两决口、百年一改道"的严重灾害。黄河下游河道淤积泥沙的组成如何? 主要来自何处? 输移规律和特点是什么? 这些涉及水土保持规划和黄河治理方略的重大问题,为广大黄河水利工作者所关注。

　　由黄河水利委员会(以下简称黄委会)水文局、黄河水利科学研究院、陕西师范大学、中国科学院地理研究所、内蒙古水利科学研究院、黄委会绥德水土保持科学试验站等单位的近50名科技人员共同承担的《黄河中游多沙粗沙区区域界定及产沙输沙规律研究》课题,在前人研究工作的基础上,又进行了历时四年的研究,取得了新的进展和较好的成果。该成果分析了三门峡库区及下游河道主槽淤积物的粒径组成,其中72%为粒径大于等于0.05mm的粗颗粒泥沙。这些泥沙主要来自黄河中游黄土高原地区,特别是黄河中游多沙粗沙区。多沙粗沙区面积虽不大,约为7.86万 km²,仅占黄河中游区面积的23%,可产生的泥沙达到11.82亿 t(1954～1969年系列),占黄河中游输沙量的69.2%;产生的粗泥沙(粒径大于等于0.05mm)量达3.19亿 t,占黄河中游总粗泥沙输沙量的77.2%。泥沙、特别是粗泥沙,是治黄的症结所在,要解决好黄河泥沙问题,关键在于划定黄河中游多沙粗沙区范围,并进行综合治理。这样,既能集中重点治理,又能大幅度地减少下游河道淤积。因此,黄河"粗泥沙"界限、中游多沙粗沙区区域界定、多沙粗沙区产沙输沙规律、多沙粗沙区亚区特征及其治理方略等,一直为人们所关注,是黄河治理研究的重要课题。

　　该项目研究人员经过潜心研究,以三门峡库区及其下游河道主槽淤积物占多数的观点,确定了黄河"粗泥沙"界限为0.05mm;用输沙模数指标法界定了黄河中游多沙粗沙区面积为7.86万 km²,研究了多沙粗沙区的产沙输沙规律,根据地面组成物质和侵蚀强度进行了亚区划分,并探讨了多沙粗沙区及其亚区的治理方略。这些成果,为黄河中游水土流失重点治理、黄河下游防洪减淤、黄河水资源开发利用、改善黄河流域生态环境等,提供了科学依据。

黄河中游多沙粗沙区,不仅在黄河流域有"承东启西"的过渡作用,而且在黄河治理中有重要的战略地位,加强该区产沙输沙规律的研究,是黄河治理的需要,也是西部大开发的需要。本书的出版,对黄河中游的水土保持规划、生态环境建设和西部大开发,具有重要的参考价值。

中国工程院院士　徐乾清

2000 年 7 月 30 日

前　言

　　黄河是一条灾害频繁、难以治理的多沙河流，其输沙量之多、含沙量之高，堪称世界之最。现已初步查明，如此之多的泥沙主要来自黄河中游，主要产沙区集中分布于河口镇至龙门、北洛河的刘家河以上和泾河的杨家坪以上的多沙粗沙区。这一区域生态环境脆弱，强烈的水土流失不仅严重地制约着当地的经济发展和人民生活水平的提高，而且大量的侵蚀产沙输入下游，使下游河道淤积抬高，形成潜在的洪水灾害，直接威胁着黄河下游两岸人民生命财产的安全。在进行西部大开发的今天，加强这一"承东启西"地区的治理与开发研究，对我国的经济发展和黄河治理具有重要意义。

　　黄河中游多沙粗沙区一直是黄土高原土壤侵蚀和水土保持研究的重点。经过各方面的长期研究和有效治理，取得了许多有价值的成果，部分区域的侵蚀产沙已得到有效控制。但是从总体上看，无论是在基础理论的研究上，还是在治理的科技水平上都还有许多问题没有得到圆满的解决。尽管不少学者从不同角度对黄河中游多沙粗沙区面积分布及其侵蚀产沙、输沙规律进行过研究，取得了重大进展，但因研究的方法和采用的资料不同，迄今为止，许多问题仍有较大的争议。例如：什么是粗泥沙？粗泥沙来源区及多沙粗沙区的确切位置在哪里？又如对多沙粗沙区强烈侵蚀产沙的原因，侵蚀、产沙、输沙的类型和方式以及规律等的认识，都存在某种程度的分歧。在依据多沙粗沙区内部地面组成物质和侵蚀强度差异划分各具治理特色的亚区上，亦有大量工作待做。尽快解决这些问题，是加速多沙粗沙区环境治理的需要，也是下游防洪减淤的需要。

　　1996年，黄河水利委员会将"黄河中游多沙粗沙区区域界定及产沙输沙规律研究"列为水土保持科研基金项目，1997年水利部科技司（科技项[1997]29号）确认为水利部科技计划项目（SR9727）。其研究目的是：明确对黄河三门峡库区及下游河道主槽淤积危害最大的泥沙，即"粗泥沙"，界定黄河中游多沙粗沙区的范围，并根据该区内部的地面组成物质和侵蚀强度的差异进行亚区划分，提出治理开发方略。根据该项目研究宗旨和研究目标的要求，分下列四个专题进行研究：

　　专题一　黄河"粗泥沙"定界论证。弄清对黄河三门峡库区及下游河道主槽淤积危害最大的是哪一级粒径泥沙。

　　专题二　黄河中游多沙粗沙区区域界定。进一步弄清黄河中游全沙和粗泥沙的主要产区范围和面积。

　　专题三　黄河中游多沙粗沙区产沙输沙规律研究。对不同地层的产沙量及产沙输沙规律，进行深入研究。

　　专题四　黄河中游多沙粗沙区亚区划分及治理开发方略。根据多沙粗沙区内部地面组成物质和侵蚀强度等差异，进行亚区划分，并提出治理开发方略。

　　四个研究专题的负责单位及参加人员如下：

　　第一专题，由黄委会水文局负责，主要参加人员为：吕光圻、徐建华、张培德、林银平、杨汉颖、秦鸿儒、王宝华、牛海静、王建林、张永平、李世明、王玲、罗珺、闫智云。

第二专题，由黄委会水文局负责，主要参加人员为：徐建华、李雪梅、林银平、杨汉颖、吕光圻、张培德、秦鸿儒、田水利、张玮、庞慧、牛海静、罗珺、李世明、王玲。

第三专题，由黄河水利科学研究院负责，主要参加人员为：张胜利、景可、朱智宏、康玲玲、赵焕雄、陈发中、师长兴、李钜章、李风新、许瑞平、王云璋、王文全。

第四专题，由陕西师范大学地理系负责，主要参加人员为：甘枝茂、吴成基、刘立斌、孙虎、惠振德、刘红梅、王石英、姚宏、刘洁、刘护军、徐建华、林银平、王晓、耿绥和、彭永祥、张俊香、张红贤。

由于本研究项目涉及内容广、难度大，因此，组织了有关的科研院所和高等院校进行协作攻关。参加单位有黄委会水文局、黄河水利科学研究院、陕西师范大学地理系、中国科学院地理研究所、内蒙古水利科学研究院、黄委会绥德水土保持科学试验站等，参加研究的科技人员 50 余人。

1996～1999 年，在黄委会水土保持科研基金领导小组及其办公室的领导下，在有关专家的指导下，经过全体科研人员的共同努力，充分发挥多学科、各部门的技术优势，协作攻关，取得了预期的研究成果，为黄河中游多沙粗沙区的治理开发提出了新的科学依据和系列基础资料。

本书是在该项研究成果的基础上提炼、编撰而成的。编撰人员及所编章节为：第一章，第一节由吕光圻、徐建华、秦鸿儒编写，第二节由徐建华、张胜利、吴成基、秦鸿儒编写；第二章，第一、三、四节由徐建华编写，第二节由张培德、林银平编写；第三章，第一节由徐建华编写，第二节由李雪梅、林银平、杨汉颖编写，第三节由徐建华、林银平编写，第四节由徐建华编写；第四章，由张胜利、景可、朱智宏编写；第五章，由吴成基、甘枝茂、刘立斌编写。全书由徐建华统稿，吕光圻审定。

感谢中国工程院院士徐乾清先生为本书作序。

由于我们的水平有限，书中难免有欠妥和错误之处，敬请读者批评指正。

作　者

2000 年 7 月

目　　录

第一章 绪 论

目前,黄河治理开发的三大主要任务是:黄河防洪、黄河水资源利用、黄河流域生态环境建设。

黄河洪灾,一直是中华民族的心腹之患。自1982年以来,黄河下游虽然没有发生过大洪水,但洪水威胁依然存在。如:"96.8"洪水是2~3年一遇的中常洪水,却成了新中国成立以来洪水位最高、漫滩淹没范围最大、灾害损失最严重的一年。这主要是长期泥沙淤积、河道抬升和萎缩的结果。近年来,进入黄河下游的泥沙虽然减少了,但由于上中游来水大幅度削减,三门峡水库汛期集中排沙,再加上下游大量引水,使下游河道输沙能力大大降低,携带的泥沙绝大部分淤积在主槽内,造成河道萎缩,排洪能力降低。流域水沙条件的变化,引起河道边界条件的变化,进而给防洪及河道整治带来一系列的新问题。

随着沿黄两岸工农业生产和社会经济的发展,水资源供需矛盾日益突出,枯水年份表现得尤为明显。进入20世纪90年代以来,黄河下游断流事件连年发生,1997年是断流最为严重的一年,全年有226天断流,断流河段从河口上延700多公里。黄河是我国华北、西北的重要水源地,黄河缺水,将严重制约沿黄地区经济的可持续发展。由于汛期洪水泥沙含量高,为减少泥沙淤积,中游众多水库不能蓄水;同时,为了减轻下游河道淤积,每年还需用200亿 m^3 左右水排沙。由此看出,由于泥沙问题,加重了黄河水资源的供需矛盾。

生态环境问题主要是上中游的水土流失和水污染。黄河中游的水土流失,不仅破坏了当地的生态环境,也加重了黄河浑水中重金属和有机物的污染,更为严重的是危害了黄河下游,使黄河下游成为有名的地上悬河。

黄河难治在于多沙。查明黄河泥沙的来源,特别是对黄河下游淤积起主要作用的粗泥沙的来源,是研究解决黄河泥沙问题的基本前提。本研究课题的核心内容和关键问题是:在前人研究的基础上,围绕黄河下游河道的淤积问题,进行中游多沙粗沙区区域界定及产沙输沙规律研究。

黄河产沙区主要集中在中游黄土高原,泥沙堆积区主要集中在下游。过去的一些研究成果表明,每年约有16亿t泥沙通过三门峡输入到下游,其中约有1/4淤积在河道里;淤积的泥沙中,粒径大于0.05mm的粗颗粒泥沙在下游河道淤积物中占多数[1~6]。由此可见,粗泥沙的淤积对下游河道的变化起了主要作用。同时,这些泥沙的流失与淤积,也给当地农业生产、水利设施(水库)、交通运输等带来危害。因此,加强多沙粗沙区治理,减少入黄泥沙、特别是粗颗粒泥沙,具有重大的战略意义。探明黄河泥沙、特别是粗泥沙的主要来源地、产沙地层、区域分布特征和输移规律,进而划分具有不同治理特色的亚区,不仅可为集中治理、快速治理,实现黄土高原的"山川秀美",以及为实施减少入黄泥沙的战略决策提供科学依据;同时,也有利于黄河水资源的开发利用。而且通过黄河这一特殊地区的河流泥沙研究,还可以丰富土壤侵蚀、水文泥沙、水土保持等学科内容,促进学科的发展。因此,开展这一课题的研究,不仅具有重要的实践意义和应用前景,也具有重要的科学意义。

一、立题背景

黄河粗颗粒泥沙的来源、区域分布、产沙地层、产沙数量,已成为水土流失治理、黄河整治的重要研究课题之一。这些问题,钱宁教授等曾进行过深入的调查研究,认识到粗颗粒泥沙对下游的危害性。以后,国家"七五"科技攻关项目黄土高原地区综合治理开发考察系列研究《黄土高原地区土壤侵蚀区域特征及其治理途径》、1988~1992 国家自然科学基金重大项目《黄河流域环境演变与水沙运行规律研究》、国家"八五"重点科技攻关项目《黄河治理与水资源开发利用》等,均设专题对黄河粗泥沙等问题进行过研究,并取得了不少成果。

(一)关于粗泥沙问题

60 年代,黄河粗泥沙是以 0.025mm(或 0.03mm)为界限,这主要是受床沙质和冲泄质界限的影响而定的。

70 年代初,黄委会水利科学研究所、水电部十一局设计院和清华大学水利系等单位共同完成的《黄河流域不同地区来水来沙对黄河下游冲淤的影响》,以及钱宁教授等以后撰写的《黄河中游粗泥沙来源区对黄河下游冲淤的影响》[6]中,是以 0.05mm 为黄河粗泥沙界限。从此以后,很多研究者比较一致地认为:黄河来沙量为 16 亿 t,约有 4 亿 t 泥沙淤积在下游河道里,其中 $d \geqslant 0.05$mm 的粗泥沙约占 69%,即 2.8 亿 t。至此,黄河粗泥沙界限为 0.05 mm 已被广泛承认。

之后,又有一些文献(钱宁,1987[7];阎文哲,1985[8];綦连安,1994[9])提出用 $d \geqslant$ 0.025 mm 为黄河粗颗粒泥沙的界限。

关于黄河"粗泥沙"的界限,70 年代以来虽然大多数人认为以 0.05mm 为界限,但长期以来还是存在一些争议。加上自然条件的变化,人类活动的影响,以及资料系列的延长,有必要对黄河粗泥沙界限进行进一步深入细致的定界论证。

(二)关于黄河中游多沙粗沙区的范围

经过多年的观测研究,黄河泥沙主要来源区的范围已基本明确,即主要来自晋陕峡谷两侧支流及泾洛渭中上游,该区年输沙量约 14.6 亿 t,占黄河年输沙量 16 亿 t 的 91%,可以说上述地区是多沙区的大致范围。然而,多沙区不一定全是粗泥沙集中区。

关于多沙区及粗沙区的范围,许多学者进行过研究[1,4,10,11],但目前仍存在明显的分歧。多沙区的面积大到 21 万 km²,小到 5.1 万 km²;粗沙区的面积也在 3.8 万～21 万 km² 之间。之所以这么大差别,主要是对多沙粗沙区的认识、研究资料的系列和精度以及具体的分析研究方法不同所致。

(三)关于粗泥沙产沙地层

关于粗泥沙产沙地层,中国科学院地理研究所、陕西师范大学和黄委会等也有过一些研究,但分歧很大。如文献[12]认为基岩产粗泥沙占黄河粗泥沙总量的 34%(1991 年);而文献[13]认为基岩产粗泥沙占 10%(1982 年);文献[14]认为(1989 年)12%～27% 的粗泥沙来自非黄土地区(其中风沙区不超过 3%);文献[10]的作者(1986 年)利用粒度分析法测得黄甫川基岩产粗泥沙占黄甫川年平均粗泥沙总量的 69.51%、黄土占 30.37%、风成沙占 0.12%。之所以结论和认识不同,其原因是研究方法、范围、深入程度不同所致。

关于粗泥沙产沙方式,虽然前人做过一些工作,但仍需进行深入系统的研究。

多沙粗沙区研究中存在的上述问题,目前还难以统一。一是由于研究资料系列不一致,全沙模数和粗沙模数的计算资料系列不一致,如钱宁教授分析的资料系列是 1965 年以前的,龚时旸、熊贵枢等人用的是 1965～1974 年资料,支俊峰、李世明用的是 1983 年以前的资料系列[15]。二是泥沙粒径分析起步较晚,使得全沙和粗泥沙分析系列不同步,缺乏对比基础,多沙粗沙就难以统一。三是泥沙粒径资料需要进行改正。黄委会水文局十几年来一直承担原水利部水文司的泥沙粒径改正与统一试验研究项目,该研究成果已经黄委会审查批准。近期水文局又开展了黄河历年资料审查和水沙还原计算,以及近十几年来各有关单位开展的黄河水沙变化研究成果,我们有条件也有必要将全沙资料系列插补延长一致。在泥沙粒径改正的基础上,根据 1966 年后泥沙粒径资料建立某一粒径级全沙与粗泥沙含量间的关系,将 1966 年以前的某粒径级的粗泥沙量求出,使全沙与粗泥沙系列完全一致起来,在全沙和粗泥沙系列一致的基础上确定的多沙粗沙区才有比较稳固的基础。同时,结合气候、植被、土壤、岩层、地貌形态、水文特征以及水土保持措施和农业生态的适应性等因素,利用卫星和遥感技术,并结合实地调查,进行多沙粗沙区区域界定。

另外,多数人都赞成对多沙粗沙来源区集中治理,以减少黄河下游的严重淤积,这对争取治黄事业早见成效有重要意义。然而,要把这一指导思想在粗泥沙来源区的广阔范围内同时付诸实施并不容易,同时,在多沙粗沙区中,由于地质地貌等因素的差异,其产沙、输沙特点和规律也不一样。因此,在多沙粗沙区区域界定的基础上,研究其内部差异,提出进一步细化的原则和依据,划分出不同的亚区,并根据各亚区不同的产沙特点采取不同的治理措施,可起到事半功倍的效果,是十分必要的。

对多沙粗沙区的产沙机理、输沙规律进行研究,弄清粗泥沙的主要产沙地层,为多沙粗沙区区域的界定及治理措施的筛选和布置,可以提供更充分更科学的依据。

基于目前对黄河粗泥沙的研究现状,其多沙粗沙区的范围、面积及黄土、基岩、风沙各自产粗泥沙量未能很好解决,同时也给正确认识、分析多沙粗沙区区域特征带来一定困难。因此,继续开展对黄河中游多沙粗沙区的研究,是探索加速治理多沙粗沙区的有效途径,通过对多沙粗沙区产沙、输沙规律和亚区划分的研究,进一步明确"集中治理"的范围,为多沙粗沙区水土保持治理宏观决策提供科学依据,以便加大投入,加速治理。因此,设立该课题是非常必要的。

二、本项目研究的专题设置及研究内容

(一)专题设置

根据研究项目的内容和要求,共设置 4 个专题进行研究(见图 1-1):

(1)黄河粗泥沙定界论证。

(2)黄河中游多沙粗沙区区域界定。

(3)黄河中游多沙粗沙区产沙输沙规律研究。

(4)多沙粗沙区亚区划分及治理开发方略研究。

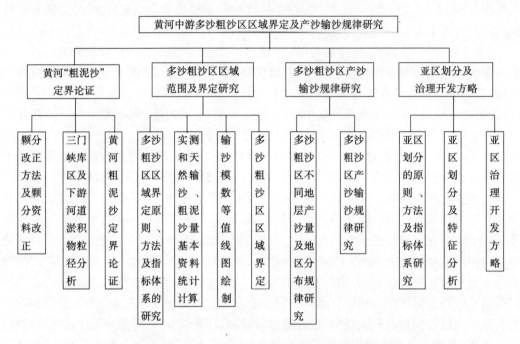

图 1-1　"黄河中游多沙粗沙区区域界定及产沙输沙规律研究"课题分解情况

(二)研究内容

1. 黄河"粗泥沙"定界论证

从三门峡水库及下游河道淤积危害角度出发,确定黄河"粗泥沙"概念。用水文站悬移质泥沙级配平衡计算(以下简称平衡法)和淤积物取样分析(以下简称取样法)相结合,研究黄河"粗泥沙"的定义及界限,其目的是为黄河中游多沙粗沙区区域界定提供粗泥沙指标依据。本专题的重点内容如下:

(1)颗粒分析(以下简称颗分)资料改正。黄河"粗泥沙"定界论证和多沙粗沙区区域界定的基础资料是全沙和粗泥沙资料。因此,泥沙颗分资料的统一改正是整个研究项目的基础工作之一。

(2)三门峡库区淤积物粒径分析。三门峡水库运用初期,泥沙淤积严重,随后被迫改变运用方式,多年来库区冲淤变化频繁。因此,黄河"粗泥沙"界限的定界论证,要考虑粗泥沙对三门峡水库淤积的影响。

(3)下游河道淤积物粒径分析。黄河下游是有名的地上悬河,其形成原因是由于泥沙淤积,但并非所有的泥沙都淤积在河道。因此,黄河下游河道淤积物粒径分析,是黄河"粗泥沙"定界论证的基础研究之一。

(4)黄河"粗泥沙"定界论证。该内容研究能为黄河中游多沙粗沙区区域界定提供依据。通过以上的综合研究,确定黄河"粗泥沙"界限。

2. 黄河中游多沙粗沙区区域范围及其界定研究

研究界定多沙、粗沙区和多沙粗沙区的原则、方法和指标;在颗分改正基础上,进行资料插补延长和泥沙变化分析;结合地貌类型分区,绘制输沙模数图,初步界定多沙区、粗沙区和多沙粗沙区,经过征询专家意见,野外勘察和遥感影像等综合修正,最后确定多沙粗沙区界线。本专题的重点内容如下:

(1)多沙粗沙区域界定原则、方法、指标研究。要界定出符合实际的黄河中游多沙粗沙区区域范围,首先要研究确定一套正确的区域界定原则和方法,以及符合实际的界定指标,使研究的成果具有一定的科学性和实用性。

(2)黄河中游1954~1995年全沙资料分析计算(包括缺测资料的插补延长和泥沙变化分析)。

(3)黄河中游1954~1995年粗泥沙资料分析计算(包括粗泥沙缺测资料的插补延长和变化分析)。

(4)各年代全沙模数、粗沙模数等值线图的绘制。它是多沙粗沙区区域界定和输沙量时空变化分析的基础工作。

(5)多沙粗沙区区域界定。根据上述分析,对黄河中游产沙区进行多沙粗沙区的区域界定是本专题的核心,也是亚区划分的基础。

3.黄河中游多沙粗沙区产沙输沙规律研究

该专题研究目标:一是弄清多沙粗沙区不同产沙地层的范围、面积、产沙量;二是研究典型区不同地貌部位的产沙输沙机理,为亚区划分和治理开发方略研究服务。本专题的重点研究内容如下:

(1)多沙粗沙区不同地层产沙量的确定及地区分布规律。

(2)多沙粗沙区产沙输沙规律。

该专题研究,既有自身的独立性,又要为多沙粗沙区区域界定、亚区划分和治理开发方略服务。

4.多沙粗沙区亚区划分及治理开发方略研究

该专题是在前3个专题基础上进行的研究,其目的是提出多沙粗沙区的不同亚区及其治理的指导性意见。重点内容有:

(1)多沙粗沙区亚区划分原则、方法及指标体系的研究。通过研究,确定划分的原则、方法及指标体系,这是正确划分亚区的工作基础。

(2)亚区划分及特征分析。根据所确定的亚区划分原则、方法及指标体系,进行亚区划分,并分析其特征。

(3)亚区治理开发方略。根据各亚区的特点,提出治理开发方略。

三、本项研究的技术路线、研究方法与关键技术

(一)技术路线

该研究课题采取的技术路线是:首先对水文资料进行统计分析,在收集总结前人研究成果的基础上,提出本课题界定粗泥沙、多沙区、粗沙区和多沙粗沙区的指标,进行黄河中游多沙粗沙区区域界定;同时,广泛征询意见,确定亚区划分原则和指标体系,然后广泛收集研究区有关自然、社会经济、土壤侵蚀与水土保持、径流泥沙等资料,并进行实地考察、观测、采样;在此基础上进行分析研究,确定多沙粗沙区的具体界线;研究黄土、基岩、风沙

各自产粗泥沙数量及产沙输沙规律,具体划分出亚区,并提出治理方略。该项研究的技术路线流程,见图 1-2。

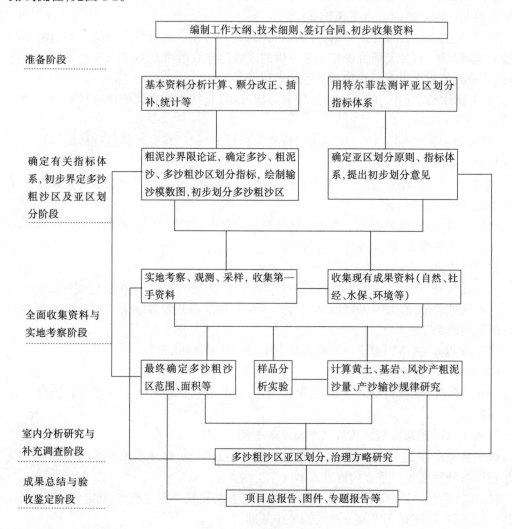

图 1-2 技术路线流程

(二)研究方法

该项目在研究方法上采取"三结合",即利用现有资料、实地考察、综合分析、实验分析、地理制图等多种方法相结合;定性分析与定量分析相结合;常规方法与计算机处理、遥感图像分析、^{137}Cs 分析等先进技术手段的应用相结合。其具体方法如下:

(1)资料统计分析。主要对泥沙观测资料进行同步化插补延长、颗分资料的统一改正、粗泥沙全沙数量分析、应用聚类分析划分亚区中的指标赋值等。

(2)实地考察与收集分析现有资料。主要用于多沙粗沙区范围界定、产沙输沙规律研究、亚区划分与特征分析、治理方略研究等。

(3)采样分析、实验分析。主要用于泥沙粒径分析,粗泥沙定界,黄土、基岩、风沙产粗泥沙研究等。

（4）采用特尔菲法(Delpha)。广泛征询专家意见,科学地确定多沙粗沙区亚区划分原则与指标体系。

（5）采用主导因素法、多因素综合分析法、模糊聚类分析法,确定多沙粗沙区具体界限并进行亚区划分。

（6）利用计算机、^{137}Cs 分析、遥感图像分析等新方法、新手段分析粗泥沙来源,确定有关界限,进行有关计算分析。

（三）关键技术

1.黄河粗泥沙定界论证

粗泥沙的涵义,在各个领域有很大的差异,地学上将颗粒 $d = 0.5 \sim 2$mm 定义为粗沙,结合黄河泥沙特点及其在水库和下游河道淤积的情况,曾将粗泥沙粒径界限定为 $d > 0.025$mm 或 $d > 0.03$mm 或 $d > 0.05$mm,等等。而对三门峡水库及其下游河道造成严重危害的粗颗粒泥沙的粒径是多少,是本课题要明确回答的问题之一。

2.黄河中游多沙粗沙区区域界定

淤积在下游河道的粗泥沙主要来自中游多沙粗沙区,但多沙粗沙区的范围在哪里,面积是多少,是本课题要回答的问题之二。其中,最核心的问题是要正确确定多沙粗沙区区域界定的原则、方法和指标,才能科学地界定多沙粗沙区的范围。

3.多沙粗沙区产沙输沙规律研究

多沙粗沙区地质地貌条件复杂,产沙输沙有其特殊的规律和分异性,通过该专题研究为亚区划分和治理开发方略研究服务。

4.多沙粗沙区亚区划分及治理开发方略研究

为减轻黄河下游淤积而探寻多沙粗沙区范围内产沙输沙规律的差异,进行亚区划分和治理开发方略研究,是本课题的落脚点。其中最重要的问题是根据亚区划分的原则、方法和指标体系,科学地划分出各具特色的多沙粗沙区亚区。

四、本项研究取得的主要成果

（一）黄河粗泥沙定界论证

（1）研究考证了黄河粗泥沙界限的形成及演变过程,查清了一些事实,确定了黄河粗泥沙的含义及界限。

黄河粗泥沙的含义是:黄河上中游水土流失的泥沙,经过河道输移到下游,其中一部分淤积在河道(含三门峡水库)里,在淤积物中(主要指主槽中)大于某粒径的泥沙占多数,我们称这部分泥沙为黄河"粗泥沙"。经分析论证,本报告推荐 $d \geqslant 0.05$mm 为黄河粗泥沙界限。

（2）1950 年以来,各年代进入三门峡库区及其下游河道总沙量减少很多,50 年代为18.3 亿 t,到 80 年代只有 8.06 亿 t,各级粗泥沙量也同步减少,但各级粗泥沙比例减少不多。

根据 1950～1995 年资料统计,黄河每年约有 13.7 亿 t(龙门、华县、河津、洑头、黑石关、武陟六站实测之和)泥沙进入三门峡库区和下游河道,其中粒径 $d \geqslant 0.025$mm 的泥沙有 6.77 亿 t，占总输沙量的 49.4%；$d \geqslant 0.05$mm 泥沙有 3.08 亿 t，占总沙量的 22.5%。其中 $d \geqslant 0.05$mm 的泥沙 50 年代占 24.3%，到 90 年代(统计到 1995 年，下同)占 20.3%；$d \geqslant 0.025$mm 的泥沙 50 年代占 51.2%，到 90 年代占 48.5%，变化不大(见表 1-1)。

表 1-1　　　　　　　黄河输沙量及各粒级沙量占总沙量百分比统计

分　类	50 年代	60 年代	70 年代	80 年代	90 年代	1950~1995 年
$d \geqslant 0.025$mm(%)	51.2	49.7	48.8	46.5	48.5	49.5
$d \geqslant 0.05$mm(%)	24.3	22.5	22.4	20.2	20.3	22.5
六站输沙量(亿 t)	18.30	17.30	13.70	8.06	9.45	13.70

从表中可看出：①悬移质输沙的粒径随着年代的变化稍有逐渐变细的趋势；②全河输沙量随年代逐渐减少明显，某粒径沙量占总沙量的百分比稍有变小趋势，但变化率不大。也就是说，年输沙量不管来多来少，其某粒径输沙量占总输沙量的比例变化不大，如 $d \geqslant 0.025$mm 的泥沙占总沙量的比例保持在 50% 左右，$d \geqslant 0.05$mm 的泥沙量占总沙量的比例保持在 22% 左右。又如 1967 年输沙量为 29.98 亿 t，$d \geqslant 0.025$mm 输沙量占总输沙量的 52.2%，$d \geqslant 0.05$mm 的占 24.7%；1986 年输沙量为 4.21 亿 t，$d \geqslant 0.025$mm 输沙量占总输沙量的 45.4%，$d \geqslant 0.05$mm 的占 20%。

(3)库区及下游淤积物中，粗泥沙含量减少趋势明显。

每年淤积在三门峡库区和下游河道的泥沙约 3.72 亿 t，占全部输沙量的 1/4 左右，3/4 的泥沙进入渠道或通过利津进入河口和滨海。在淤积物中，$d \geqslant 0.025$mm 的泥沙有 2.70 亿 t，占总淤积量的 72.8%，$d \geqslant 0.05$mm 的泥沙有 1.57 亿 t，占总量的 42.3%(平衡法，参见表 2-12)。淤积物取样分析结果是：$d \geqslant 0.025$mm 占 71.7%，$d \geqslant 0.05$mm 占 42.3%(参见表 2-23)。

由此看出：平衡法和取样法分析结果基本一致；不管是三门峡库区或下游河道的淤积物中，$d \geqslant 0.05$mm 的泥沙含量接近半数，$d \geqslant 0.025$mm 的泥沙占多数。

近二三十年来，由于受水利水保工程和沿途灌溉引水等人类活动以及气候因素的共同影响，水流挟带泥沙的动力条件大大减弱，淤积泥沙的粒径随年代有逐渐细化的趋势，如 $d \geqslant 0.05$mm 粒径的泥沙，50 年代占总淤积量的 51%，60 年代占 39%，70 年代占 47%，80、90 年代占 30%(见表 1-2)。

表 1-2　　　　　三门峡库区及下游河道淤积物组成年代变化统计(平衡法)

分　类	50 年代	60 年代	70 年代	80 年代	90 年代	1950~1995 年
$d \geqslant 0.05$mm 百分比(%)	50.9	38.6	47.0	29.6	30.3	42.3
$d \geqslant 0.025$mm 百分比(%)	81.8	73.8	71.0	46.8	62.0	72.8
淤积量(亿 t)	4.61	6.01	3.68	0.70	3.50	3.72

(二)黄河中游多沙粗沙区区域界定

(1)在收集分析各家研究成果的基础上，确定了本次界定黄河中游多沙粗沙区区域界定的原则、方法及指标。

区域界定采用二重性原则，既是多沙区又是粗沙区的地区，即为多沙粗沙区。

区域界定的方法是输沙模数(M_s)指标法。

多沙区指全沙模数 $M_全 \geqslant 5\,000\,t/(km^2 \cdot a)$ 的地区；粗沙区指粗泥沙（$d \geqslant 0.05mm$）模数 $M_粗 \geqslant 1\,300\,t/(km^2 \cdot a)$ 的地区；多沙粗沙区为 $M_全 \geqslant 5\,000\,t/(km^2 \cdot a)$ 并且 $M_粗 \geqslant 1\,300\,t/(km^2 \cdot a)$ 的地区。

（2）经过内业分析，外业查勘和卫星地貌影像修正，确定了黄河中游的多沙区、粗沙区和多沙粗沙区面积和分布位置（见表1-3，参见图3-12）。

表1-3 　　　　　　　黄河中游多沙粗沙区面积成果　　　　　　（单位：万 km²）

方　　法	多沙区	粗沙区	多沙粗沙区
内业分析	11.05	6.80	6.80
查勘后修正	11.19	6.99	6.99
根据卫片地貌影像综合确定	11.92	7.86	7.86

最后根据卫片地貌影像对内外业分析综合确定：黄河中游多沙区面积为 11.92 万 km²，粗沙面积为 7.86 万 km²（$d \geqslant 0.05mm$），多沙粗沙区面积为 7.86 万 km²。各省（区）分布情况，见表1-4。

表1-4 　　　　　　黄河中游多沙粗沙区各省（区）面积统计

省（区）名	多沙粗沙区面积 （km²）	占多沙粗沙区面积比例 （%）	涉及县（市、旗） （个）
甘　肃	10 454	13.3	4
宁　夏	415	0.5	1
内蒙古	9 176	11.7	6
山　西	15 007	19.1	14
陕　西	43 548	55.4	19
合　计	78 600	100	44

（3）本次界定黄河中游多沙粗沙区所用的输沙模数等值线图的绘制，采用以地貌单元为基本图斑，较过去的水文站区间大平均模数方法的精度有很大提高。

（4）和前人成果比较，无论是多沙区，还是粗沙区，其面积都偏小。偏小的主要原因：一是本次用的颗分资料是经过系统改正后的粒径；二是用地貌类型分区进行输沙模数计算，精度有所提高。

（5）黄河中游多沙粗沙区面积为 7.86 万 km²，占河口镇至桃花峪区间总面积的 22.8%，可产生的泥沙达 11.82 亿 t，占中游输沙量的 69.2%，产生的粗泥沙量达 3.19 亿 t，占中游总粗泥沙量的 77.2%。因此，加强该区的水土流失治理，是减少黄河下游河道泥沙淤积的关键所在。

（三）黄河中游多沙粗沙区产沙输沙规律研究

（1）在分析多沙粗沙区侵蚀产沙环境系统和形成背景的基础上，对多沙粗沙区侵蚀产沙环境的过渡性特征、时空分异性特征、人类活动侵蚀环境特征进行了重点分析，指出了多沙粗沙区侵蚀产沙环境的脆弱性、侵蚀营力的复杂性,认识到该区是侵蚀产沙脆弱环境带的敏感区,是防治侵蚀产沙的重点区域。

(2)在分析多沙粗沙区侵蚀产沙地层及侵蚀产沙类型的基础上,对风沙、基岩、黄土侵蚀产沙、地区分布规律以及产沙量进行了分析,基本上弄清了各地层产沙量及相互作用,取得了以下新进展:

第一,风沙产沙对黄河粗泥沙有一定影响,其主要产沙方式是降尘、沙丘移动和河岸的水力侵蚀,主要分布于秃尾河、无定河、黄甫川、窟野河等四条支流的中上游,其面积约占河口镇至龙门区间(以下简称河龙区间)主要支流总面积的14.4%。根据目前的降尘观测资料及有关的调查成果分析,初步认为,风沙区产沙量仅占黄河粗泥沙量的5.0%～10.0%。

第二,基岩产沙对黄河粗泥沙也有一定影响,但地域分异性较大,对黄甫川等砒砂岩集中分布区定点观测表明,基岩产沙约占黄甫川站的60%,而且重力侵蚀占总产沙量的30%左右,其他地区基岩产沙数量较少,占10%～15%。

第三,黄土是黄河粗泥沙的主要产沙地层,特别是沙黄土地层。它既含一定数量的粗泥沙,也含一定数量的细泥沙,在形成高浓度粗泥沙中起关键作用。资料分析表明,在多沙粗沙区黄土产沙占60%～70%。在黄土地层中,典型地段的^{137}Cs测定,70%的泥沙产自沟谷地,30%的泥沙产自沟垌地。

第四,黄甫川流域不同地层产沙量典型分析表明,基岩、黄土、风沙面积分别占流域面积的54.9%、28.3%、16.8%,而产沙量则分别占总产沙量的71.5%、27.2%和1.3%。可见,砒砂岩地层是黄甫川流域最主要的产沙地层,其次为黄土,风沙产沙较少。

第五,黄土、基岩和风沙等不同地层产粗泥沙综合作用分析表明,风沙、基岩产沙对产粗泥沙都有一定影响,而风沙、基岩和黄土产沙的综合作用,特别是黄土和基岩中细颗粒泥沙对粗泥沙的影响,是形成高浓度粗泥沙的主要原因。因此,应当对风沙、基岩和黄土进行全面综合治理,单纯治理某一地层,难以达到减少粗泥沙的良好效果。

(3)本项研究分析了沟垌、沟谷、流域的泥沙输移规律,对泥沙输移比的内涵、影响因素进行了探讨。通过侵蚀模型计算的流域侵蚀量与实测输沙量比较,在水土保持工程较少的流域,得到的泥沙输移比为0.9以上,不足10%的泥沙在洪水漫滩时沉积在河谷两侧的河漫滩上。

(四)黄河中游多沙粗沙区亚区划分及治理开发方略探讨

1.多沙粗沙区亚区划分

多沙粗沙区内部,由于侵蚀环境的差异,不同特性的地区间在侵蚀强度上也有相当程度的差异,治理上应有不同的方法和措施。因此,应根据一定的原则对多沙粗沙区内进行亚区划分。这既能为各级政府和水土保持部门确定重点治理区、制订水土保持规划提供科学的依据,也能提高治理成效。

(1)亚区划分的特点。本次亚区划分有以下特点:

一是划分的对象特指黄河中游多沙粗沙区,其范围基本属于1955年黄河规划时所划的黄丘一副区。因此,本次的亚区划分主要是对黄丘一副区的再详细划分。

二是划分的目的性明确,即通过对其土壤侵蚀区域差异的划分,寻求各具特色的治理方略,确定正确的经费投资方向,为下游减淤服务,有较强的针对性。

三是在分析综合因素的基础上,利用了主导因素法以突出地面组成物质和土壤侵蚀强度的作用,这样划分的亚区能够正确反映出侵蚀产沙的区域差异。

四是划分中采用的资料较新,手段较先进。

五是陕西境内的黄土侵蚀区又通过聚类分析进行了划分,与主导因素法平行进行,二者结果较为吻合,使划分更具科学性和客观性。

在聚类分析中,为了使指标体系的选择更具权威性和科学性,进行了广泛的专家意见咨询。

(2)亚区划分过程。利用主导因素法进行亚区逐级划分。

一级亚区划分:以地面组成物质为主进行划分。按地面组成物质分为以易侵蚀岩为主的侵蚀亚区(Ⅰ)、沙盖黄土侵蚀亚区(Ⅱ)、黄土侵蚀亚区(Ⅲ)三个一级亚区。

二级亚区(小区)划分:在各一级亚区内,按照土壤侵蚀强度再进一步划分。

(3)亚区划分的结果。亚区划分结果,参见图5-1。其中Ⅰ亚区不再细分。Ⅱ亚区可分为4个小区:①浑河极强度侵蚀小区($Ⅱ_1$);②乌兰木伦河极强度侵蚀小区($Ⅱ_2$);③神木—横山特剧烈侵蚀小区($Ⅱ_3$);④白于山北坡强度侵蚀小区($Ⅱ_4$)。Ⅲ亚区分为9个小区:①河保偏特剧烈侵蚀小区($Ⅲ_1$);②晋西极强度侵蚀小区($Ⅲ_2$);③府谷—佳县(孤山川中下游—佳芦河下游)特剧烈侵蚀小区($Ⅲ_3$);④无定河下游特剧烈侵蚀小区($Ⅲ_4$);⑤白于山南坡特剧烈侵蚀小区($Ⅲ_5$);⑥清涧河下游—延河中下游极强度侵蚀小区($Ⅲ_6$);⑦马莲河上游—北洛河上游强度侵蚀小区($Ⅲ_7$);⑧马莲河东—华池极强度侵蚀小区($Ⅲ_8$);⑨马莲河西部强度侵蚀小区($Ⅲ_9$)。

2.治理方略探讨

(1)多沙粗沙区综合治理开发指导思想和总体治理开发方略。

综合治理开发的指导思想:黄河中游多沙粗沙区在黄河流域有"承东启西"的过渡作用,并且在治黄大业中也有重要的战略地位。因此,该区的重点在于根治多沙粗沙区的严重水土流失。其综合治理开发的指导思想可以概括为:全面贯彻落实党中央、国务院关于西部大开发、黄河治理和水土保持生态环境建设的战略部署,按照多沙粗沙区的水土流失特点,采取科学合理的水土保持措施,有效地减少入黄泥沙,大力改善生态环境与农业生产条件,促进群众脱贫致富,为国家西部大开发战略的实施与加快黄河的治理开发服务,逐步建立一个有序和谐的人地关系系统——实现符合地区特性的"山川秀美"宏图。

总体治理开发方略:坚持防治并举,坡沟兼治,综合治理,注重植被建设与保护,加强预防监督,努力控制人为新增水土流失的发展;在加快坡面治理的同时,大力加强沟道治理,特别是加快治沟骨干工程和淤地坝为主的沟道坝系建设,全面实现多沙粗沙区拦沙减蚀、保土蓄水、改善生态环境的综合效益。

(2)亚区分区治理方略。

Ⅰ亚区治理方略:开发治理并重,以开发促治理,寻求技术支持,加大砒砂岩治理力度。

Ⅱ亚区治理方略:治理开发并举,以控制人为水土流失为中心,搞好环境综合治理,建设林草植被和防风固沙林,加强水资源的保护与合理利用。

Ⅲ亚区治理方略:依靠系统外能量输入,以环境治理为主,资源开发为辅,积极推广点上的治理经验,进行水土保持型的生态环境建设,使水土保持向高、精、细发展。

五、本项研究的特点与创新

本项研究课题的特点和创新之处在于:以系统理论为指导思想和导向,将中游侵蚀产沙子系统与三门峡库区和下游河道泥沙堆积子系统联结起来,紧紧抓住中游多沙粗沙区,根据研究确定的黄河粗泥沙界限,黄河中游多沙区、粗沙区和多沙粗沙区区域界定的原则、方法和指标,界定其区域,并在此区域内进行亚区划分,在亚区划分的基础上,提出治理开发方略,以达到最小的投入,最大限度地减轻下游河道淤积。

本次研究在总结、吸收前人成果与经验的基础上,在以下几方面有创新,充分体现了其研究特点。

(1)基础资料整理分析方法严谨,首次对所有泥沙观测资料进行同步分析处理(如颗分资料改正、水沙资料插补延长等),以保证有完整、系统、可比的基础资料,明显提高了基础资料的一致性和可靠性,为进行分析研究和得出科学的结论奠定一个良好的基础。

(2)在研究内容上,采用了悬移质输沙量平衡法和淤积物取样分析法相结合,对粗泥沙粒径的界限进行了全面的论证;科学地界定了多沙区、粗沙区和多沙粗沙区范围;分析了黄土、基岩、风沙各自产粗泥沙量及产沙输沙规律;进一步研究了多沙粗沙区的区域特征,首次划分出能反映多沙粗沙区区域差异,并具个性特色的不同亚区,增加了成果的实用性。多沙粗沙区亚区划分是一项前人未进行过的新的研究内容,可为筛选重点治理范围和有针对性地治理提供科学依据。

(3)在研究方法上,利用现有资料、实地考察、综合分析、实验分析、地理制图等多种方法相结合,定性分析与定量分析相结合,常规方法与计算机、遥感图像分析、^{137}Cs核物理分析等先进技术手段的应用相结合,保证了数据的准确性和成果的科学性、先进性。

六、本项研究成果的应用前景及社会经济效益

(一)成果应用前景

查明黄河泥沙,特别是粗泥沙的主要来源地、产沙地层、输移规律、区域分布特征并最终进行亚区划分,有利于水保投资向重点区导向,同时便于针对性地实施治理方略,不仅可为集中治理、快速治理,实现减少入黄泥沙的战略决策提供科学依据,具有重要的实践意义和应用价值,同时也有利于黄河水资源的开发利用。通过这一特殊地区河流泥沙的研究,还可丰富土壤侵蚀、水文泥沙、水土保持等学科内容,促进学科的发展,具有一定的科学意义。

黄河泥沙90%来自中游,三门峡库区及下游河道主槽淤积物中,大约72%的泥沙为粗泥沙,本项目提出的多沙粗沙区面积占中游区的22.8%,而产生的全沙和粗泥沙量分别占中游全沙和粗泥沙的69.2%和77.2%,并且这些泥沙大都来自沟道,因此加强该区治理,特别是加强沟壑治理是治黄的关键所在。这些认识,对于中游重点治理区的规划,措施安排和投资导向以及下游减淤等都具有重大的现实意义。

多沙粗沙区是一"承东启西"的特殊地区,在进行西部大开发的战略转移时期,应当下大力气把该区整治好,为我国的经济发展作出贡献。

(二)社会、经济、环境、减沙效益

本项研究课题是基础研究,无直接效益。但是如果按照本课题的研究结果,把黄河中游的治理集中到 7.86 万 km^2 的多沙粗沙区,则可能产生社会、经济、环境、生态等多方面的综合效益。这是因为严重的水土流失,不仅使黄河中游生态环境受到破坏,更严重的是影响到黄河下游,使河床逐年淤高被迫加高大堤。据有关专家估算,在下游处理 $1m^3$ 淤沙的费用是中游拦截 $1m^3$ 泥沙费用的 5 倍多,所以中游治理是治黄之本,又可事半功倍。黄河中游粗泥沙的 77.2% 来自 7.86 万 km^2 的多沙粗沙区,若集中治理这一地区,粗泥沙减少 2/3,下游淤积会大大减轻,由此看出,本课题研究成果,不仅为下游减淤,而且为中游减少水土流失,改变生态环境,提高农业生产等提供科学依据,社会效益、经济效益、生态效益和减沙效益将是巨大的。

第二章　黄河粗泥沙定界论证

黄河粗泥沙定界论证,是黄河中游多沙粗沙区区域界定的基础性研究工作。其目的是要找出对黄河下游淤积造成严重危害的黄河中游粗泥沙的主要(集中)来源区。关于黄河粗泥沙界限,前人已做了大量的工作,它由 20 世纪 50 年代的 $d \geqslant 0.025$mm(或 $d \geqslant 0.03$mm)变为 70 年代以后的 $d \geqslant 0.05$mm。

由于人类活动的影响、自然条件的变化及资料系列的延长,有必要对粗泥沙界限进行论证。黄河粗泥沙定界论证,是在对水文站实测颗分资料进行统一改正的基础上,通过三门峡库区及下游河道淤积物粒径分析,弄清对三门峡库区及下游河道淤积影响最大,特别是对主槽淤积影响最大的那一部分泥沙,根据黄河的实际情况,确定黄河粗泥沙的含义及其界限。

第一节　黄河粗泥沙概念

一、泥沙及其粒径分类

什么是泥沙? 一般认为凡是松散沉积物(碎屑物)都可称作泥沙。这是广义的泥沙概念。自然界的基岩地层,无论是沉积岩、还是火成岩或松散堆积层,只要是暴露在自然界的都会受到各种自然因素(雨滴、水流、风、温度和化学等)的作用而产生机械风化,使岩层破裂。同样,人类活动的影响也会加速岩层的机械风化;生物作用也会使岩层产生物理化学变化。因此可以说,泥沙是岩石在自然界的各种外力作用下产生风化,发生裂隙、破碎、崩解而脱离母质所形成的不同粒径的松散碎屑物。本项目研究的是河流泥沙,按照钱宁教授的定义:"所谓泥沙,是指在流体中运动或受水流、风力、波浪、冰川及重力作用移动后沉积下来的固体颗粒碎屑"[16]。这里已涵盖了河流泥沙的含义。

泥沙的分类方法很多,可以根据其颗粒的大小来分类(见表 2-1),也可以根据其形成的原因来分类(如水成、风成或冰成等),还可以根据其所含岩性成分来分类。从河流泥沙学观点看,人们关心的是泥沙在水体中的输移和沉降,而泥沙的输移与其颗粒的大小和水流的强弱有相当密切的关系。因而,从减淤的角度考虑,我们更关心的是泥沙颗粒的大小。

泥沙颗粒的大小,可以用粒径来表示。所谓粒径,是指泥沙颗粒的直径。根据泥沙群体在水流搬运过程中粒径的变化情况,可以判断搬运介质能量的大小及沉积环境的水力学特性。河流泥沙,自上而下粒径是逐渐变小的。如砾石,经沿途磨损和分选作用,由大变小,逐渐变得圆滑。沙粒的沉积与否,一方面与粒径的大小有关,另一方面与搬运介质的能量有关,当能量减小到不足以使沙粒产生运动时,沙粒就沉积下来。自然界中泥沙颗粒的粒径范围是相当广泛的。

关于泥沙的粒径分类,目前世界各国,甚至同一个国家的不同专业,都采用不同的分类标准(表 2-1)。

表 2-1　　　　　　　　　　　　**各国泥沙粒级分类**　　　　　　　　　（单位:mm）

表 2-1(1)　　　　　　　　　　　我国水文工程分类

漂石	卵石	砾石	砂粒	粉砂	黏土
200	20	2	0.05	0.005	

表 2-1(2)　　　　　　　　　　　简明地质词典分类

砾粒				砂粒				粉粒	黏粒
巨大砾	大砾	中砾	小砾	粗砂	中砂	细砂	极细砂	粉粒	黏粒
1 000	200	20	2	0.5	0.25	0.1	0.05	0.005	

表 2-1(3)　　　　　　　　　　　水文地质学教材分类[18]

漂砾	卵石	砾石	砂					粉土		黏土
			极粗砂	粗砂	中砂	细砂	极细砂	粗	细	
200	20	2	1	0.5	0.25	0.1	0.05	0.01	0.005	

表 2-1(4)　　　　　　　　　　　我国河流泥沙分类[22]

漂石	卵石	砾石	砂粒	粉砂	黏粒
250	16	2	0.062	0.004	

表 2-1(5)　　　　　　　　　　　温特沃恩分类

漂石	卵石	砾石	最粗砂	粗砂	中砂	细砂	极细砂	粉砂	黏粒
256	64	4	1	0.5	0.25	0.125	0.02	0.004	

表 2-1(6)　　　　　　　　　　　乌顿—温德华粒度分级

卵砾	砂					粉砂				黏土
	极粗砂	粗砂	中砂	细砂	极细砂	粗粉砂	中粉砂	细粉砂	极细粉砂	
2	1	0.5	0.25	0.125	0.063	0.031 5	0.015 7	0.007	0.003 9	

表 2-1(7)　　　　　　　　　　　美国地球物理学会分类

漂石				卵石		砂砾石					砂	
很大漂石	大漂石	中漂石	小漂石	大卵石	小卵石	大砂砾石	粗砂砾石	中砂砾石	小砂砾石	细砂砾石	极粗砂	粗砂
2 048	1 024	512	256	128	64	32	16	8	4	2	1.0	

砂				粉砂				黏土			
粗砂	中砂	细砂	极细砂	粗粉砂	中粉砂	细粉砂	极细粉砂	粗黏土	中黏土	细黏土	极细
0.5	0.25	0.125	0.062	0.031	0.016	0.008	0.004	0.002	0.001	0.000 5	

注　本表系参考《简明地质词典》、《水文地质学》、《河流泥沙颗粒分析规程》(中华人民共和国行业标准 SL49 - 92)和《黄河泥沙与环境》等有关文献整理所得。

从表 2-1 可以看出：

(1)泥沙的粒径范围很大,大小相差非常悬殊,大的漂砾可达 1 000mm 以上,小的黏粒仅为万分之几毫米,泥沙的最大粒径与最小粒径相差可达百万倍。

(2)尽管各级粒级(如砾石、砂石、粉砂)范围不尽相同,但对沙粒的划分比较接近,如粗沙多数是 2~0.5mm,中沙为 0.5~0.25mm,细沙为 0.25~0.01mm,特别是粗沙(含极粗沙)的粒级范围多在 2.0~0.5mm 之间。这与下面将要讨论的黄河粗泥沙的概念相差甚大。

二、黄河粗泥沙概念的形成

黄河粗泥沙研究,始于 20 世纪 60 年代。许多学者曾提出过关于粗泥沙粒径界限的问题,其中最著名的是 1965 年黄河进行第二次治理规划时,钱宁教授主持规划中的水沙资料整理和研究工作,就是以 $d>0.025$mm 为粗泥沙界限的(见表 2-2)。

70 年代,黄委会水利科学研究所、水电部十一局勘测设计院和清华大学水利系三个单位共同完成的《黄河流域不同地区来水来沙对黄河下游冲淤的影响》报告及钱宁教授等撰写的《黄河中游粗泥沙来源区对黄河下游冲淤的影响》中,是以 $d\geqslant0.05$mm 为黄河粗泥沙界限的。他们分析了 1950 年 7 月至 1960 年 6 月黄河下游多年平均来水来沙及排沙情况(见表 2-3)和黄河下游不同河段的滩槽物质组成后(见表 2-4),认为不同粒径的来沙对下游河道淤积的影响是不同的[6]。因此,为减少黄河下游河道淤积,主要应控制中游 $d\geqslant0.05$mm 的粗颗粒泥沙来源区的水土流失。至此,"黄河下游河道中的淤积物主要是由 $d\geqslant0.05$mm 的粗颗粒泥沙造成的",这一概念的提出,对黄河泥沙研究和中游严重水土流失区的治理,起到了很大的推动作用。

由于黄河下游三门峡水文站、利津水文站分别是 1954 年和 1962 年才开始有系统的颗粒分析资料,50 年代的资料少而乱,大部分分级输沙量是根据 60 年代、70 年代实测全沙和粗泥沙的关系插补延长的,在当时,对 60 年代、70 年代的粒径计颗分资料改正等问题也在研究之中,因此,钱宁教授等用输沙率法计算的分级沙量,只用来阐述了各粒径级沙量的淤积比和排沙比,而确定 $d\geqslant0.05$mm 为黄河的粗泥沙界限主要是依据表 2-4 中该粒径级泥沙在淤积物中的比重占多数甚至绝大多数这一情况来决定的。1985 年冬,钱宁教授在"往事三则"中的叙述也证实了这一点[19]。

80 年代,很多文章和专著也都以 $d\geqslant0.05$mm 为黄河的粗泥沙界限,并指出:黄河来沙量平均每年达 16 亿 t,有 4 亿 t 泥沙淤积在黄河下游河道中,其中 $d\geqslant0.05$mm 的粗泥沙约占 69%[1~5,20],即 2.8 亿 t。(来沙 16 亿 t,系 1919~1960 年陕县水文站实测系列均值,下游淤积 4 亿 t,系 1950 年 7 月至 1960 年 6 月 10 年平均淤积量 3.87 亿 t(见表 2-3)的近似值;粗泥沙约占 69% 是 49%(1.90/3.87)的笔误,因而,2.8 亿 t 是不对的,按表 2-3 资料分析,只有 1.90 亿 t。)

80 年代后期和 90 年代,又有一些文献直接或间接用 $d\geqslant0.025$ mm 为黄河粗颗粒泥沙界限[7~9]。

三、黄河粗泥沙的含义

泥沙有粗细之分,地学或土力学中常说的粗沙一般在 0.5~2mm 之间[16,17],这种泥

表 2-2　　　　　　　　　　　　　1975 年以前黄河粗泥沙界限历年成果

编号	作者	时间（年）	粗泥沙界限（mm）	主要依据或简要说明	资料来源
1	赵业安	1965	0.03	1950 年 1 月至 1958 年 12 月，下游年平均淤积 3.41 亿 t，其中造床质为 2.36 亿 t（占 69%），非造床质 1.05 亿 t（占 31%）	①
2	中国科学院地理研究所地貌室黄土组	1965	0.03	黄河中游的水利工程建筑，受大量泥沙淤积危害，根据水文测验资料分析，落淤于这些建筑物以及下游河道中的泥沙，主要是 $d \geqslant 0.03$mm 粒径的颗粒，小于此粒径的颗粒，多随洪水泄走，我们将这部分落淤泥沙称为"粗颗粒"泥沙	②
3	黄委会规划办公室三门峡分析组	1965	0.025	"……河道挟沙能力系指粗沙而言，而对于细沙（$d \leqslant 0.025$mm）则是不起作用的，即为非造床质，而起作用的粗沙，为造床质。"但修建蓄水工程后，就不能这样简单认识了……	③
4	黄委会规划办公室粗泥沙来源组	1965	0.025	为减少下游河道的淤积，应在中上游控制一部分泥沙，就防止下游河道淤积恶化来说，应着重减少粗沙的来量，我们将悬移质中 $d \geqslant 0.025$mm 的泥沙称为粗泥沙	④
5	南京大学地理系	1965	0.025	技术组统一规定以 0.025mm 为粗泥沙界限	⑤
6	黄委会水科所、水电部十一局、清华大学	1975	0.05	(1)依据黄河下游 50 年代来水来沙及排沙情况表认为，进入三门峡以下 $d \geqslant 0.05$mm 以上的泥沙，一半以上淤在河道里 (2)依据黄河下游滩槽物质组成表认为:在主槽中，特别是淤在主槽深处的泥沙，极大部分是 $d \geqslant 0.05$mm 的粗颗粒泥沙，在滩地上，由于河道摆动，在较深的地层内，粗颗粒也占一半以上	⑥

注　① 黄河的输沙规律及治理问题的初步讨论，1965 年 5 月；
　　② 延河流域粗颗粒泥沙来源的初步研究，1965 年油印本（黄委会资料室借阅号 A14-2(2)-1）；
　　③ 泾、渭河粗细沙及排沙能力分析，1965 年元月草稿（黄委会资料室借阅号 B16-2-124）；
　　④ 黄河流域粗泥沙来源及其控制的若干问题，1965 年草稿；
　　⑤ 黄河中游无定河、窟野河、黄甫川与浑河地区粗颗粒泥沙来源问题调查报告，1965.9 油印本（黄委会资料室借阅号 A3-1(2)-26）；
　　⑥ 黄河泥沙研究报告选编（第一集）"黄河流域不同地区来水来沙对黄河下游冲淤的影响"，1978 年铅印本。

表 2-3　　　1950 年 7 月至 1960 年 6 月黄河下游多年平均来水来沙及排沙情况

时期	水量(亿 m³)		粒径级	沙量(亿 t)				排沙比（%）
	三＋黑＋小	利津		三＋黑＋小	渠道引沙	利津	三—利淤积	
汛期	295.6	298.6	<0.025mm	8.76	0.42	7.48	+0.87	85.4
			0.025～0.05mm	3.83	0.16	2.60	+1.07	67.8
			>0.05mm	2.75	0.10	1.43	+1.22	52.3
			全沙	15.34	0.68	11.51	+3.15	75.0
非汛期	184.0	165.3	<0.025mm	0.94	0.09	1.02	−0.17	108.0
			0.025～0.05mm	0.77	0.05	0.51	+0.21	66.3
			>0.05mm	0.90	0.04	0.18	+0.68	22.0
			全沙	2.61	0.18	1.71	+0.72	65.5
全年	479.6	463.9	<0.025mm	9.70	0.51	8.50	+0.69	87.6
			0.025～0.05mm	4.61	0.21	3.12	+1.28	67.7
			>0.05mm	3.64	0.14	1.60	+1.90	44.0
			全沙	17.95	0.85	13.22	+3.87	73.7

表 2-4　　　　　　　　黄河下游滩槽物质组成　　　　　　　　（%）

站名	分类(mm)	主　槽			滩　地			资料说明
		0～1.5m	1～3m	3～5m	0～1.5m	1～3m	3～5m	
花园口	>0.025	93.5	94.5	98.1				主槽部分花园口及朱口刘庄资料最多,中牟、柳园口、东坝头站仅个别钻孔资料。主槽中有些嫩滩组成过细,未包括在内 从修防段钻孔资料,东坝头至高村滩地 $d \geqslant 0.05$ mm 的泥沙约占40%
	>0.05	82.7	85.8	94.6				
中牟	>0.025		89.0	99.0	86.0	75.0	72.4	
	>0.05		60.0	97.0	69.0	55.0	66.3	
柳园口	>0.025	88.0	98.0			83.0	59.5	
	>0.05	63.0	96.0			40.0	50.5	
东坝头	>0.025			98.5				
	>0.05			97.0				
朱口刘庄	>0.025	85.0	70.5	94.0	64.8	45.3	73.1	
	>0.05	50.0	50.5	90.0	34.3	23.4	46.2	
伟那里	>0.025		93.0	97.0	85.0	91.0	95.0	
	>0.05		82.3	90.0	40.0	70.0	92.0	
平均	>0.025	88.8	89.0	97.3	79.6	73.6	75.0	
	>0.05	65.2	75.0	93.7	50.1	47.0	63.8	

注　表 2-3 和表 2-4 资料摘自《黄河泥沙研究报告选编》(第一集下册,1975)中的"黄河流域不同地区来水来沙对黄河下游冲淤的影响"。

沙在黄河下游淤积物中是极少的(见表 2-5),花园口站实测悬移质泥沙中,几乎没有 $d \geqslant 0.5mm$ 的粗沙。因此,在黄河泥沙研究中采用地学或土力学上的粗沙粒径,实际意义不大。为与地学上的粗沙相区分,本文所指的黄河"粗泥沙"是具有特定的含义的,即由于黄河上中游水土流失的泥沙,通过河道输移到三门峡水库及其下游河道,在淤积物中,特别是主槽中占多数的粗颗粒泥沙。也就是说,黄河"粗泥沙"应包括以下几个含义:首先,泥沙是来自上中游水土流失地区;其次,经水流输移,一部分淤积在三门峡水库及其下游河道(特别是主槽中);第三,在淤积物中粗颗粒泥沙应占大多数。

表 2-5 花园口站实测悬移质粒配结构

时 段	大于某一粒径所占比重(%)				
	0.025mm	0.05mm	0.10mm	0.25mm	0.50mm
1950~1995 年	42.0	17.7	3.0	0.2	0

综合各方面的研究认为,下游河道淤积危害严重的部位主要在主槽。因此,不仅要计算整个河道的总淤积物中占多数的粗泥沙是哪一粒径级,更主要的是要计算在主槽中占多数的粗泥沙是哪一粒径级。研究黄河"粗泥沙"的目的,是要找到对三门峡库区及下游淤积特别严重的"粗泥沙"的主要来源区,并进行重点治理。

第二节 三门峡库区及下游河道淤积物粒径分析

一、黄河泥沙颗粒分析资料改正

进行黄河"粗泥沙"定界论证工作最主要的资料是泥沙的颗粒级配,这也是整个项目中最主要、最基础的资料。由于 20 世纪 60 年代、70 年代的颗粒分析成果系统偏粗,必须进行改正,否则,会影响到整个研究成果的精确度。

(一)黄河流域泥沙颗粒分析情况

黄河泥沙颗粒分析工作虽然早在 1934 年即开始进行[21],但水文测站的颗粒分析始于 50 年代。当时最多发展到 30 多个颗分站。由于 60 年代初引进粒径计法,到 70 年代末期颗分站增加到近百个。

粒径计颗分原理简单、操作方便、所需沙重较少、能够批量处理沙样,对整个颗分工作的普及、推广起到了很大的推动作用。1960~1979 年期间,黄河流域所属测站泥沙粒径在 0.5~0.007mm 范围内的颗分资料全部是用粒径计法进行分析的,并整编刊印成册。但是,经过对比实验和长系列资料统计发现,粒径计方法所得资料与其他各种方法取得的资料衔接不上。经分析认为,粒径计法由于颗粒絮凝和异重沉降作用或群体沉降的影响,使分析成果系统偏粗,根据国家行业标准[22]规定,应进行改正。如何改正 1960~1979 年的颗分资料,提高颗粒分析成果的精度和使用价值,是一个重要问题。

(二)粒径计方法简介

粒径计分析法,是以单颗粒在清水中自由沉降不受其他任何影响为前提条件的一种颗粒分析方法。对于日常泥沙颗粒分析样品而言,均含有群体的泥沙颗粒,不可能采用单颗粒沉降分析的方法。由于群体颗粒在清水中沉降的初始阶段,因清、浑水的密度不同而不可避免地产生异重沉降和扩散影响,导致测得的泥沙颗粒的沉速偏大,计算粒径偏粗,而且这种影响是粒径越细影响越大。

粒径计法在国际上一直被广泛应用,但其适用范围是粒径在 0.5～0.062(或 0.05) mm 之间。我国的《水文测验手册》中不适当地将其分析下限扩大到 0.007mm,造成了泥沙颗分资料的严重失真。

(三)粒径计改正方法及其精度分析

多年来,黄委会水文局在总结经验的基础上,进行了 0.5～0.007mm 全样级配的对比试验及不同沙重影响的研究,对现有资料中可以配成全样级配的试验成果进行了收集、补充和整理。共采集黄河干支流 49 个水文站的试验沙样 507 个,将每个试验沙样过 0.5mm 洗筛后一分为二,一份用粒径计法分析 0.5～0.007mm 的颗粒级配,另一份过 0.1mm 洗筛。筛上部分用筛析法分析,或对沉降介质采用加甘油的措施以增加黏度,用光电颗分仪进行分析;筛下小于 0.1mm 部分用吸管法分析。以吸管法结合筛析法或增黏消光法的颗粒级配作为标准,与粒径计法的颗粒级配进行比较。共得对比试验资料 507 组,资料整理后,对明显不合理的资料,如两种级配曲线相交叉或相距过远、过近的以及试验质量明显有问题或粒径计管管径不合要求的剔除。经审查后,决定采用 45 个水文站的 396 组试验资料进行改正方法的分析研究。资料使用情况,详见表 2-6。经核查后认为,对试验资料的审查处理合理,采用的基础资料可靠。改正公式,见表 2-7。

根据表 2-7 所列回归方程,用另一半试验资料进行精度检验,即对另外 198 个粒径计测验结果的各级沙重百分数进行改正。用改正后的粒径级配曲线($P_{粒改}$)与标准级配曲线进行比较,同一粒径级的沙重百分数之差(ΔP)即为改正后的绝对误差。即

$$\Delta P = P_{粒改} - P_{标} \tag{2-1}$$

各粒径级沙重百分数改正后绝对误差的标准差为

$$S = \sqrt{\sum (\Delta P - \Delta \bar{P})^2 / (n - 1)} \tag{2-2}$$

式中:$\Delta \bar{P}$ 为 ΔP 的均值;S 为标准差;n 为样本容量。

各粒径级沙重百分数改正后绝对值的系统误差为

$$\hat{u} = \frac{1}{n} \sum \Delta P \tag{2-3}$$

式中:$\hat{u}$ 为系统误差。

用上述公式计算的结果见表 2-8。由表可知,改正后,细沙部分的标准差小于 5%,粗沙部分的标准差小于 2%;系统误差均小于 0.4%。说明用上述回归方程对粒径计法颗分历史资料进行改正,是具有较高精度的。

(四)粒径计改正结果对比分析

本次研究共选取了黄河流域 116 个站点 2 467 站年的悬移质泥沙颗分资料,用表 2-7 的公式对 60、70 年代月、年值进行了改正。

1.粒径级配对比分析

现将干流8个主要站1960～1979年粒径计法悬沙颗分资料和改正后成果统计结果列于表2-9。从表中数据看出:原粒径计法分析的级配资料$d \leqslant 0.025mm$的累计沙重百

表2-6　　　　　　　　　　　对比试验资料使用情况说明统计

站　名	资料组数	采用组数	未用组数	未用资料原因说明	站　　名	资料组数	采用组数	未用组数	未用资料原因说明
循　化	8	8			黄　甫	7	7		
小　川	11	10	1	明显不合理	高石崖	3	3		
兰　州	11	10	1	明显不合理	林家坪	3	3		
下河沿	11	11			后大成	4	4		
青铜峡	31	28	3	明显不合理	丁家沟	5	5		
石嘴山	10	10			白家川	5	2	3	明显不合理
巴彦高勒	20	18	2	明显不合理	延　川	2	1	1	明显不合理
头道拐	11	11			甘谷驿	6	6		
河　曲	19	19			大　宁	4	4		
府　谷	4	3	1	明显不合理	杨家坪	21	21		
吴　堡	10	8	2	明显不合理	巴家嘴	1	1		
龙　门	28	26	2	明显不合理	雨落坪	2	2		
潼　关	10	10			南河川	31	27	4	明显不合理
会兴渡口	9		9	为床沙样品	甘　谷	5	5		
三门峡	7	7			秦　安	5	2	3	明显不合理
小浪底	1	1			咸　阳	4	4		
花园口	14	13	1	明显不合理	华　县	42	42		
艾　山	1	1			桃　园	36		36	管径不一致
泺　口	12	12			朝　邑	34		34	管径不一致
利　津	8	8			宜　阳	7	6	1	明显不合理
民　和	2	2			白马寺	7	6	1	明显不合理
享　堂	5	4	1	明显不合理	黑石关	6	6		
王道恒塔	1	1			五龙口	10	10		
温家川	8	7	1	明显不合理	夹河滩	1		1	明显不合理
高家川	4	4			合　计	507	396	111	

表 2-7　　　　　　　　　　　　不同粒径级沙重百分数相关分析结果

粒径范围(mm)	资料样本容量(组)	回归系数	回归方程
$d \leqslant 0.007$	396	0.963	$P_粒 < 60\%$ 时　　　$P_标 = 1.477P_粒 + 1.184$ $P_粒 = 60\% \sim 100\%$　$P_标 = 0.255P_粒 + 74.5$
$d \leqslant 0.01$	396	0.973	$P_粒 < 70\%$ 时　　　$P_标 = -0.003\,48P_粒^2 + 1.561P_粒 + 0.095$ $P_粒 = 70\% \sim 100\%$　$P_标 = 0.25P_粒 + 74.3$
$d \leqslant 0.025$ $d \leqslant 0.05$	792	0.947	$P_标 = -0.008P_粒^2 + 1.799P_粒 - 1.689$
$d \leqslant 0.1$ $d \leqslant 0.25$ $d \leqslant 0.5$	1 188	0.948	$P_标 = -0.003\,96P_粒^2 + 1.435P_粒 - 3.889$

注　1　$P_粒$ 为粒径计法分析的小于某粒径沙重百分数;
　　2　$P_标$ 为改正后的小于某粒径沙重百分数;
　　3　此表摘自黄委会黄水政(1996)14 号文件"关于黄河粒径计法历史资料改正方法的批复"。

表 2-8　　　　　　　　　　　粒析结果各粒径级沙重百分数改正后误差统计

粒径范围(mm)	样本容量	标准差(%)	系统误差(%)
$d \leqslant 0.007$	198	4.950	-0.328
$d \leqslant 0.01$	198	4.818	-0.270
$d \leqslant 0.025$	198	4.793	0.343
$d \leqslant 0.05$	198	4.067	0.196
$0.075 \leqslant d \leqslant 0.50$	594	1.831	-0.001

分数系统偏小 15.1% ～ 17.7%,$d \leqslant 0.05$mm 的累计沙重百分数系统偏小 13.9% ～ 17.9%,$d \leqslant 0.10$mm 的累计沙重百分数系统偏小 0.6% ～ 4.3%。足见粒径计成果粒径越细,偏粗越多,因此,粒径计颗分资料不经改正将无法使用。

为了分析泥沙颗粒级配改正前后的变化趋势,将改正前和改正后的泥沙颗粒级配资料绘制级配曲线进行对比分析,以黄河头道拐、龙门、花园口 3 个水文站 1967 年级配曲线为例,分析结果见图 2-1～图 2-3。由图中可见,改正前后的泥沙粒径级配曲线趋势一致,但细颗粒部分改正数值相对大一些。

2.粒径逐年变化情况对比分析

为了说明改正前后粒径级配逐年变化情况,现以干流站龙门、花园口两站为例,绘制 $d \leqslant 0.025$mm、$d \leqslant 0.05$mm 和 $d \leqslant 0.10$mm 的三组粒径沙重百分数过程线(见图 2-4、图 2-5)。

表 2-9 黄河干流水文站 1960～1979 年改正前后小于某粒径沙重累计百分数差值统计 （%）

分 类	站 名	粒径计法	改正后	粒径计法－改正后	变化范围
$d \leqslant 0.025\text{mm}$	头道拐	44.7	62.4	－17.7	－14.5～－18.3
	吴 堡	31.9	47.5	－15.6	－13.8～－17.6
	龙 门	30.4	45.5	－15.1	－11.5～－16.9
	三门峡	41.9	57.5	－15.6	－5.3～－18.1
	花园口	40.6	57.9	－17.3	－15.2～－18.3
	高 村	42.7	60.3	－17.6	－15.5～－18.3
	艾 山	41.4	58.7	－17.3	－14.4～－18.3
	利 津	43.7	61.4	－17.7	－15.7～－18.3
$d \leqslant 0.05\text{mm}$	头道拐	69.8	84.6	－14.8	－11.3～－18.3
	吴 堡	52.4	70.3	－17.9	－17.0～－18.3
	龙 门	55.0	72.8	－17.8	－16.7～－18.3
	三门峡	65.8	80.8	－15.0	－0.5～－18.2
	花园口	66.5	82.3	－15.8	－11.1～－18.2
	高 村	70.7	85.3	－14.6	－11.6～－22.3
	艾 山	67.9	83.3	－15.4	－13.2～－17.8
	利 津	72.8	86.7	－13.9	－10.4～－16.3
$d \leqslant 0.10\text{mm}$	头道拐	96.1	97.4	－1.3	－0.6～－2.3
	吴 堡	85.1	89.4	－4.3	－2.7～－7.2
	龙 门	88.5	92.1	－3.6	－1.8～－6.1
	三门峡	94.1	96.0	－1.9	－0.3～－4.0
	花园口	95.6	96.9	－1.3	0.7～－3.8
	高 村	97.4	98.3	－0.9	－0.3～－1.9
	艾 山	97.7	98.5	－0.8	－0.3～－1.6
	利 津	98.4	99.0	－0.6	－0.2～－1.6

注 "改正后"是指用表 2-7 中公式改正后的粒径级配。

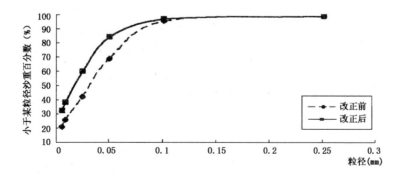

图 2-1 黄河头道拐水文站 1967 年改正前后泥沙颗粒级配曲线

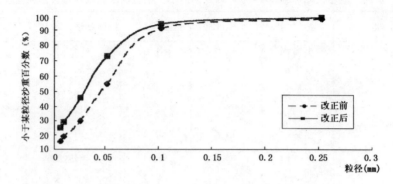

图 2-2　黄河龙门水文站 1967 年改正前后泥沙颗粒级配曲线

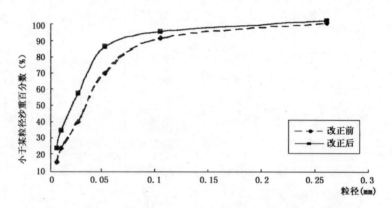

图 2-3　黄河花园口水文站 1967 年改正前后泥沙颗粒级配曲线

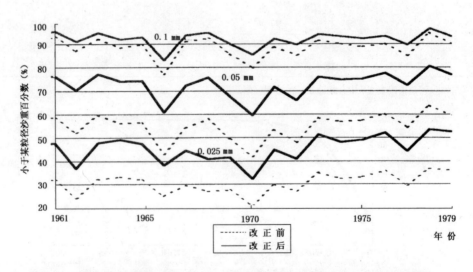

图 2-4　黄河龙门水文站 1960～1979 年改正前后小于某粒径沙重百分数过程线

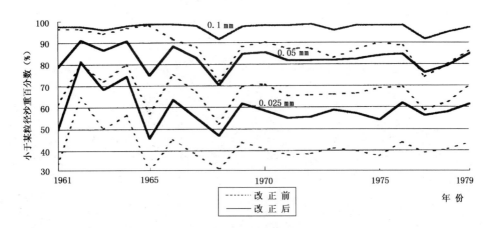

图 2-5 黄河花园口水文站 1960～1979 年改正前后小于某粒径沙重百分数过程线

从不同粒径级配过程线图中,可以得出如下几点认识:

(1)粒径级配资料改正后趋势与原粒径级配趋势一致,只是各粒径组改正的数值不同而已。

(2)$d \leqslant 0.05$mm 部分,百分数改正数值相对较大,$d \leqslant 0.10$mm 部分,百分数改正数值相对较小。

3.粒径改正后对不同粒径级泥沙输沙量的影响

将 1960～1979 年 $d \leqslant 0.025$mm、$d \leqslant 0.05$mm 和 $d \leqslant 0.10$mm 输沙量列于表 2-10,分析不同粒径级输沙量的变化情况。

从表 2-10 可以看出,$d \leqslant 0.025$mm 沙重改得较多,改正值相对差在 -28.9% ～ -33.3% 之间;$d \leqslant 0.05$mm 沙重改正值相对差在 -16.4% ～ -26.1% 之间;$d \leqslant 0.10$mm 沙重改得较少,改正值相对差仅在 0 ～ -5.2% 之间。

(五)悬沙粒径级配分布概况

根据黄河中游干支流泥沙颗粒分析站资料,统计各站改正后的泥沙特征值,见表 2-11。

从表 2-11 中可以看出,黄河干流泥沙除中游河龙区间来沙颗粒较粗外,干流其他河段泥沙颗粒较细。河龙区间干流多年平均中数粒径在 0.024～0.028mm 之间,其他河段为 0.017～0.022mm。

黄河支流黄甫川、窟野河、秃尾河,多年平均中数粒径在 0.05mm 以上;佳芦河、孤山川、岚漪河、窟野河、㸟牛川、无定河、延水、清涧河、泾河洪德以上,多年平均中数粒径在 0.030～0.049mm 之间;湫水河、三川河、汾河兰村以上、泾河洪德至张家山区间、北洛河,多年平均中数粒径在 0.020～0.030mm 之间。

二、三门峡库区及下游河道淤积物粒径分析

通过三门峡库区及下游河道淤积物粒径的分析计算,可找出对三门峡库区及下游河道淤积造成严重危害的泥沙,为黄河"粗泥沙"定界论证提供依据。

表 2-10　　　**黄河干流水文站 1960～1979 年不同粒径级泥沙量统计**

分　类	站　名	粒径计法输沙量 (亿 t)	改正后输沙量 (亿 t)	$\dfrac{粒径计法-改正后}{改正后}\times100\%$
$d\leqslant0.025mm$	头道拐	0.71	1.0	−29.0
	吴　堡	1.89	2.83	−33.2
	龙　门	2.99	4.48	−33.3
	三门峡	4.76	6.87	−30.7
	花园口	5.11	7.27	−29.7
	高　村	4.75	6.71	−29.2
	艾　山	4.52	6.42	−29.6
	利　津	4.57	6.43	−28.9
$d\leqslant0.05mm$	头道拐	1.12	1.36	−17.6
	吴　堡	3.11	4.21	−26.1
	龙　门	5.40	7.19	−24.9
	三门峡	8.03	10.2	−21.3
	花园口	8.35	10.3	−18.9
	高　村	7.94	9.54	−16.8
	艾　山	7.43	9.14	−18.7
	利　津	7.62	9.12	−16.4
$d\leqslant0.10mm$	头道拐	1.54	1.56	−1.3
	吴　堡	5.10	5.38	−5.2
	龙　门	8.78	9.15	−4.0
	三门峡	12.0	12.3	−2.4
	花园口	11.9	12.0	−0.8
	高　村	10.8	10.95	−1.4
	艾　山	10.7	10.8	−0.9
	利　津	10.4	10.4	0

本次淤积物粒径分析主要采用两种方法进行:一是悬移质分级泥沙量平衡计算法(以下简称平衡法);二是淤积物取样分析法(以下简称取样法)。下面采用这两种方法分别对三门峡库区和下游河道淤积物粒径进行分析计算。

(一)三门峡库区及下游河道淤积物粒径平衡法分析

用悬移质分级泥沙量平衡计算法进行淤积物粒径分析,其原理是质量守恒。它考虑了计算区间的输入、输出和区间引灌等要素,求出淤积量中各分级粒径沙量占总淤积量的比例。

1.三门峡库区淤积物粒径分析

三门峡库区是指龙门、华县、河津、㳠头四站(以下简称"四站")至三门峡大坝区间。据估算,1950～1995 年,总淤积量为 55.66 亿 t,年均淤积 1.21 亿 t。在淤积物中,$d\geqslant$ 0.025mm、$d\geqslant0.05mm$ 和 $d\geqslant0.10mm$ 的泥沙所占百分数分别为 76.8%、37.6% 和 21.5%。

表 2-11　　　　　　　　　　黄河流域各水文站泥沙特征值统计

| 水　系 | 站　名 | 系　列（年） | 多年平均输沙量（万 t） | 大于某粒径级粗泥沙量(万 t) | | | 中数粒径（mm） | 平均粒径（mm） |
				0.025 mm	0.05 mm	0.10 mm		
黄　河	头道拐	1958～1995	11 593	4 493	1 984	449	0.017	0.028
黄　河	府　谷	1966～1995	22 571	10 818	6 033	1 793	0.024	0.042
黄　河	吴　堡	1958～1995	51 216	26 872	15 359	4 698	0.028	0.044
黄　河	龙　门	1956～1995	81 300	44 235	22 066	5 766	0.028	0.042
黄　河	潼　关	1961～1995	112 800	52 762	22 488	3 712	0.022	0.031
黄　河	三门峡	1954～1995	122 200	55 945	24 519	4 536	0.022	0.031
黄　河	小浪底	1960～1995	105 500	46 385	19 824	3 530	0.021	0.030
黄　河	花园口	1961～1995	108 200	45 819	19 615	3 041	0.019	0.028
黄　河	高　村	1954～1995	100 800	41 500	16 076	1 433	0.018	0.026
黄　河	孙　口	1961～1995	94 800	39 517	15 196	1 564	0.018	0.026
黄　河	艾　山	1961～1995	90 000	38 968	15 497	1 101	0.019	0.026
黄　河	泺　口	1961～1995	91 300	36 847	13 603	887	0.017	0.024
黄　河	利　津	1961～1995	82 400	32 747	12 011	559	0.017	0.024
黄甫川	黄　甫	1957～1995	4 842	2 973	2 227	1 506	0.050	0.135
孤山川	高石崖	1966～1995	2 197	1 240	784	296	0.033	0.058
岚漪河	裴家川	1966～1985	1 221	666	366	187	0.030	0.047
窟野河	王道恒塔	1966～1995	2 754	1 874	1 527	1 042	0.089	0.155
窟野河	神　木	1966～1990	6 994	4 734	3 541	2 062	0.059	0.107
窟野河	温家川	1958～1995	10 860	6 915	5 259	3 324	0.061	0.126
㸆牛川	新　庙	1966～1995	1 629	809	580	364	0.034	0.085
秃尾河	高家川	1965～1995	1 844	1 358	997	512	0.062	0.115
佳芦河	申家湾	1966～1995	1 356	850	548	245	0.046	0.101
湫水河	林家坪	1966～1995	1 900	913	428	76.7	0.023	0.039
三川河	后大成	1963～1995	1 892	851	350	50.6	0.021	0.031
无定河	赵石窑	1969～1990	1 147	832	483	82.9	0.042	0.051
无定河	丁家沟	1966～1995	4 031	2 678	1 585	458	0.040	0.059
大理河	绥　德	1966～1990	3 701	2 376	1 110	209	0.033	0.047
无定河	白家川	1961～1995	11 368	7 095	3 661	857	0.034	0.050
大理河	青阳岔	1966～1995	450	295	170	64.9	0.038	0.077
小理河	李家河	1965～1995	534	333	158	29.2	0.033	0.049
岔巴沟	曹　坪	1970～1995	145	83.6	39.1	5.1	0.030	0.039
清涧河	延　川	1964～1995	3 565	1 949	830	117	0.028	0.037

续表 2-11

水系	站名	系列(年)	多年平均输沙量(万 t)	大于某粒径级粗泥沙量(万 t)			中数粒径(mm)	平均粒径(mm)
				0.025 mm	0.05 mm	0.10 mm		
清涧河	子长	1966～1995	1 061	600	277	42.2	0.029	0.042
昕水河	大宁	1965～1995	1 430	567	210	32.8	0.018	0.027
延水	甘谷驿	1963～1995	4 905	2 802	1 337	343.5	0.030	0.046
汾河	寨上	1975～1987	294	176	53	5	0.029	0.035
汾河	兰村	1974～1987	389	197	61	7	0.025	0.031
汾河	河津	1957～1995	1 947	648.7	254.4	39.3	0.014	0.023
渭河	南河川	1959～1990	12 641	4 224	1 380	470	0.014	0.030
渭河	咸阳	1954～1995	13 404	3 841	1 284	408	0.012	0.024
渭河	华县	1956～1995	36 286	13 233	4 075	714	0.016	0.025
渭河	甘谷	1966～1995	1 687	642	228	101	0.017	0.056
渭河	秦安	1957～1995	5 437	1 849	586	162	0.015	0.029
泾河	张家山	1964～1988	24 925	11 234	3 897	769	0.021	0.028
泾河	杨家坪	1964～1995	7 718	2 847	780	71	0.017	0.023
泾河	姚新庄	1969～1995	1 653	761	270	74	0.022	0.039
泾河	巴家嘴	1965～1988	1 626	662	200	24	0.018	0.026
泾河	洪德	1966～1995	3 700	2 207	917	85	0.031	0.041
泾河	庆阳	1957～1995	8 557	4 545	1 763	226	0.026	0.036
泾河	雨落坪	1957～1995	12 575	6 298	2 274	262	0.025	0.042
北洛河	刘家河	1969～1988	6 382	3 702	1 353	158	0.029	0.037
北洛河	交口河	1970～1988	6 491	3 713	1 466	189	0.028	0.043
北洛河	洑头	1963～1988	8 613	4 654	1 628	197	0.026	0.032
北洛河	志丹	1964～1988	1 104	648	260	50	0.029	0.045
洛河	长水	1961～1995	555	162.5	71.6	20.4	0.013	0.025
洛河	白马寺	1957～1995	1 137	269	104	23.9	0.010	0.019
伊洛河	黑石关	1956～1995	1 329	316	131	35.2	0.009	0.019
伊河	东湾	1961～1995	173	47.2	21.3	6.09	0.012	0.023
伊河	龙门镇	1957～1995	221	55.8	23.5	5.9	0.011	0.021
沁河	润城	1961～1995	408	103	42.6	11.6	0.009	0.020
沁河	五龙口	1961～1995	472	115	51.7	16.8	0.008	0.021

三门峡库区潼关以上年均淤积泥沙 0.98 亿 t,其中,$d \geqslant 0.025mm$、$d \geqslant 0.05mm$ 和 $d \geqslant 0.10mm$ 的泥沙所占百分数分别为 83.6%、66.5% 和 34.2%。

三门峡库区潼关以下年均淤积泥沙 0.23 亿 t,其中,$d < 0.05mm$ 的泥沙是淤积的,$d \geqslant 0.05mm$ 泥沙是冲刷的。造成这种"淤细排粗"的原因,主要是 1961~1964 年库区大量淤积,总淤积量达 34.5 亿 t,滩地淤积的多而细(因面积大),主槽淤积的少且粗,改变运用方式后,主槽及靠近主槽的粗泥沙冲刷排出库外,而滩地淤积的细泥沙形成了高滩,留在了原地,这些泥沙约有 13.5 亿 t。

20 世纪 50 年代,基本为天然状态,全库区微淤,年均淤积泥沙 0.08 亿 t,淤积的主要是粗颗粒泥沙。

1960 年三门峡水库开始蓄水运用,至 1979 年三门峡水库经过二次改建,三种运用方式,库区的冲淤波动极大。

1961~1964 年,三门峡水库处在蓄水拦沙运用期与改建前的滞洪排沙运用期。这 4 年,库区共淤积了 40.95 亿 t 泥沙,年均淤积泥沙 10.24 亿 t,淤积物较细。其中,$d \geqslant 0.025mm$、$d \geqslant 0.05mm$ 和 $d \geqslant 0.10mm$ 的泥沙所占百分数分别为 60.0%、26.4% 和 8.0%。主要淤积在潼关以下。潼关以上年均淤积泥沙仅 1.62 亿 t,$d \geqslant 0.025mm$、$d \geqslant 0.05mm$ 和 $d \geqslant 0.10mm$ 的泥沙所占百分数分别为 60.0%、24.6% 和 15.0%,潼关以上、潼关以下淤积物级配基本一致。

1965~1973 年,三门峡水库处于改建期的滞洪排沙运用期。这 9 年三门峡库区年均淤积 1.22 亿 t 泥沙,淤积物比前期粗,$d \geqslant 0.025mm$、$d \geqslant 0.05mm$ 和 $d \geqslant 0.10mm$ 泥沙的淤积量占总淤积量的百分比分别为 84.0%、42.8% 和 30.6%。这期间,潼关以上淤积最为严重,年均淤积泥沙达 2.67 亿 t。潼关以下库区大量冲刷,冲刷物较前期淤积物为粗。

1974~1979 年,三门峡水库改建完成,改滞洪排沙为蓄清排浑运用。这 6 年,年均冲刷 0.04 亿 t 泥沙,潼关以上继续淤积,但年均淤积量减少到 0.14 亿 t。潼关以下较 1965~1973 年冲刷量也减少了许多,年均冲刷量为 0.18 亿 t,$d < 0.05mm$ 的泥沙冲刷,$d \geqslant 0.05mm$ 的泥沙淤积。这或许是对前期"淤细排粗"的一种调整。

80 年代,前期冲刷,后期淤积。冲走的泥沙量大且细,淤积的泥沙量小而粗。所以,80 年代总体上是冲刷的。1980~1985 年,年均冲刷泥沙 1.27 亿 t,$d \geqslant 0.025mm$、$d \geqslant 0.05mm$ 和 $d \geqslant 0.10mm$ 的泥沙所占冲刷量的百分比分别为 86.8%、45.5% 和 5.8%。潼关以上微冲,年均冲刷泥沙 0.2 亿 t,但 $d \geqslant 0.05mm$ 泥沙仍是淤积的;潼关以下年均冲刷泥沙 1.07 亿 t,冲刷泥沙粗且量大,$d \geqslant 0.025mm$、$d \geqslant 0.05mm$ 和 $d \geqslant 0.10mm$ 泥沙占冲刷物的比例分别为 94.5%、55.9% 和 22.9%。1986~1989 年转冲为淤,年均淤积 0.56 亿 t,$d \geqslant 0.025mm$、$d \geqslant 0.05mm$ 和 $d \geqslant 0.10mm$ 泥沙占淤积量的比例分别为 67.7%、42.1% 和 36.2%。主要淤积部位在潼关以上,年均淤积泥沙 0.67 亿 t,潼关以下还微有冲刷。

进入 90 年代后,淤积速度又有增加。除了 1961~1973 年三门峡水库蓄水拦沙、滞洪排沙改建期的 13 年外,90 年代是三门峡库区淤积较严重的时期。1990~1995 年,年均淤积泥沙达 1.14 亿 t,$d \geqslant 0.025mm$、$d \geqslant 0.05mm$ 和 $d \geqslant 0.10mm$ 泥沙占淤积量的比例分别为 51.5%、20.0% 和 6.9%,淤积物细化现象十分显著。这与黄河下游趋势一致,主要是来水量偏少所致。潼关以上,年均淤积泥沙 1.02 亿 t,$d \geqslant 0.025mm$、$d \geqslant 0.05mm$ 和 $d \geqslant 0.10mm$ 的泥沙所占比例分别为 60.4%、28.8% 和 15.8%,淤积量大且细。潼关以下,年均淤积泥沙 0.12 亿 t。三门峡库区各级泥沙冲淤量计算成果,见表 2-12。以上计算中,未考虑区间加沙问题,由于区间来沙较干流来沙细,如果加上这部分泥沙,粗泥沙的淤积比重会有所下降。

2.下游河道淤积物粒径分析

三门峡、黑石关、武陟(以下简称"三站")至利津区间,1950~1995 年,总淤积泥沙 115.34 亿 t,年均淤积 2.51 亿 t,其中,$d \geqslant 0.025mm$、$d \geqslant 0.05mm$ 和 $d \geqslant 0.10mm$ 的泥沙占总淤积量的 70.8%、44.6% 和 16.8%(见表 2-12)。

下游河道冲淤变化和三门峡水库运用条件有关。现根据水库不同运用时段来分析下游不同粒径的冲淤百分比。

1950~1960 年,来水来沙基本为天然状况,"三站"至利津区间年均淤积量为 4.41 亿 t,其中,$d \geqslant 0.025mm$、$d \geqslant 0.05mm$ 和 $d \geqslant 0.10mm$ 的泥沙占总淤积量的 63.4%、39.7% 和 13.0%。淤积的是比较细的泥沙。

1961~1964 年,三门峡水库蓄水拦沙,下泄清水,下游河道全程发生冲刷,年均冲刷量达 5 亿 t,各级泥沙均冲刷。由于细沙易冲,整个河床发生粗化。

1965~1973 年,三门峡水库滞洪排沙,水库滞洪,洪峰削减,排泄大量泥沙,下游河道淤积严重,年均淤积 4.67 亿 t,其中,$d \geqslant 0.025mm$、$d \geqslant 0.05mm$ 和 $d \geqslant 0.10mm$ 的泥沙占总淤积量的 75.9%、49.6% 和 16.1%。淤积物较粗。

1974 年以后,三门峡水库运用方式改为蓄清排浑,非汛期含沙量较小时蓄水,汛期降低水位,进行排洪排沙,河道冲刷或淤积随来水来沙条件而变化。其中,1974~1979 年,来水量居中,来沙量略小于多年均值,洪峰流量较大,年均淤积 3.01 亿 t,其中 $d \geqslant 0.025mm$、$d \geqslant 0.05mm$ 和 $d \geqslant 0.10mm$ 的泥沙占总淤积量的 53.8%、31.8% 和 14.8%。1980~1985 年,黄河来水较丰,来沙较枯,平衡法分析淤积很少,实际下游河道连续冲刷,断面法分析年均冲刷量为 1.26 亿 t,河床淤积物进一步粗化。1986~1989 年,上游龙羊峡水库汛期截流蓄水并与刘家峡水库联合调度运用,使汛期基流减小,下游年均淤积为 2.20 亿 t,其中,$d \geqslant 0.025mm$、$d \geqslant 0.05mm$ 和 $d \geqslant 0.10mm$ 的泥沙占总淤积量的 65.6%、33.5% 和 10.9%。1990~1995 年,沿河灌溉引水量剧增,断流现象发展,冲沙动力条件减弱,淤积仍很严重,年均淤积量达 2.36 亿 t,其中,$d \geqslant 0.025mm$、$d \geqslant 0.05mm$ 和 $d \geqslant 0.10mm$ 的泥沙占总淤积量的 67.0%、35.4% 和 9.2%。

从"三站"至利津区间不同时段沙量分析计算来看,$d \geqslant 0.05mm$ 的泥沙,60 年代初期因三门峡水库蓄水拦沙、下泄清水、河道冲刷调整等原因,细泥沙冲刷严重。而 50 年代和 70 年代淤积物中,$d \geqslant 0.05mm$ 的泥沙淤积量占总淤积量的 40% 左右。1986 年以后,由于人类活动和气候因素的共同作用,上中游来水来沙偏少,下游出现大洪水的几率也偏少,沿途引水量增加,冲沙动力条件减弱,淤积物细化,$d \geqslant 0.05mm$ 的泥沙只有 34.7%。由此看出,下游淤积泥沙细化趋势很明显。

应当指出,用悬移质颗分平衡法求冲淤量,其原理是质量守恒。从长时段来看,由于三门峡以下各断面均有不同程度的底沙漏测问题,使得平衡法计算的冲淤量较实际情况

表 2-12

三门峡库区及下游河道不同同时段各级泥沙冲淤相对量计算成果

（%）

区段	粒径(mm)	1950~1960年	1961~1964年	1965~1973年	1974~1979年	1980~1985年	1986~1989年	1990~1995年	1950~1959年	1960~1969年	1970~1979年	1980~1989年	1950~1995年
"四站"至潼关	全沙量(亿t/a)	0.566 4	1.615 5	2.670 0	0.137 4	-0.198 0	0.670 1	1.025 5	0.670 2	2.632 3	0.452 1	0.149 3	0.982 5
	≥0.025 占全沙量%	185.3	60.0	69.3	118.4	44.7	57.3	60.4	173.7	65.3	93.1	67.4	83.6
	≥0.05 占全沙量%	219.5	24.6	48.8	-4.7	-11.2	44.0	28.8	206.0	39.5	61.2	87.9	66.5
	≥0.10 占全沙量%	78.2	15.0	26.2	54.0	-86.9	32.0	15.8	71.1	20.6	53.0	126.5	34.2
潼关至三门峡	全沙量(亿t/a)	-0.346 0	8.622 2	-1.447 0	-0.179 0	-1.074 0	-0.113 0	0.118 3	-0.591 0	3.052 5	-0.796 0	-0.690 0	0.227 6
	≥0.025 占全沙量%	50.5	60.0	56.9	10.7	94.5	6.2	-25.7	74.2	66.7	59.2	88.7	47.5
	≥0.05 占全沙量%	221.8	26.7	53.9	-113.1	55.9	53.7	-56.2	159.9	22.0	26.8	55.8	-87.1
	≥0.10 占全沙量%	50.4	6.7	22.5	-96.5	22.9	11.4	-70.1	33.8	5.1	13.0	22.1	-33.4
"四站"至三门峡	全沙量(亿t/a)	0.226 9	10.238	1.223 0	-0.041 0	-1.272 0	0.557 0	1.143 9	0.079 8	5.684 7	-0.344 0	-0.540 0	1.210 1
	≥0.025 占全沙量%	386.9	60.0	84.0	-346.8	86.8	67.7	51.5	909.9	66.0	14.6	94.6	76.8
	≥0.05 占全沙量%	216.1	26.4	42.8	-472.7	45.5	42.1	20.0	547.3	30.0	-18.4	46.9	37.6
	≥0.10 占全沙量%	119.7	8.0	30.6	-596.3	5.8	36.2	6.9	346.8	12.2	-39.6	-6.7	21.5
"六站"至花园口	全沙量(亿t/a)	2.975 5	8.589 5	3.295 4	1.180 4	-0.479 0	1.107 1	1.787 1	3.005 7	6.073 9	1.303 4	0.155 4	2.524 1
	≥0.025 占全沙量%	102.2	64.9	86.1	89.3	19.3	72.3	48.5	105.7	68.3	109.9	170.5	82.2
	≥0.05 占全沙量%	58.2	28.3	53.6	37.2	-17.8	41.8	5.7	61.2	33.4	66.0	152.2	43.3
	≥0.10 占全沙量%	20.4	7.8	25.1	23.8	-14.9	28.0	6.6	21.4	12.2	35.7	107.4	18.0
花园口至利津	全沙量(亿t/a)	1.660 6	-3.307 0	2.600 1	1.792 2	-0.199 0	1.651 0	1.716 1	1.605 6	-0.068 0	2.381 7	0.540 9	1.193 0
	≥0.025 占全沙量%	38.1	47.5	66.8	39.6	290.4	61.7	76.0	36.9	-414.0	49.7	11.2	52.8
	≥0.05 占全沙量%	30.6	21.8	41.2	39.9	195.8	30.8	56.0	31.5	-423.9	36.5	-5.6	40.3
	≥0.10 占全沙量%	15.2	1.0	11.7	23.1	-105.3	8.0	10.5	16.4	-233.7	15.3	33.1	19.6
"六站"至利津	全沙量(亿t/a)	4.636 1	5.282 4	5.895 5	2.972 6	-0.678 0	2.758 2	3.503 2	4.611 3	6.005 8	3.685 0	0.696 3	3.717 5
	≥0.025 占全沙量%	79.2	75.7	77.6	59.4	98.9	66.0	61.9	81.8	73.8	71.0	46.8	72.8
	≥0.05 占全沙量%	48.3	32.4	48.2	38.8	44.9	35.3	30.3	50.9	38.6	47.0	29.6	42.3
	≥0.10 占全沙量%	18.5	12.2	19.2	23.4	-41.5	16.1	8.5	19.6	15.0	22.5	49.7	18.5
"三站"至利津	全沙量(亿t/a)	4.409 3	-4.955 0	4.672 5	3.013 9	0.593 7	2.201 2	2.359 4	4.531 5	0.321 1	4.029 1	1.236 7	2.507 4
	≥0.025 占全沙量%	63.4	43.2	75.9	53.8	72.9	65.6	67.0	67.2	209.5	66.1	67.7	70.8
	≥0.05 占全沙量%	39.7	20.0	49.6	31.8	46.2	33.5	35.4	42.1	190.4	41.4	37.2	44.6
	≥0.10 占全沙量%	13.0	3.9	16.1	14.8	58.6	10.9	9.2	13.5	59.8	17.2	24.6	16.8

注 带"-"的为冲刷量。

偏大。本文借用平衡法的概念仅是计算淤积物中不同粒径的含量,它求的是一种比值关系,若漏测泥沙级配与已测部分级配一致,这种比值是基本稳定的。一般认为三门峡测验断面较好,基本没有漏测,而利津较三门峡断面大约漏测3.6%[24],漏测底沙一般较粗,若考虑这一因素,总淤积量应减少,但粗泥沙淤积量减少的比重更大,区间淤积物中粗泥沙的比例还会下降。因此,以上所算各种粒径的淤积比重,就"三站"至利津区间来说,是一上限值。但对各区段,情况就不一定如此。各站相对于三门峡站都可能有不同程度的底沙漏测问题(见表2-13)。因此,各区间计算的大于等于某粒径泥沙的百分比属上限或下限,要看区间上下断面的漏测比例而定。

表2-13　　各水文站所测沙量对三门峡沙量的相对系统偏差

站名	小浪底	花园口	夹河滩	高村	孙口	艾山	泺口	利津
距三门峡距离(km)	132.8	260.8	366.2	449.4	580.9	644.0	751.8	925.9
对三门峡系统偏差(%)	-2	-8.4	-8.2	-6.8	-6.2	-5.2	-5.7	-3.6

由输沙率法分析看出,淤积物中 $d \geqslant 0.025$mm 的泥沙占多数(70.8%),$d \geqslant 0.05$mm 的泥沙不到半数(44.6%)。

3.三门峡库区及下游河道淤积物粒径分析

为了综合库区及下游河道淤积物粒径分析成果,以龙门、华县、河津、狱头、黑石关、武陟(以下简称"六站")之和为输入,利津为输出,在考虑引灌后,计算"六站"至利津区间多年平均淤积量为3.72亿t,其中 $d \geqslant 0.025$mm、$d \geqslant 0.05$mm 和 $d \geqslant 0.10$mm 的泥沙占总淤积量的72.8%、42.3%和18.5%。

从1950年起,以年代为时段进行统计(90年代为1990年到1995年,下同),50年代至90年代各时段淤积物中,$d \geqslant 0.05$mm 的泥沙含量分别为50.9%、38.6%、47.0%、29.6%和30.3%,多年平均为42.3%。$d \geqslant 0.025$mm 的泥沙含量分别为81.8%、73.8%、71.0%、46.8%和61.9%,多年平均为72.8%。由以上可以看出:①随年代的延伸,三门峡水库和下游河道的平均淤积物有细化的趋势。②$d \geqslant 0.025$mm 的泥沙占多数(约72.8%),$d \geqslant 0.05$mm 的泥沙不到半数(42.3%)。

(二)三门峡库区及下游河道淤积物粒径取样分析法分析

取样分析法,是从淤积物中直接取样、进行颗粒级配组成分析。其优点是能分别在滩地和主槽中取样。采用该法还可与悬沙平衡法进行对照。除了整理分析三门峡库区和下游河道历年的断面淤积河床取样颗分成果外,1996年分别在三门峡库区和下游河道进行取样分析,取样工具是用洛阳铲,每个点取样深度为2.5m,每隔0.5m深取一次样,全部土样混合后取其中一部分进行颗分。

1.三门峡库区淤积物取样分析

1996年9月和11月,两次到库区取样,从黄淤67断面至黄淤2断面,共测取、分析三门峡库区水下及滩地淤积物土样123个,其中水下19个断面76个土样,滩地10个断面47个土样。同时,整理分析了三门峡水库建库以来至1990年20个淤积断面的淤积物颗分成果(列于表2-14和表2-15中)。干流平均,由表中所列断面算术平均而得,而90年代因资料原因,用1996年实际取样分析结果代替。

从主槽淤积物取样颗分结果分析看,潼关以下淤积物比较细,$d \geqslant 0.05$mm 的泥沙含量平均为 51.2%;$d \geqslant 0.025$mm 的泥沙含量平均为 77.3%。潼关以上(干流)淤积物比较粗,$d \geqslant 0.05$mm 的泥沙含量平均为 74.7%,$d \geqslant 0.025$mm 的泥沙含量平均为 94.8%(见表 2-14)。

表 2-14　　　　　　　　　　　三门峡库区主槽淤积物颗分成果对照　　　　　　　　　　(%)

位 置		$d \geqslant 0.025$mm					$d \geqslant 0.05$mm				
		1960~1969年	1970~1979年	1980~1989年	1996年	平均	1960~1969年	1970~1979年	1980~1989年	1996年	平均
潼关以下	黄淤2	58.7	84.6	53.1	37.5		24.7	60.2	18.8	9.0	
	黄淤15	57.7	68.7	62.8	47.5		28.0	46.4	38.7	8.8	
	黄淤22	78.6	84.5	85.3	77.9		56.4	66.5	62.4	27.5	
	黄淤29	73.0	78.9	88.0	79.8		45.0	63.0	59.7	38.1	
	黄淤33	96.5	77.4	79.2	61.2		79.5	58.4	58.2	33.2	
	黄淤38	97.0	90.4	85.5	92.3		84.1	70.9	63.2	59.5	
	黄淤41	98.8	97.6	85.8	85.7		91.6	86.9	58.7	35.1	
	平　均	80.0	83.2	77.1	68.8	77.3	58.5	64.6	51.4	30.2	51.2
潼关以上	黄淤41	98.8	97.6	85.8	85.7		91.6	86.9	58.7	35.1	
	黄淤45	97.3	95.2	89.4	84.3		86.7	74.9	66.6	67.1	
	黄淤51	94.9	95.3	94.4	91.0		83.7	74.5	77.9	42.1	
	黄淤57	99.5	97.3	92.6	99.7		81.8	83.5	77.4	94.6	
	黄淤63	100.0	97.1	95.1	96.2		39.1	82.2	82.0	74.4	
	黄淤67		98.7	92.9	98.4			89.1	77.4	88.1	
	平　均	98.1	96.9	91.7	92.6	94.8	76.6	81.9	73.3	66.9	74.7
干流平均		86.5	88.8	83.7	79.3	84.6	63.7	71.4	61.8	48.1	61.2
渭洛河	渭淤1	70.1	65.1	56.9		64.0	38.8	26.5	26.2		30.5
	渭淤4	83.7	82.6	71.1		79.1	43.0	55.2	39.3		45.8
	渭淤7	78.4	90.5	79.4		82.8	47.3	64.9	51.4		54.5
	渭淤10	85.3	90.0	80.8		85.4	56.3	67.2	55.5		59.7
	平　均	79.4	82.1	72.1		77.8	46.4	53.5	43.1		47.6
	洛淤1	89.1	72.8	67.5		76.5	50.7	37.2	31.9		39.9
	洛淤5	82.6	82.9	74.3		79.9	41.0	43.4	32.3		38.9
	洛淤10	86.2	82.5	77.4		82.0	59.8	49.3	41.1		50.1
	洛淤17	87.1	82.7	74.3		81.4	63.6	56.8	39.7		53.4
	平　均	86.3	80.2	73.4		80.0	53.8	46.7	36.3		45.6

注　1996年为本次研究现场取样分析成果。

从滩地土样分析结果看,潼关以下 $d \geqslant 0.05$mm 的泥沙含量平均为 29.3%,较主槽平均偏细 21.9 个百分点,$d \geqslant 0.025$mm 的泥沙平均为 62.5%,较主槽平均偏细 14.8 个百分点;潼关以上(干流)$d \geqslant 0.05$mm 的泥沙含量平均为 58.8%,$d \geqslant 0.025$mm 的泥沙含量平均为 86.0%(见表 2-15)。从全库区看,淤积物中 $d \geqslant 0.025$mm 和 $d \geqslant 0.05$mm 的泥沙分别占 69.6% 和 40.9%(见表 2-16)。

表 2-15　　　　　　　三门峡库区滩地淤积物颗分成果对照　　　　　　　（%）

位　置		$d \geqslant 0.025$mm					$d \geqslant 0.05$mm				
		1960~1969 年	1970~1979 年	1980~1989 年	1996 年	平均	1960~1969 年	1970~1979 年	1980~1989 年	1996 年	平均
潼关以下	黄淤 2	61.7	82.6	59.5			14.9	45.3	21.2		
	黄淤 8				46.8					10.6	
	黄淤 15	47.6	57.8	60.1			16.4	23.2	30.0		
	黄淤 19				65.7					22.5	
	黄淤 22	65.8	51.9	50.8			25.1	17.9	19.9		
	黄淤 26				40.1					19.2	
	黄淤 29	77.5	31.0	47.1			38.7	13.9	23.7		
	黄淤 30				44.9					23.8	
	黄淤 33	78.3	61.6	51.9			26.8	33.6	19.3		
	黄淤 34				65.8					19.8	
	黄淤 38	84.0	83.6	55.9			43.3	44.9	28.2		
	黄淤 41	99.3		85.7	74.7		93.7		58.3	33.8	
	平　均	73.5	61.4	58.7	56.3	62.5	37.0	29.8	28.7	21.6	29.3
潼关以上	黄淤 41	99.3		85.7	74.7		93.7		58.3	33.8	
	黄淤 45	72.0	84.5	77.1			42.6	53.8	37.7		
	黄淤 49				73.8					42.0	
	黄淤 51	92.0	83.1	82.1			61.6	53.7	38.7		
	黄淤 57	97.4	79.8	83.5			68.3	47.9	62.0		
	黄淤 59				88.7					76.8	
	黄淤 63	100.0	88.6	80.2			36.9	62.0	61.3		
	黄淤 67		91.1	94.3	93.7			68.1	87.5	87.1	
	平　均	92.1	85.4	83.8	82.7	86.0	60.6	57.1	57.6	59.9	58.8
干流平均		79.6	72.3	69.0	66.0	71.7	42.6	42.2	40.7	37.3	40.7
渭洛河	渭淤 1	58.0	46.0	39.0			23.8	14.1	9.0		
	渭淤 4	68.5	41.8	15.1			25.8	14.3	4.2		
	渭淤 7	47.9	62.4	51.4			19.6	12.6	23.3		
	渭淤 10	47.1	57.9	14.4			13.5	13.6	2.3		
	平　均	55.4	52.0	30.0		45.8	20.7	13.7	9.7		14.7
	洛淤 1	65.2	48.5	52.3			29.6	22.9	19.7		
	洛淤 5	68.0	60.7				28.2	26.5			
	洛淤 17		68.4					31.8			
	平　均	66.6	59.2	52.3		59.4	28.9	27.1	19.7		25.2

注　1996 年为本次研究现场取样分析成果。

表 2-16　　　　　　　　三门峡库区淤积物粒径分析汇总　　　　　　　　　（%）

平　均	粒径(mm)	部　位	60 年代	70 年代	80 年代	1996 年	平　均
潼关以上	≥0.025	滩　地	92.1	85.4	83.8	82.7	86.0
		主　槽	98.1	96.9	91.7	92.6	94.8
		渭　河	57.8	55.0	34.2	30.0	44.2
		北洛河	68.6	61.3	54.4	50.0	58.6
		平　均	82.3	78.6	69.6	68.0	74.6
	≥0.05	滩　地	60.6	57.1	57.6	59.9	58.8
		主　槽	76.6	81.9	73.3	66.9	74.7
		渭　河	23.2	17.6	13.0	12.0	16.5
		北洛河	31.4	29.0	21.4	18.0	24.9
		平　均	52.8	51.6	47.2	45.4	49.3
潼关以下	≥0.025	滩　地	73.5	61.4	58.7	56.3	62.5
		主　槽	80.0	83.2	77.1	68.8	77.3
		平　均	74.1	63.6	60.6	57.6	64.0
	≥0.05	滩　地	37.0	29.8	28.7	21.6	29.3
		主　槽	58.5	64.6	51.4	30.2	51.2
		平　均	39.1	33.3	30.9	22.5	31.5
三门峡库区	≥0.025	平　均	78.4	71.5	65.3	63.1	69.6
	≥0.05	平　均	46.4	42.9	39.5	34.6	40.9

注　根据文献[26]按各河段冲淤量和滩槽淤积量加权,系数为:

①潼关以上平均计算方法:0.645×(滩地＋河槽)/2＋0.312×渭河＋0.043×北洛河;

②潼关以下平均计算方法:滩地×0.9＋河槽×0.1;

③库区平均计算方法:潼关以上平均×0.53＋潼关以下平均×0.47;

④渭河、北洛河计算方法:滩地×0.9＋主槽×0.1;

⑤渭河、北洛河 90 年代借用 1985~1989 年平均值。

2.下游河道淤积物取样分析

1996 年 5~6 月断流期间,我们进行了黄河下游河道淤积物取样分析。从小浪底至河口共取淤积物土样 27 个断面、64 个点、188 个土样,其中滩地 29 点、143 个土样,水边 27 个点、29 个土样,主槽 8 个点、16 个土样。取样方法与库区相同,滩地和水边是每个断面都取,主槽是从陶城铺以下开始取的(人能到的地方),在地下水比较浅的主槽地段,大部分都取不到 2.50m;水边点为表层样(见表 2-17)。从取样颗粒分析结果可以看出:

(1)滩地、水边、主槽淤积物中,$d \geq 0.025$mm 的泥沙含量依次为 68.0%、81.3% 和 85.4%,$d \geq 0.05$mm 的泥沙含量依次为 33.0%、45.9% 和 57.7%,淤积物从滩地至主槽逐渐变粗,颗分成果见图 2-6 和表 2-17。经与历年河床质取样对比分析看出,该次的主槽取样明显偏细,一方面是由于断流,另一方面是近几年河床质没有经过大洪水淘洗造成的。黄河下游历年各站河床质取样颗分成果,见表 2-18。

表 2-17 小浪底以下淤积物粗泥沙含量分析

断面号	断面名	间距 (km)	d≥0.05(%)			d≥0.025(%)		
			滩地	水边	主槽	滩地	水边	主槽
26	小浪底		45.8	100		84.8	100	
27	洛阳桥	30.0	49.2	82.0		86.9	94.2	
25	大玉兰	35.0	37.6	86.7		79.7	97.2	
24	驾 部	28.0	34.1	54.3		53.0	88.1	
23	花园口	35.0	27.2	47.4		45.3	83.4	
1	万 滩	29.5	40.5	23.8		70.1	35.1	
2	辛 庄	23.2	34.7	36.1		73.2	83.3	
3	古 城	30.6	25.4	20.5		65.3		
4	夹河滩	22.1	37.5	26.6		73.4	74.9	
5	大王寨	30.2	20.1	39.1		51.4	86.9	
6	李连庄	24.5	42.3	25.1		76.3	78.6	
7	高 村	24.5	48.3	31.2		83.5	84.4	
8	尹 庄	38.8	23.6	13.9		60.1	58.7	
9	桑 庄	30.5	36.6	80.9		79.1	97.5	
10	杨 楼	31.9	30.0	65.5		63.0	97.4	
11	孙 口	33.3	31.1	39.9		69.0	88.8	
12	陶城铺	32.2	25.5	38.1	80.5	62.4	85.7	97.7
13	艾 山	30.9	39.6	49.2	31.1	82.2	87.8	75.3
14	李 营	33.8	26.1	37.9	56.8	65.6	56.1	65.3
15	豆腐窝	45.4	36.2	49.7	27.3	64.3	94.7	76.4
16	泺 口	28.6	59.8	22.4	48.1	86.3	64.9	83.9
17	吴家寨	38.4	16.2	25.2		61.1	73.4	
18	连五庄	45.2	22.2	21.4	68.2	60.5	62.6	84.0
19	王家庄	46.4	17.3	43.1	62.5	52.8	87.2	92.8
20	利 津	44.1	33.0	49.7	77.8	70.0	83.3	94.9
21	垦 利	25.8	39.7	66.1	23.8	79.7	95.8	58.0
22	建 林	23.0	9.8	64.0		42.1	88.6	
合 计			33.0	45.9	57.7	68.0	81.3	85.4

(2)由于淤积过程极为复杂,在同一取样点的不同深度,粒径级配组成粗细交互出现(见表2-19)。

根据文献[25]提供的1950年6月至1993年10月黄河下游分段滩槽淤积量资料,结合我们1996年汛前取样分析结果,按河段和滩槽淤积沙量加权平均,得出下游各河段 $d≥0.05$mm 和 $d≥0.025$mm 的泥沙含量(见表2-20)。总的结果是:$d≥0.05$mm 的泥沙含量为35.4%,$d≥0.025$mm 的泥沙含量为71.7%。

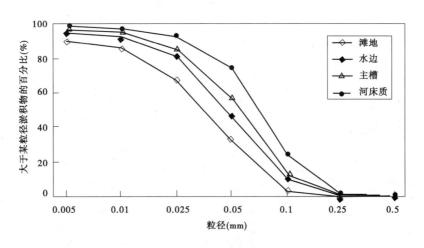

图 2-6 淤积物颗粒级配示意图

表 2-18　　　　　　　黄河下游历年各站河床质粒径组成分析成果

站　名	大于某粒径(mm)的泥沙含量(%)								资料时段
	0.005	0.01	0.025	0.05	0.1	0.25	0.5	1.0	
花园口	99.2	98.4	93.8	77.6	40.3	6.7	0.5	0.0	1952~1990
夹河滩	99.3	98.4	91.9	71.5	31.3	3.6	0.2	0.0	1963~1990
高　村	98.1	97.3	91.8	75.5	30.8	2.5	0.0	0.0	1963~1990
孙　口	99.2	98.4	94.0	75.2	21.4	0.3	0.0	0.0	1965~1990
艾　山	97.9	96.6	90.9	71.5	18.0	0.2	0.0	0.0	1959~1990
泺　口	98.3	97.5	93.3	75.9	19.9	0.2	0.0	0.0	1956~1990
利　津	99.0	97.7	92.9	75.9	16.4	0.1	0.0	0.0	1963~1990
平　均	98.7	97.7	92.6	74.7	25.4	1.9	0.1	0.0	

表 2-19　　　　　　　花园口滩地淤积物取样颗粒分析成果

地表以下深度 （m）	大于某粒径(mm)的泥沙含量(%)					
	0.005	0.01	0.025	0.05	0.10	0.25
0.0~0.5	78.2	67.8	51.2	16.5	4.0	0
0.5~1.0	92.3	90.0	75.1	50.2	0.4	0
1.0~1.5	74.1	61.9	32.2	15.8	0.1	0
1.5~2.0	85.1	78.1	55.0	46.6	4.6	0
2.0~2.5	48.1	23.5	13.0	9.3	1.6	0
平　均	75.6	64.3	45.3	27.7	2.1	0

　　对于1996年汛前取样,滩地取样都选的是大滩,都取2.5m深,有一定代表性。但对主槽来说,由于断流,淤积物较细,再加上有水的河段只取了表层,代表性不够。用历年河床质级配代替主槽淤积物级配,滩地仍用1996年汛前取样结果。在淤积物中,全断面

表 2-20 　　　　　　　　黄河下游淤积物粗泥沙含量分析

河段名	分 类	1950.7～1993.10 总淤积量 (亿 t)	$d \geqslant 0.05$mm(％)		$d \geqslant 0.025$mm(％)	
			1996 年取样	历年河床质	1996 年取样	历年河床质
铁 谢 ～ 花园口	主 槽	-1.01	74.1	76.0	92.6	93.5
	滩 地	8.02	38.8	38.8	69.9	69.9
	全断面	7.01	33.7	33.4	66.6	66.5
花园口 ～ 夹河滩	主 槽	4.30	30.9	74.2	69.2	92.9
	滩 地	9.85	33.1	33.1	65.5	65.5
	全断面	14.15	32.4	45.6	66.6	73.8
夹河滩 ～ 高 村	主 槽	3.55	30.5	73.5	81.2	91.8
	滩 地	14.08	37.1	37.1	71.2	71.2
	全断面	17.63	35.8	44.4	73.2	75.3
高 村 ～ 孙 口	主 槽	2.10	46.3	75.0	85.4	92.5
	滩 地	14.48	33.9	33.9	71.1	71.1
	全断面	16.58	35.5	39.1	72.9	73.8
孙 口 ～ 艾 山	主 槽	2.55	42.4	73.4	87.4	92.4
	滩 地	3.78	32.1	32.1	71.2	71.2
	全断面	6.33	36.2	48.7	77.7	79.7
艾 山 ～ 泺 口	主 槽	2.78	40.3	73.8	75.6	92.5
	滩 地	2.70	40.4	40.4	74.6	74.6
	全断面	5.48	40.3	57.3	75.1	83.7
泺 口 ～ 利 津	主 槽	3.78	46.5	76.3	80.8	93.5
	滩 地	4.95	29.7	29.7	66.2	66.2
	全断面	8.73	37.0	49.9	72.5	78.0
花园口 ～ 利 津	主 槽	19.06	38.5	74.4	78.9	92.6
	滩 地	49.84	34.4	34.4	69.7	69.7
	全断面	68.90	35.6	45.5	72.3	76.1
铁 谢 ～ 利 津	主 槽	18.05	36.4	74.3	78.1	92.6
	滩 地	57.86	35.0	35.0	69.8	69.8
	全断面	75.91	35.4	44.4	71.7	75.2

$d \geqslant 0.05$mm 的泥沙占 44.4％,其中主槽 $d \geqslant 0.05$mm 的占 74.3％,但主槽淤积量较少,是总淤积量的 23.8％(1950～1993 年系列);全断面 $d \geqslant 0.025$mm 的泥沙占 75.2％,其中主槽占 92.6％。应当说,河床质是多年变动的,在中小水年淤积,过几年遇到大水就冲刷,若再遇到的洪水是细沙区来水,前几年的河床质就被置换了。因此,用河床质级配代替主槽淤积物级配所计算的淤积物中不同粒径的淤积比重也是上限值。

应当说明,黄河下游滩槽淤积是一个轮回过程,若洪水较大漫滩时,淤积大量发生在滩地,主槽一般淤积较少,甚至冲刷,形成一个高滩深槽,这对防洪是比较有利的。若长时段没出现较大洪水,一般中小洪水不上滩,淤积主要发生在主槽(如80年代后期和90年代),当主槽淤到一定程度后,滩槽差变小,甚至彼此不分,原不上滩的洪水又开始上滩甚至漫滩十分严重(如"96.8"洪水),以后滩地淤积又将增加。所以,从长时段来看,下游滩槽的淤积是交替进行的,一个时段以淤滩为主,另一个时段又以淤槽为主。从短时段看,黄河下游河道淤滩有利,但从长时段看,滩槽交互淤积是不利的,滩槽共涨(长),地上悬河更悬,危险性也更大。

3. 三门峡库区及下游河道淤积物粒径取样分析

根据库区和下游淤积物级配组成和淤积量加权,求得库区及下游河道淤积物组成。其中,$d \geqslant 0.025$mm 和 $d \geqslant 0.05$mm 的泥沙分别占总淤积量的71.7%和42.3%(见表2-21)。

表2-21 三门峡库区及下游河道淤积物取样颗分成果

区 段	淤积量 (亿 t)	不同粒径淤积物所占百分比(%)	
		$d \geqslant 0.025$mm	$d \geqslant 0.05$mm
三门峡库区	82.7	69.6	40.9
下游河道	75.91	75.2	44.4
库区及下游河道	159.81	71.7	42.3

4. 三门峡库区及下游河道主槽淤积物粒径分析

主槽淤积物粒径分析,直接采用历年河床质成果和本次研究取样分析成果。

从表2-22看出,三门峡库区潼关以上主槽淤积物中,$d \geqslant 0.025$mm 和 $d \geqslant 0.05$mm 的泥沙含量分别是94.8%和74.7%,主槽泥沙比滩地泥沙稍粗一点(滩地对应粒径含量为86.0%和58.8%)。潼关以下因库区回水顶托,比潼关以上淤积物细,$d \geqslant 0.025$mm 和 $d \geqslant 0.05$mm 的泥沙含量分别为77.3%和51.2%,而滩地淤积物中级配要细得多(滩地对应粒级含量分别为62.5%和29.3%)。由此看出,潼关以上因主流摆动主槽比滩地淤积物稍粗,但滩地淤积也较粗,潼关以下因回水顶托比潼关以上稍细,但滩地淤积物就更细。

下游河道铁谢至利津区间主槽淤积物中,$d \geqslant 0.025$mm 和 $d \geqslant 0.05$mm 的泥沙含量分别是92.6%和74.7%,比滩地粗得多(滩地相应淤积物含量分别是69.8%和35%)。综合库区干流及下游河道全断面来看,$d \geqslant 0.05$mm 以上的泥沙占45.6%。由此看出,主槽淤积物中,是 $d \geqslant 0.05$mm 以上的泥沙占多数。但应看到,主槽的淤积量相对较少,如下游河道主槽淤积量仅占总淤积量的23.8%;在水库回水区内是淤积一大片,冲刷一条线,主槽淤积量更少,库区干流和下游河道的主槽淤积量占总淤积量的25.6%,说明主槽淤积量有限,但主槽淤积对防洪而言危害严重。

(三)平衡法与取样法两种结果比较

1. 三门峡库区平衡法与淤积物取样颗分法比较

根据文献[26]介绍:1960~1990年全库区共淤积泥沙60.35亿 m³,其中潼关以上约占53.0%,潼关以下约占47.0%;在潼关以上,北干流淤积占64.5%,渭河淤积占31.2%,北洛河淤积占4.3%。据此及历年各断面的淤积物取样颗分成果,可计算出三门

表 2-22 三门峡库区干流及下游河道主槽淤积物组成

区 段	河段名	位 置	年平均淤积量（亿 t/a）	不同粒径淤积物所占百分比（%）	
				$d \geqslant 0.025mm$	$d \geqslant 0.05mm$
三门峡库区	潼关以上（干流）	主槽	0.470 2	94.8	74.7
		滩地	0.470 2	86.0	58.8
		平均	0.940 4	90.4	66.8
	潼关以下	主槽	0.126 5	77.3	51.2
		滩地	1.138 0	62.5	29.3
		平均	1.264 5	64.0	31.5
	库区干流合计	主槽	0.596 7	91.1	69.7
		滩地	1.608 2	69.4	37.9
		平均	2.204 9	75.2	46.5
下游河道	铁谢至利津	主槽	0.419 7	92.6	74.7
		滩地	1.345 6	69.8	35.0
		平均	1.765 3	75.2	44.4
库区及下游河道	龙门至利津（干流）	主槽	1.016 4	91.7	71.8
		滩地	2.953 8	69.6	36.6
		平均	3.970 2	75.2	45.6

注 1 库区淤积量为 1960 年以来年均值，下游河道为 1950 年以来年均值；
2 平均值中不含库区渭河、北洛河部分。

峡库区各河段的淤积物取样颗分成果（见表 2-16）。平衡法与取样法颗分成果比较，见表 2-23。

三门峡库区淤积物中，$d \geqslant 0.025mm$ 的泥沙含量占 76.8%（平衡法）～69.6%（取样法），$d \geqslant 0.05mm$ 的泥沙含量占 37.6%（平衡法）～40.9%（取样法）。由此看出，两种方法的分析结果差别不是太大。

2. 下游河道平衡法与取样分析法比较

根据黄河下游各时段平均冲淤量纵横分配表、历年各站河床质取样颗分成果与 1996 年各河段滩地淤积物取样颗分成果，可计算出下游各河段的淤积物颗分成果。黄河下游河道平衡法与取样颗分法成果比较，见表 2-23。

下游河道"三站"至利津区间淤积物中，$d \geqslant 0.025mm$ 的泥沙含量占 70.8%（平衡法）～75.2%（取样法），$d \geqslant 0.05mm$ 的泥沙含量占 44.6%（平衡法）～44.4%（取样法）。

3. 三门峡库区及下游河道平衡法与淤积物取样颗分法比较

库区及下游河道淤积物中，$d \geqslant 0.025mm$ 的泥沙含量占 72.8%（平衡法）～71.7%（取样法），$d \geqslant 0.05mm$ 的泥沙含量占 42.3%（见表 2-23）。由此说明，淤积物中 $d \geqslant 0.05mm$ 的泥沙接近半数，$d \geqslant 0.025mm$ 的泥沙占多数。

表 2-23　　　　　三门峡库区及下游河道平衡法与取样法颗分成果比较　　　　（％）

河段名		$d \geqslant 0.025mm$		$d \geqslant 0.05mm$	
		平衡法	取样颗分法	平衡法	取样颗分法
库　区	潼关以上	83.6	74.6	66.5	49.3
	潼关以下	47.5	64.0	−87.1	31.5
	全库区	76.8	69.6	37.6	40.9
下游河道	三花段	87.1	66.5	48.6	33.4
	花高段	51.9	74.7	40.5	44.9
	高孙段	46.4	73.8	26.7	39.1
	孙艾段	−294.9	79.7	96.2	48.7
	艾泺段	109.4	83.7	22.4	57.3
	泺利段	45.1	78.0	8.9	49.9
	花利段	52.8	76.1	40.3	45.5
	三利段	70.8	75.2	44.6	44.4
"六站"至利津		72.8	71.7	42.3	42.3

第三节　黄河粗泥沙定界论证

一、黄河粗泥沙界限确定方法探讨

确定黄河"粗泥沙"界限的方法较多,在总结过去工作的基础上,主要对以下5种定界观点进行讨论。

(一)下游淤积物中占多数的观点

从前人的研究成果中看出,不少人都赞同用下游淤积物中占多数的观点来确定黄河"粗泥沙"界限。如早在1965年,黄河水利科学研究所的"黄河的输沙规律及治理问题的初步探讨"[1]中谈到,1950年1月至1958年12月,下游年平均淤积3.41亿t,其中造床质为2.36亿t(占69%),非造床质为1.05亿t(占31%),最后提出0.03mm为黄河的"粗泥沙"界限,这主要是受造床质和非造床质界限的影响。

1965年,中国科学院地理研究所在"延河流域粗颗粒泥沙来源的初步研究"[2]中,也是以0.03mm定为"粗泥沙"界限。文中谈到,"黄河中游的水利工程建筑,受大量泥沙淤

---

[1]　赵业安.黄河的输沙规律及治理问题的初步讨论.1965年5月

[2]　中国科学院地理研究所编.延河流域粗颗粒泥沙来源的初步研究.1965年油印本(黄委会资料室借阅号A14-2(2)-1)。

积危害,根据水文测验资料分析,落淤于这些建筑物以及下游河道中的泥沙,主要是 $d \geqslant$ 0.03mm 粒径的颗粒,小于这些粒径的颗粒,多随洪水泄走,我们称这部分落淤泥沙为'粗颗粒'泥沙"。由此看出,早在 60 年代,黄河"粗泥沙"界限就是以淤积物中占多数的观点来确定的。

1965 年,编制第二次黄河治理规划时,钱宁教授主持规划中的水沙资料整理和研究工作,曾委托南京大学地理系师生赴黄河中游无定河、黄甫川、窟野河和浑河调查"粗泥沙"来源,当时规定以 0.025mm 为"粗泥沙"界限。

70 年代以后,许多文献都谈到,黄河多年平均来沙 16 亿 t,约有 4 亿 t 泥沙淤积在下游河道里,其中 $d \geqslant$ 0.05mm 的粗泥沙约占 69%,即 2.8 亿 t[1~5,20]。由此看出,以淤积物中占多数的观点来确定黄河"粗泥沙"界限,已为不少人接受。

本次研究对 50 年代以来的输沙资料进行系统分析和淤积物取样分析发现,下游河道淤积物组成已经发生了很大变化。

1."三站"至利津区间

根据平衡法计算成果,"三站"至利津区间淤积物中,多年平均 $d \geqslant$ 0.05mm 的泥沙含量为 44.6%;$d \geqslant$ 0.025mm 的泥沙含量为 70.8%。

从断面淤积物取样分析结果看出,淤积物中 $d \geqslant$ 0.05mm 的泥沙占 44.4%,$d \geqslant$ 0.025mm 的泥沙占 75.2%,与平衡法分析结果基本一致。

2."六站"至利津区间

根据平衡法计算成果,"六站"至利津区间淤积物中,$d \geqslant$ 0.05mm 的泥沙约占 42.3%,$d \geqslant$ 0.025mm 的泥沙约占 72.8%。

根据库区和下游河道淤积物取样分析结果,$d \geqslant$ 0.05mm 的泥沙占 42.3%,$d \geqslant$ 0.025mm 的泥沙约占 71.7%,与平衡法分析结果基本一致。

从以上看出,不管是"三站"还是六站至利津区间淤积物中,$d \geqslant$ 0.05mm 的泥沙含量接近半数;$d \geqslant$ 0.025mm 的泥沙占多数。

该方法是针对总淤积量来讨论的,从过去来看,黄河下游滩地淤积量远多于主槽,并且滩地淤积也比主槽细,主槽是行洪的主要通道。因此,我们更关心主槽的淤积。

(二)下游泥沙易淤难排的观点

在进入黄河下游的泥沙中,全沙、$d \geqslant$ 0.025mm、$d \geqslant$ 0.05mm 和 $d \geqslant$ 0.1mm 的各级泥沙的排沙比分别是 80%、70%、57% 和 19%。由此说明,黄河下游淤粗排细的特性十分突出。易淤难排是一个相对概念,将这一概念用 3:7 的数值定量化,即进入下游某粒级以上的泥沙,30% 能从利津断面输送入海,70% 淤在利津以上的下游河道里,将对应的粒径作为黄河的"粗泥沙"界限,应在 0.05~0.10mm 之间,经计算该粒径约为 0.085mm。但应看到,$d \geqslant$ 0.085mm 的泥沙在下游淤积物中的比例仅为 25.3%,即便中游这部分泥沙减少了,下游淤积仍很严重。

(三)中游主要来沙区输沙中占多数的观点

有学者仍以占多数的观点直接从中游主要产沙流域的实测输沙中确定黄河"粗泥沙"界限为 0.025mm[7~9]。显然这种确定方法考虑因素过于简单,若遇到下游河道不是淤积环境,排沙能力特强,淤积不严重,危害不大,就没什么意义了。还是应当从下游的淤积与中游的产沙联系起来确定的黄河"粗泥沙"界限才有实际意义。

(四)泥沙运动力学的观点

从泥沙运动力学的观点来看,泥沙在水流中的运动(包括沉降、起动、输移等)与泥沙粒径的关系甚大,如泥沙的沉速(ω)和粒径(d)有关,ω大说明d大。所以,泥沙在水流中的运动除了和流速大小(即流量大小)有关外,和泥沙的粒径大小也有关。设有一挟沙水流以流速U沿着坡降为J的河床向前流动,每经过一个单位时间,泥沙颗粒在垂直方向下降的距离等于UJ。因此,在单位时间内单位水体从泥沙中取得了势能。另一方面,泥沙以速度ω向下沉降。如果要保持恒定的悬浮状态,则紊动必须与泥沙在水下的重量相抗衡,使泥沙颗粒相对于周围水体而言,以同样的速度ω向上举起。因此,为了使泥沙悬浮,在单位时间内需要从单位水体的紊动动能中消耗能量。若下沉的耗能小于悬浮力,即$\omega \leqslant UJ$,则由于泥沙的存在而消耗的紊动动能可以从泥沙所增加的势能中取得补偿而有余。这样的泥沙就是冲泄质,不论从流域中来多少,都可以为水流所带走。反之,若$\omega > UJ$,则泥沙就沉积下来,可以称这部分泥沙为床沙质[16]。这就看出,在水力边界条件一定的情况下,一般是细沙易冲、粗沙难排。从黄河下游河道多年平均情况看,其分界粒径约为0.025mm[27]。

(五)下游主槽淤积物中占多数的观点

由于主槽是主要的行洪通道,过去主槽排洪量一般占70%~80%,主槽的严重淤积对防洪形势极为不利。同时,主槽萎缩,不利于河势的稳定,使险情增加。因此,以减轻主槽泥沙淤积为目的,将黄河"粗泥沙"界限定为在下游主槽淤积物中占多数的粗泥沙是本次研究提出应当考虑的重要因素之一。据多年的河床质取样分析结果,库区和下游河道主槽淤积物中是$d \geqslant 0.05$mm的泥沙占多数,库区干流约为70%,下游河道约为75%,这是本次研究粗泥沙定界论证考虑的重要因素之一。

二、黄河粗泥沙界限的确定

在前面的讨论中,已经确定了黄河的粗泥沙含义,即由于黄河上中游水土流失所产生的泥沙,通过河道输移到下游并淤积在河道(含水库)中,在淤积物中占多数(主要指主槽中)的粗颗粒泥沙。

历史上,黄河"粗泥沙"界限曾用过0.03mm、0.025mm和0.05mm,20世纪70年代以后基本上沿用0.05mm。本次分析,三门峡库区和下游河道淤积物中$d \geqslant 0.025$mm的泥沙占72.3%(两法平均),其中,干流主槽占91.7%;$d \geqslant 0.05$mm的泥沙占42.3%(两法平均),其中,干流主槽占71.8%。按照黄河"粗泥沙"的含义,经综合分析认为,黄河"粗泥沙"定界以0.05mm比较适宜,理由如下:

(1)虽然下游河道淤积物中$d \geqslant 0.05$mm的泥沙占的比例不到一半,但在主槽里却占了大多数。从黄河下游的防洪(泄洪)能力、河道稳定性(滩槽之差)等考虑,我们应注意主槽的淤积问题。因此,应以主槽淤积物中粗泥沙占多数的观点来确定黄河粗泥沙界限。

(2)研究粗泥沙问题应将侵蚀、输移、沉积联系在一起考虑,从前面分析的资料中可以看出,多年平均来沙量中$d \geqslant 0.05$mm的泥沙仅占22%,而淤积物中却占42.3%;来沙量中0.025mm$\leqslant d < 0.05$mm的泥沙占27%,在淤积物中占30%;来沙量中$d < 0.025$mm

的泥沙占 51%,而淤积物中只占 27%。显然,$d \geqslant 0.05$mm 的粗泥沙在来沙量中所占比例最少,在淤积物中所占比例最大。

(3)粗泥沙的定界目的,是以之为依据确定中游多沙粗沙区范围。本次工作对 $d \geqslant$ 0.025mm 和 $d \geqslant 0.05$mm 两组泥沙界限分别进行区域界定,发现两个区域面积基本一致,面积相差仅 6% 左右。

(4)从库区和下游河道排沙比来看,$d \geqslant 0.10$mm 的排沙比为 11.0%,$0.10 \geqslant d >$ 0.05mm 的排沙比为 56.4%,$0.05 \geqslant d > 0.025$mm 的排沙比为 64.0%,$d < 0.025$mm 的排沙比为 78.8%,由此看出,$d < 0.05$mm 的泥沙大部分(约 2/3)能排走,而 $d \geqslant 0.05$mm 的泥沙大部分淤积在利津以上的河道中。从中游拦沙与下游减淤的效果来看,粗泥沙界限定在 0.05mm 较为合适。

(5)黄河泥沙总的说来是比较细的,根据以往分析,$d \geqslant 0.025$mm 是区别黄河下游造床质与非造床质的主要界限,这是一个物理意义比较明确的界限。造床质是塑造河床的能冲能淤的一组泥沙,但对下游淤积起主要作用的泥沙来说,应该比 0.025mm 粒径粗一些才合乎逻辑。

综合上面分析,再考虑到 70 年代以来黄河一直是沿用 0.05mm 这个界限值,因此,本次研究仍以 0.05mm 作为黄河"粗泥沙"界限值。

第四节 结论与讨论

(1)泥沙有粗细之分,地学或土力学上所说的粗沙在黄河下游淤积物中是极少的,在黄河泥沙研究中,采用地学或土力学上的粗沙实际意义不大。根据黄河的特点和治理需要,提出了黄河"粗泥沙"的概念。黄河"粗泥沙"的含义是:由于黄河上中游水土流失所产生的泥沙,通过河道输移到下游并淤积在河道(含三门峡水库中),在淤积物中占多数(主要指主槽中)的那部分粗颗粒泥沙,称为粗泥沙。黄河"粗泥沙"是在黄河这种特殊环境中产生的,它与中游的产沙和下游的来水来沙及河道边界条件密切相关。因此,粗细泥沙的界限也是相对的,是变化的。

(2)由于 60 年代、70 年代黄河流域各水文站泥沙颗分采用粒径计法,其结果系统偏粗,$d \geqslant 0.05$mm 的泥沙,龙门站平均偏粗 17.8%,花园口站平均偏粗 15.8%,因此,粒径计颗分资料必须改正后才符合实际。

(3)三门峡库区和下游河道淤积物中,平衡法分析,$d \geqslant 0.05$mm 的泥沙占 42.3%,$d \geqslant 0.025$mm 的泥沙占 72.8%;取样法分析,$d \geqslant 0.05$mm 的泥沙占 42.3% $d \geqslant 0.025$mm 的泥沙占 71.7%。平衡法和取样法计算结果基本接近。说明在总淤积物中,$d \geqslant 0.05$mm 的泥沙接近半数,$d \geqslant 0.025$mm 的泥沙占多数。

(4)从平衡法分析结果看出,淤积物有逐渐细化的趋势。三门峡库区和下游河道淤积物中,$d \geqslant 0.05$mm 的泥沙含量由 50 年代的 50.9% 变为 90 年代(前 6 年)的 30.3%。

(5)从取样法分析结果看出,主槽淤积的泥沙比滩地的粗得多。$d \geqslant 0.05$mm 的泥沙含量,库区干流主槽比滩地多 31.8%,下游河道主槽比滩地多 39.7%。主槽淤积物中,$d \geqslant 0.05$mm 的泥沙库区占 69.7%,下游河道占 74.7%,平均为 71.8%。说明主槽淤积物

中是 $d \geqslant 0.05mm$ 的泥沙占多数。

(6)通过本次的研究认为,在三门峡库区和下游河道淤积物中,$d \geqslant 0.05mm$ 的泥沙约占总淤积量的一半,但是按滩槽分别计算,则主槽中的淤积物中 $d \geqslant 0.05mm$ 的泥沙则占大多数。从下游防洪及河道演变这个角度来看,人们更关心的是主槽的淤积,再加上用 $0.05mm$ 和 $0.025mm$ 两个界限界定的黄河中游多沙粗沙区面积基本一致,因此,确定 $d \geqslant 0.05mm$ 为黄河"粗泥沙"界限,比较合适。

(7)近二三十年来,黄河下游由于降雨条件和工程控制的共同作用,发生大洪水的几率减小。如花园口水文站洪峰流量大于 $8\,000m^3/s$ 的发生次数,50 年代 17 次,60 年代 4 次,70 年代 3 次,80 年代 4 次,1990～2000 年为 0 次。同时,引黄灌溉将会增加,断流现象难以缓减。如利津站年径流量,50 年代为 480 亿 m^3,60 年代为 501 亿 m^3,70 年代为 311 亿 m^3,80 年代为 286 亿 m^3,90 年代只有 177 亿 m^3。从长时期来看,忽略河床冲淤调整影响,黄河下游各河段输沙率(Q_s)与流量(Q)的平方成正比。假定因人类活动影响,来沙量与来水量同步减少为一半,那么,由于来水量的减少,河道输沙率将变为原来的 $1/4$,因而下游的冲沙动力条件大大减弱,$d < 0.05mm$ 的泥沙可能难于入海,而是淤积在河道里。说明淤积物中"粗泥沙"的比重与水流条件的关系甚密。认清这一事实,对于黄河治理的决策是有积极意义的。

(8)从下游淤积物组成及其变化来看,我们更加强调中游多沙粗沙区应坚持沟坡兼治、综合治理的方针。近 20 年,在河龙区间粗泥沙来量减少的情况下,下游河道主槽淤积日趋加重的事实也说明,对于粒径在 $0.05～0.025mm$ 之间的泥沙也应引起高度重视。

(9)50 年代后期,三门峡工程正在施工,中游水土保持尚未大规模开展,干支流水利工程也不多,因此,黄河下游的冲淤变化属于天然状态,而且来水来沙处于较偏丰的天然状态。60 年代以后,新建了许多水利水保工程,由于水利水保工程和气候因素的共同影响,黄河的来水来沙条件均出现了新的变化。近期的观测资料表明,黄河下游淤积物中 $d \geqslant 0.05mm$ 的泥沙所占比例有所降低,这和水利水保措施的实施有关。在小浪底水库投入运用后,进入下游的泥沙将会更细。从这个角度看,粗泥沙界限不是固定不变的,而是因人类活动的干扰而随时变动的,是一个动态界限,这个动态界限与人类活动的影响有关。

(10)黄河中游水土流失不仅危害了中游,同时也危害了下游。从系统工程的观点来看,上游龙羊峡、刘家峡等水库对径流的调节,汛期基流减小,沿途引黄灌溉的发展,河道输沙条件已经改变,这就要求对中游的水土流失区在治理方略上作出适应下游这一新情况的调整。

第三章　黄河中游多沙粗沙区区域界定

　　土壤侵蚀与产沙不仅是一个严重的农业问题,而且还直接涉及到水利工程、生态环境及防洪问题。土壤侵蚀与产沙是一种十分复杂的自然现象,由于不同类型区的侵蚀产沙方式、侵蚀强度以及治理措施所产生的作用差异较大,因此,进行黄河中游多沙粗沙区区域界定及产沙输沙规律研究就显得十分重要。

　　由于黄河上中游的水土流失和下游的河道特点,给下游造成严重淤积,也给黄河防洪带来许多问题。从系统观点来看,黄河上中游的水土流失,不仅破坏了当地的生态环境,也给下游的防洪减灾及其环境带来许多问题。

　　为此,弄清对黄河下游淤积危害最大的黄河中游多沙粗沙区的区域范围,并进行重点治理,对开展水土保持乃至黄河的整体治理开发,都具有重要的战略意义。因此,拦截黄河中游水土流失所产生的泥沙,减少下游河道淤积,一直是我们努力的方向。通过多年的研究发现,黄河上中游产沙分布不均匀,而且泥沙粒径分布也不一致,也就是说,黄河中游存在一个多沙粗沙地区。巩固黄河治理的成效,加速中游多沙粗沙区的治理,已成为治黄科技工作者的共识。但由于过去的研究不够系统,致使对黄河中游多沙粗沙区的确切范围、面积大小,长期以来分歧较大。以往分析计算的多沙粗沙区面积,大到 21 万 km^2,小到 3.8 万 km^2,给治理规划带来困难。因此,有必要系统、全面地对这一问题进行研究。

第一节　区域界定的原则、方法与指标

一、界定原则

　　确定多沙粗沙区区域界定的原则,是合理界定多沙粗沙区区域范围的前提。资料分析表明,黄河泥沙的来源区主要集中在中游黄土高原,泥沙堆积区主要集中在下游。据 1950～1995 年实测资料,每年约有 13.7 亿 t(龙门、华县、河津、洑头、黑石关、武陟六站之和)的泥沙进入三门峡库区和下游河道,其中,$d \geqslant 0.025mm$ 的泥沙占 49.4%,$d \geqslant 0.05mm$ 的泥沙占 22.5%;平均每年约有 3.72 亿 t 的泥沙淤积在三门峡库区和下游河道中,其中,$d \geqslant 0.05mm$ 的泥沙占 42.3%,即 1.57 亿 t,$d \geqslant 0.025mm$ 的泥沙占 72.8%,即 2.70 亿 t。特别是在主槽淤积物中,$d \geqslant 0.05mm$ 的泥沙占到 71.8%。黄河大量泥沙,特别是粗泥沙的淤积,造成水库库容损失,河道形态恶化,给水利工程效益的发挥和防洪带来严重的危害。同时,这些泥沙的流失与沿程淤积,也给农业生产、水利设施(水库等)和交通运输及生态环境等带来危害。为了弄清对黄河下游淤积危害最大的黄河中游多沙粗沙来源区的区域范围,采用既是多沙区又是粗沙区的二重性原则,进行黄河中游多沙粗沙区区域界定。

　　这里所说的多沙区,是多泥沙区的简称(亦可称集中产沙区),是指输入给黄河泥沙较

多的地区,这些泥沙绝大多数都会输入到三门峡库区和下游河道。研究资料表明,这些地区一般都是高含沙洪水地区,且全沙输沙模数很大。

粗泥沙区是"多粗泥沙区"的简称,是指产生泥沙颗粒较粗的地区。是这些粗颗粒泥沙造成了三门峡库区和下游河道的严重淤积。虽然风沙区的泥沙颗粒较粗,但风沙区洪水较小,同时也缺少 $d<0.01$mm 以下的细颗粒泥沙作为骨架,一般不易形成高含沙水流。也就是说,风沙区产生的泥沙总量很少,故该区不属于粗泥沙区。又如,渭河流域的黄土丘陵沟壑区和黄土塬区,虽然全沙输沙模数较高,但产生的泥沙较细,粗颗粒泥沙模数较小,虽然这些地区为多沙区,但不是粗泥沙区。

多沙粗沙区指的是不仅产生的泥沙多、而且颗粒也较粗的地区。正是这些地区的大量来沙,造成了三门峡库区和下游河道的严重淤积。

二、界定方法

本次研究是根据界定原则及合理的指标,采用资料分析、实地考察、综合分析和地理制图等多种方法相结合,并征询专家意见,进行多沙粗沙区区域界定的。主要步骤如下:

(1)根据三门峡库区及下游河道淤积物粒径分析,确定黄河"粗泥沙"界限。根据第二章的研究,黄河"粗泥沙"界限定为 $d\geq0.05$mm。鉴于过去也有一些文献用 $d\geq0.025$mm 为黄河"粗泥沙"界限[7~9],同时,黄河下游淤积物也有逐渐细化的趋势,为了进行分析和比较,我们也将 $d\geq0.025$mm 作为界限进行了区域界定。

(2)采用 1954~1969 年同步系列作为多沙粗沙区区域界定的本底系列,对因建站较晚或缺测的泥沙系列资料进行插补延长。插补方法是用日降水量等值线图插补固定雨量站的日降水资料,用降雨—径流—泥沙关系插补延长泥沙资料,以增强资料系列的同步性和可靠性。20 世纪 60 年代、70 年代的泥沙颗粒分析资料,采用第二章中已述的统一改正过的资料[22]。

(3)综合研究前人所作的黄河中游地貌类型分区图,绘制本次采用的地貌类型分区图,在地貌分区图的基础上,计算各地貌单元的全沙模数和粗泥沙模数,并绘制各年代的输沙模数等值线图。

(4)研究确定黄河中游多沙区、粗沙区和多沙粗沙区指标。

(5)根据绘制的输沙模数图和界定指标,初步划定黄河中游多沙粗沙区范围。

(6)征求各方面专家意见;同时进行外业查勘,并检查修改。

(7)与遥感卫星图片对照,检查修正。

三、界定指标

由于黄土高原现状自然环境和地质地貌环境及气候条件的复杂性,各支流流域的侵蚀产沙强度是不同的。河龙区间多年平均侵蚀强度为 9 300t/km²,而黄甫川、窟野河、秃尾河等支流的中下游区年侵蚀强度高达 20 000t/km² 以上。同是黄土高原,年侵蚀强度小于 5 000t/km² 的地区也不少。何谓多沙区,这是本章要回答的问题之一。

在黄土高原地区,有的流域侵蚀产沙中粗泥沙占的比重大,如窟野河王道恒塔水文站资料,$d\geq0.025$mm 和 $d\geq0.05$mm 的泥沙分别占全沙的 78.2% 和 68.9%;有的流域侵蚀产沙中粗泥沙占的比重较小,如伊洛河黑石关水文站资料,$d \geqslant 0.025$mm 和 $d \geqslant$ 0.05mm 的泥沙仅占全河的 31.5% 和 11.8%。因而,黄土高原有粗泥沙区和细泥沙区之分。但粗泥沙的产沙模数为多大或在总产沙量中占多大比例的地区才算粗沙区,是本节要回答的问题之二。

根据多沙区和粗沙区的指标,界定黄河中游多沙粗沙区区域范围,是本章的落脚点。

(一)黄河中游地区计算面积的划定

黄河中游地区应为河口镇至桃花峪。黄河 90% 的泥沙来自河口镇以下的中游地区,其中,$d \geqslant 0.025$mm 和 $d \geqslant 0.05$mm 的泥沙分别占到全河同级粒径泥沙的 93.3% 和 93.9%(见表 3-1),所以,造成下游河道严重淤积的泥沙也主要是来自中游地区。

但是,在三门峡水库修建前,龙门、华县、河津、湫头至潼关(黄河、渭河、洛河汇合区)区间,长时期是淤积的。由于淤积的发展,一些古老的城镇,如荣河、河津、永济、芝川等,先后于 1920 年、1948 年、1960 年和 1968 年搬迁新址[28],而潼关至三门峡是峡谷河段,淤积不明显。水库运用后,库区泥沙淤积更为严重。如 1961～1964 年,三门峡水库共淤积泥沙 61 亿 t(断面法),下游则冲刷 15 亿 t(断面法);而 1964～1973 年,库区淤积 16 亿 t(断面法),而下游则淤积 27 亿 t(断面法),说明库区和下游的冲淤有着密切的联系,也说明库区和下游河道同样是泥沙淤积的受害区。在确定黄河粗泥沙的危害时,我们包括了三门峡库区和下游河道,故在黄河中游多沙粗沙区指标研究的面积计算中,三门峡库区面积应予以扣除。

综合上述情况,黄河中游多沙粗沙区区域界定指标研究的区域,划定在黄河中游的河口镇至龙门、渭河的华县、北洛河的湫头、汾河河津、伊洛河黑石关和沁河的武陟以上为宜,面积为 31.34 万 km^2,较河口镇至桃花峪区间少 3.07 万 km^2,占河口镇至桃花峪区间面积的 91.1%。

(二)计算时段的选定

黄河中游众多支流水文站,绝大部分是在 1953 年以后陆续设立的,故多沙粗沙区区域界定的水文资料以 1954 年为起始时间。

从 50 年代初到 90 年代,黄河上中游已开展水土保持治理面积达 1 406 万 hm^2(截至 1995 年),其中,梯田 270 万 hm^2,林草 1 006 万 hm^2,坝地 33 万 hm^2,支流已建百万立方米以上水库 520 座,累计库容达 67 亿 m^3,另外还有一些灌溉水地。由于这些水利水土保持工程的存在,产流产沙条件有了很大变化。中游(河～龙＋华县＋河津＋湫头＋黑石关＋武陟)实测年沙量,由 50 年代、60 年代的 16.14 亿 t 降至 70 年代、80 年代的 9.85 亿 t,减少 6.29 亿 t。沙量的减少固然有降雨因素的影响,但水利水土保持工程的拦减作用是一个很重要的原因。表 3-2 是水文法和水保法分析的中游区水利水土保持工程的减沙效益。水文法计算,70 年代年均减沙 4.52 亿 t,80 年代年均减沙 5.17 亿 t;水保法分析,70 年代年均减沙 3.98 亿 t,80 年代年均减沙 3.06 亿 t[29]。虽然两种方法的计算区域不完全一致,结果也有一定差异,但两种计算结果均表明水利水土保持工程具有一定的拦沙作用。干支流的水文、泥沙特性受到水利水保工程的影响,很多水文站观测的资料已非纯粹的自然现象,中游大多数支流最近 20～30 年观测的洪水资料已不能和在大规模水利水保工程以前观测的资料进行统一的频率计算;干支流水文站的径流量、输沙量,70 年代前后

表3-1

黄河流域主要站(区)流域,水文特征值
(1954~1969 年系列)

河名	站(区)名	控制面积 (万 km²)	径流量 (亿 m³)	实测输沙量(亿 t)				占全河百分比(%)	
				全沙量	≥0.025mm	≥0.05mm	≥0.10mm	径流量	输沙量
黄河	贵德(代龙羊峡)	13.37	213.8	0.22				42.0	1.2
	青铜峡	27.50	300.9	2.03				59.1	10.8
	河口镇	38.60	254.9	1.73	0.64	0.26	0.05	50.1	9.2
	河口镇至龙门	11.16	74.1	10.40	6.22	3.26	0.91	14.6	55.3
	龙门	49.76	329.0	12.14	6.86	3.52	0.97	64.6	64.5
	小浪底(代孟津)	69.42	456.5	14.73				89.7	78.3
	花园口(代桃花峪)	73.00	500.8	13.68				98.4	72.7
泾渭河	华县	10.65	94.1	4.71	1.73	0.55	0.12	18.5	25.1
汾河	河津	3.87	18.8	0.56	0.23	0.09	0.01	3.7	3.0
北洛河	洑头	2.52	9.4	1.01	0.55	0.18	0.02	1.8	5.3
伊洛河	黑石关	1.86	39.4	0.29	0.10	0.04	0.01	7.7	1.5
沁河	小董	1.29	15.8	0.11	0.03	0.01	0.01	3.6	0.6
黄河	贵德至小浪底	56.05	242.7	14.51				47.7	77.2
	青铜峡至小浪底	41.91	155.6	12.71				30.6	67.6
	河口镇至花园口	34.41	245.9	11.95				48.3	63.5
	中游区	31.34	254.3	17.07	8.85	4.13	1.08	49.9	90.8
	中上游区	69.94	509.2	18.81	9.49	4.40	1.13	100.0	100.0

注 1 北洛河洑头站径流量和输沙量为河渠之和;
　 2 中上游区指龙门、华县、河津、洑头、黑石关和武陟以上之和;
　 3 中游区指中上游区扣除河口镇以上部分。

发生了很大的变化。从水利水保工程发展过程和实测水沙过程表明,人类活动影响明显主要是从 70 年代开始的。目前,由于水沙研究还原存在着许多问题,故本次计算采用 1954～1969 年代表天然本底系列。为了反映产沙输沙随时间的变化,同时又按不同年代进行了分析计算。

表 3-2 黄河中游水利水土保持工程减沙效益汇总 （单位：亿 t/a）

		水文法减沙量							水保法减沙量		
河名	区间名	1970～1979 年	1980～1989 年	1990～1995 年	1970～1989 年	1970～1995 年	河段名	分类	1970～1979 年	1980～1989 年	1970～1989 年
黄河	河龙区间	2.75	3.32	2.41	3.04	2.89		梯田	0.20	0.36	0.28
泾河	庆阳以上	0.36	0.35	0.03	0.35	0.28	河龙	林草	0.06	0.17	0.11
北洛河	刘家河以上	0.45	0.28	0.02	0.36	0.29	＋华县	坝地	1.97	1.43	1.70
渭河	咸阳以上	0.38	0.74		0.56		＋河津	水库	1.27	0.86	1.06
汾河	河津以上	0.58	0.48	0.37	0.53	0.49	＋洑头	灌溉	0.49	0.24	0.37
中游区合计		4.52	5.17		4.85			合计	3.98	3.06	3.52

注　水文法渭河和汾河系"七五"黄河水沙变化基金研究成果,其余为国家"八五"科技攻关项目 85-926-03-01 研究成果;水保法成果引自文献[29],1990～1995 年为黄河水沙变化研究基金第二期成果。

（三）黄河中游全沙和粗泥沙量的确定

前面已对本次研究的范围和时段进行了讨论,其计算范围为黄河中游河龙区间、渭河、北洛河、汾河、伊洛河和沁河等流域(以下中游区均指该区域,面积 31.34 万 km²,占河口镇至桃花峪区间面积的 91.1%)。这里重点讨论 1954～1969 年 16 年系列。由表 3-1 看出,1954～1969 年中游区实测年均输沙量 17.07 亿 t,其中,河龙区间 10.40 亿 t,占 60.9%;渭河华县为 4.71 亿 t,占 27.6%;北洛河洑头为 1.01 亿 t,占 5.9%;汾河河津为 0.556亿 t,占 3.3%;伊洛沁河为 0.397 亿 t,占 2.3%。在 17.07 亿 t 沙量中,$d \geqslant$ 0.025mm 和 $d \geqslant 0.05$mm 的泥沙分别为 8.85 亿 t 和 4.13 亿 t,其中,河龙区间占 70.2% 和 78.9%,华县以上占 19.6% 和 13.4%,洑头以上占 6.2% 和 4.3%,汾河和伊洛沁河所占比例较小。

（四）黄河中游多沙区指标的确定

关于多沙区的数量指标,至今没有一个统一的认识。1984 年原水利电力部关于土壤侵蚀强度分级指标[30]是:

微度侵蚀区(无明显侵蚀)　侵蚀模数 ＜0.02、0.05、0.1 万 t/(km²·a)

(黄河流域取 0.1 万 t/(km²·a))

轻度侵蚀区　侵蚀模数(0.02、0.05、0.1)万～0.25 万 t/(km²·a)

中度侵蚀区　侵蚀模数 0.25 万～0.5 万 t/(km²·a)

强度侵蚀区　侵蚀模数 0.5 万～0.8 万 t/(km²·a)

极强度侵蚀区　侵蚀模数 0.8 万～1.5 万 t/(km²·a)

剧烈侵蚀区　侵蚀侵数 ＞1.5 万 t/(km²·a)

1986 年,《黄河流域片水资源评价》一书中将黄河流域侵蚀强度分成如下 6 级:

微度侵蚀区　侵蚀模数<0.1万 t/(km²·a)　年均流失厚度<0.8mm
轻度侵蚀区　侵蚀模数 0.1万~0.2万 t/(km²·a)　年均流失厚度 0.8~1.6mm
中度侵蚀区　侵蚀模数 0.2万~0.5万 t/(km²·a)　年均流失厚度 1.6~4mm
强度侵蚀区　侵蚀模数 0.5万~1.0万 t/(km²·a)　年均流失厚度 4~8mm
极强度侵蚀区　侵蚀模数 1.0万~1.5万 t/(km²·a)　年均流失厚度 8~12mm
特剧侵蚀区　侵蚀模数>1.5万 t/(km²·a)　年均流失厚度>12mm

1990年,《黄土高原地区土壤侵蚀区域特征及其治理途径》一书中将黄河流域侵蚀强度分成 8 个等级[4],即:
微弱侵蚀区　侵蚀模数<0.1万 t/(km²·a)
轻度侵蚀区　侵蚀模数 0.1万~0.25万 t/(km²·a)
中度侵蚀区　侵蚀模数 0.25万~0.5万 t/(km²·a)
强度侵蚀区　侵蚀模数 0.5万~0.75万 t/(km²·a)
强烈侵蚀区　侵蚀模数 0.75万~1.0万 t/(km²·a)
极强烈侵蚀区　侵蚀模数 1.0万~1.5万 t/(km²·a)
剧烈侵蚀区　侵蚀模数 1.5万~2.0万 t/(km²·a)
极剧烈侵蚀区　侵蚀模数>2.0万 t/(km²·a)

这个分级标准与《黄河流域片水资源评价》的侵蚀强度分级基本上是一致的,只是级差更小。

1996年,国家"八五"科技攻关项目"85-926-03-03"《拦减粗泥沙对黄河河道冲淤变化影响》专题中将黄土高原侵蚀强度分成 5 个等级,即:
轻度侵蚀区　侵蚀模数<0.1万 t/(km²·a)
中度侵蚀区　侵蚀模数 0.1万~0.4万 t/(km²·a)
强度侵蚀区　侵蚀模数 0.4万~1.0万 t/(km²·a)
极强度侵蚀区　侵蚀模数 1.0万 ~2.0万 t/(km²·a)
剧烈侵蚀区　侵蚀模数>2.0万 t/(km²·a)

这一分级,级数减少、级差加大,中度与强度的分界线有所降低,可能是在加入了近几十年实测枯沙系列后划定的。

1990年,《陕北黄土高原的土壤侵蚀类型》一书中将黄土高原侵蚀强度划分成为 5 级[31],即:
基本不流失类型区　侵蚀模数<0.02万 t/(km²·a)
轻度侵蚀类型区　侵蚀模数 0.02万~0.1万 t/(km²·a)
中度侵蚀类型区　侵蚀模数 0.1万~1.0万 t/(km²·a)
强度侵蚀类型区　侵蚀模数 1.0万~2.0万 t/(km²·a)
极强侵蚀类型区　侵蚀模数>2.0万 t/(km²·a)

这一分级较以上 3 种在轻度侵蚀区中又分离出了基本不流失区,而中度流失区的跨度更大,包括了一般所说的中度侵蚀区和强度侵蚀区。

以上说明,由于各研究者从不同的角度出发,对黄河流域或黄河中游侵蚀强度分级有不同的结果。

黄河中游的多沙区应是区域内产沙强度较大的地区,即一般认为侵蚀强度应在强度侵蚀以上。目前,确定多沙区的阈值以下有两种方法:

(1)由于全河沙量90%来自河口镇以下中游地区,因此,根据中游区的产沙总量,求其中游区的平均侵蚀强度,凡是大于平均侵蚀强度的地区都属于多沙区。根据这一方法分析,中游区多年平均输沙模数为 5 446 t/km²(17.07 亿 t/31.34 万 km²),取整数即输沙模数大于 5 000t/(km²·a)的地区为多沙区,反之为少沙区。这和原水利电力部的划分强度侵蚀模数 5 000t/(km²·a)的标准是一致的。

经过研究,按全沙输沙模数 5 000t/(km²·a)作为本次选用的多沙区的指标。

(2)中值比较法[4,5]。具体的方法是:首先求出中游区各个流域的产沙强度,然后根据各个流域的产沙强度作频率分析,令产沙模数大于中值频率($P = 50\%$),所对应的区域为多沙区。这与上一种方法的实质是一样的,就是要找到大于平均侵蚀强度的产沙区域。但这种方法有一定的任意性,它与计算区域的大小有关,若把多沙区的计算区域(流域或区间)划得小些,50%频率的侵蚀模数就会大一些;反之,50%频率的侵蚀模数就会小一些。结果会因人而异。

(五)黄河中游粗沙区指标的确定

黄河中游粗沙区所指的粗泥沙,与对三门峡库区及下游河道淤积造成严重危害的粗泥沙粒径是一致的。从实测资料可以看到,黄河中游任何地区都有粒径≥0.05mm 的泥沙,但并非这些地区都是粗泥沙区。应当有个量的概念,即必须是粗泥沙的侵蚀强度较大的地区才是粗泥沙区。应当说明,这个粗泥沙区准确地讲应是“多粗泥沙区”。但为了方便,简称为粗沙区。确定粗沙区的指标(阈值)的方法有以下 3 种:

(1)在限定的中游区内,用粗泥沙总量与全沙量的比值作为指标值,凡粗泥沙含量大于此值的地区即为粗泥沙产区。中游区 $d \geq 0.025$mm 的泥沙的平均含量为 51.8%(8.85 亿 t/17.07 亿 t),取整数为 52%;$d \geq 0.05$mm 的泥沙的平均含量为 24.2%(4.13 亿 t/17.07 亿 t),取整数为 24%。但应注意,用粗泥沙含量指标圈定的粗沙区肯定比粗泥沙输沙模数指标圈定的粗沙区大,因为前者不能将全沙产沙强度较小的风沙区和渭河南山支流排除在外。但在多沙粗沙区的界定中,结论是差不多的。

(2)中值频率侵蚀模数比较法。它的实质是要找到大于平均侵蚀强度的粗泥沙产沙地区。存在的问题是任意性较大、难以确定。

(3)与多沙区阈值分析方法类似,根据中游区的粗泥沙总量,求其粗泥沙平均输沙模数,凡大于平均粗泥沙侵蚀强度的产沙区域即为粗泥沙区。据此计算,$d \geq 0.025$mm 的泥沙年平均输沙模数指标为 2 823t/km²(8.85 亿 t/31.34 万 km²),取整数为 2 800 t/km²;$d \geq 0.05$mm 的泥沙年平均输沙模数为 1 318t/km²(4.134 亿 t/31.34 万 km²),取整数为 1 300t/km²。这就是本报告选定的粗沙区指标。

经分析研究,选用第三种分析方法,即以粗泥沙输沙模数 1 300t/(km²·a)(或 $d \geq$ 0.025mm 时,为 2 800t/(km²·a)作为粗沙区指标的阈值。

(六)黄河中游多沙粗沙区指标的确定

前面已阐明了多沙区和粗沙区的含义,所谓多沙粗沙区,顾名思义应包括两方面的内容:一是这个地区的产沙量比邻近地区多;二是这个地区所产粗泥沙也比邻近地区多。换

句话说,满足既是多沙区($F_{多}$)又是粗沙区($F_{粗}$)的地区,才是多沙粗沙区,即:

$$F_{(多.粗)} = F_{多} \bigcap F_{粗} \tag{3-1}$$

综合以上分析,将多年平均全沙输沙模数$\geqslant 5\,000\text{t/km}^2$与年粗泥沙输沙模数$\geqslant 2\,800\text{t/km}^2$($d\geqslant 0.025\text{mm}$)或年粗泥沙输沙模数$\geqslant 1\,300\text{t/km}^2$($d\geqslant 0.05\text{mm}$)的地区确定为多沙粗沙区。

第二节 黄河中游泥沙分布规律及其变化研究

本节讨论的泥沙分布规律,重点是分析输沙模数分布规律,包括全沙和粗泥沙的输沙模数。首先,将全沙和粗泥沙资料进行分析整理,使其同步;其次,分析黄河中游地貌类型分区;第三,进行全沙和不同粒径级的粗泥沙模数等值线图的绘制;最后,分析讨论泥沙的分布规律及其变化。

一、泥沙资料的整理分析

实测泥沙资料是分析流域产沙强度及多沙粗沙区区域界定的主要依据之一。但是,由于流域内各水文站观测起始时间的不同步,泥沙资料系列参差不齐,加上人类活动等因素的影响,资料基础不一致,很难反映产沙的时空分布特性。按照本项目研究内容的要求,黄河中游泥沙资料存在两个问题:一是水库淤积问题;二是资料系列不同步的问题。本节资料处理也就在这两方面。根据研究的范围和资料情况,本次资料展延范围拟定在河口镇至龙门区间,北洛河㳇头以上,泾河流域杨家坪、雨落坪以上,渭河流域武山、甘谷、秦安、千阳以上地区。

(一)全沙资料的整理分析

1.关于水库淤积泥沙的处理

黄河中游区的大规模治理开发虽然是从20世纪70年代开始的,但其中一些支流的治理开发早在50年代、60年代就已开始,治理工程主要以水库、拦泥坝库为主。黄河中游以无定河丁家沟以上及泾河毛家河以上最为突出。截至1969年,无定河丁家沟以上已有水库20座,其中大型水库1座,中型水库8座,小(一)型水库11座;泾河毛家河以上已有巴家嘴大型水库1座。根据对中游各支流1954~1969年水库修建和淤积情况统计分析发现,水库投入运行后的蓄水拦沙作用十分明显。例如泾河巴家嘴水文站,由于巴家嘴水库的修建,1962~1969年年均实测沙量为1 304万t,同期水库年平均淤积量为1 475万t,水库拦沙量和实测沙量相当。无定河上游从1959年开始就陆续有水库投入使用,横山以上中小水库众多,至1969年水库累计淤积泥沙已达4 784万m^3,若泥沙容重按1.35 t/m^3计,约合6 458万t,年均淤积沙量为587万t,同期横山水文站年均实测沙量为1 936万t,水库年均淤积量占同期实测沙量的30.3%。横山、韩家峁至赵石窑区间,由于红柳河上游新桥大型水库的运用,水库年均淤积量与水文站实测年均沙量也较接近。因此,为了反映流域的实际产沙情况,水库淤积量不应忽视。由于无定河和泾河的水库淤积量比较大,本次水库的淤积量还原主要考虑这两条河。

2.全沙资料系列的插补延长

根据以往研究成果,认为逐月进行插补计算效果较为理想。因此,本次资料系列展延以月为单位,5~10月逐月进行输沙量计算,1~4月、11月、12月由于沙量较小,按总量计算,最后合计得出年沙量。计算公式为

$$W_{s年} = W_{s5~10月} + W_{s(1~4,11,12)月} \tag{3-2}$$

$$W_{s5~10月} = W_{s5月} + W_{s6月} + W_{s7月} + W_{s8月} + W_{s9月} + W_{s10月} \tag{3-3}$$

输沙量的大小与流域的降雨时空分布及产流、汇流有关。降雨是产流、产沙的直接原因,径流是泥沙输送的主要动力因子。因此,输沙量系列的模拟因子主要是降雨和径流因子,建立降雨—输沙量或径流—输沙量相关关系,进行输沙量系列的展延。关于资料延伸插补的计算方法,过去已做了大量工作,如降水指标法、多站多因子多元回归法、多站多因子逐步回归法、面平均多元逐步回归法、单站多因子逐步回归后加权平均法、径流量—含沙量间接求输沙量法等[32,33]。在对比分析以上各种方法的基础上,我们选用了模拟精度较高、概念比较清楚的方法进行定量模拟和系列展延。

1)日降水等值线图的绘制及合理性分析

由于流域降水是产流产沙的主要条件,因此,建立降水—径流—输沙之间的相关关系,是径流、输沙资料插补延长较为切实可行的方法。由于50年代、60年代雨量站站点较少,特别是1966年以前,不仅站点少,而且变动频繁,故资料系列较短,场次暴雨难以测到。总结以往经验认为,利用日有效降水(一般认为是日雨量≥10mm的降水)进行降水量与径流量或输沙量的相关分析,结果较为理想。

为了保证降水资料基础的一致性,采用等值线图法对所选站点日降水资料进行展延,并在此基础上进行泥沙资料的插补延长。由于年内产流产沙主要集中在5~10月,因此,只对5~10月的降水资料进行处理。为此,点绘了1954~1966年5~10月日降水等值线图。点图标准是:当流域内有一个雨量站日降水量≥10mm时,就点绘一张等值线图。等值线勾绘要求是:5mm、10mm、20mm、30mm、40mm、60mm、80mm等。由于雨量站多数是委托群众观测的,加之以前执行规范不统一,要求标准不一,资料质量及精度差异较大。1974年以前,资料刊印均未作面上对照检查,直接刊印测站整编成果。本次通过绘制等值线图,对降水资料进行了面上对照,并对不合理之处进行了修改。合理性检查中,遇到的不合理现象如下:

(1)周围雨量站都降了大雨,而中间站没有降雨记录。这种情况我们视为漏测。根据周边雨量站资料对其进行插补。

(2)某日周围雨量站都降了大雨,而本站却是前日或次日出现与周边相近的降雨。这种情况视为时间有误,将其前日或次日的雨量移至本日。

(3)流域内有部分气象站点,由于气象站日分界点是20时,而水文部门的分界点是08时,因而有时气象站资料也会出现时间与水文部门资料不一致的现象。遇此情况,应参照周围站进行更正。

(4)有些雨量站点某几天只有总量。遇此情况,借用周围站本时段雨量的日程分配进行分解。

(5)可改可不改或依据站点太少时,一般不改。

根据所绘的近 3 000 张日降水等值线图,将所选的 254 个雨量站的降水资料全部插补到 1954 年,从而保证了降水资料的一致性。

2)径流量模拟方法

由于黄河中游水文站网是逐步发展起来的,径流和泥沙的观测基本上是同步的。用径流量与含沙量关系推求输沙量,也需要对径流量进行模拟。

径流量模拟,采用月径流量与各站日雨量≥10mm 月累计雨量或与相应雨强乘积逐步回归的方法。根据"八五"攻关《黄河中游多沙粗沙区水沙变化原因及发展趋势》的研究成果,径流量模拟采用多元复相关,由于模拟系列长度偏短,自变量个数偏多,如延河选了 5 个雨量站,每个月有 10 个自变量因子可供选择,在这些因子中,有的对自变量可能有显著影响,有的则影响很小。为了避免遗漏对自变量有显著影响的因子,所以在初选因子时,往往考虑的面较广,拟定的因子也比较多,然后在这许多因子中,选出对自变量影响最大的一些因子,这就是逐步回归分析的基本思路。它主要从两方面来考虑:一是通过初选的回归方程计算出拟合均方差 $S_剩$,$S_剩$ 越小,其不偏估计 S_y^2($S_y^2 = S_剩^2/(N-m-1)$)也较小,因此,要使回归方程预报精度较高,应要求 S_y 比较小;二是一个合理的回归方程应该只包含显著的因子。根据这一标准可知,虽然自变量增加,$S_剩$ 总是减小的,但由于 $N-m-1$ 变小,可以反使 S_y 变大。故最优回归方程,不一定是含自变量最多的方程。分析结果表明:在延河,对某一个月一般 1~2 个自变量即可满足 F 检验或 t 检验要求;其他河,也有取 4 个自变量的,但这种情况很少。这说明,一个流域内在某个月,有 1~2 个某种降雨因子基本上能反映流域内对径流的影响。计算公式如下:

$$W_i = a_1 P_{i1}(或\ P_{i1}^2/T_{i1}) + a_2 P_{i2}(或\ P_{i2}^2/T_{i2}) + \cdots + a_j P_{ij}(或\ P_{ij}^2/T_{ij}) + b_i$$

$$(3-4)$$

式中:W_i 为第 i 月径流量,亿 m^3;P_{ij} 为第 i 月第 j 站月降水量,mm;T_{ij} 为有效降雨日数,d;a_j 为第 j 站系数;b_i 为常数。

3)输沙量模拟方法

经分析,黄河中游大部分河流汛期径流量与输沙量关系比较密切,故可用各月的含沙量与径流量建立关系求输沙量。其计算公式为

$$\rho = \rho_m[1 - e^{-k(W-W_0)}] \tag{3-5}$$

式中:ρ 为含沙量,kg/m^3;ρ_m 为实测最大含沙量,kg/m^3;W 为径流量,亿 m^3;W_0 为含沙量接近于零时的基流量,亿 m^3;k 为参数,由实际资料率定;e 为自然对数的底。

4)输沙量资料系列的展延

由于水文站的建立过程不同步,本次有 48 个水文站的泥沙资料需要插补,其中插补时间最长的有 12 年(1954~1965 年)。

根据前述模拟方法,将黄河中游主要水文站缺测年份的输沙量插补延长。根据全部插补站资料统计结果表明,水库淤积影响较小的水文站中,采用系列均值(插补延长后的系列)与实测均值(没有进行插补延长的),相对差平均为 7.9%,其中最大达到 37.8%,超过 10% 的占 26.2%,主要是水库影响(巴家嘴、横山和丁家沟等水文站)或降雨影响(如沙圪堵、三关口和新庙等水文站)。几个影响较大的水文站对照情况列于表 3-3。由此可以

看出,资料的插补延长是必要的。

表 3-3　插补延长后均值变化较大的几个主要水文站实测系列和采用系列输沙量均值对照

河名	站名	实测系列 (年)	实测系列均值 (万 t)	1954~1969年采用 系列均值(万/t)	(采用-实测)/实测 (%)
黄甫川	沙圪堵	1960~1969	2 033	2 803	37.8
窟野河	新庙	1966~1969	1 849	1 469	-20.5
无定河	横山*	1957~1969	1 863	2 376	27.6
	丁家沟*	1959~1969	8 696	11 366	30.7
屈产河	裴沟	1962~1969	1 352	1 702	25.9
泾河	姚新庄	1964~1969	2 661.9	3 132.6	17.7
	巴家嘴*	1954~1958 1962~1969	1 981.6	2 936.1	48.2
	三关口	1960 1966~1969	40.83	30.9	-24.3
北洛河	志丹	1965~1969	1 406.0	1 180.8	-16.0

注　带 * 者采用系列同时考虑了水库淤积量的还原。

(二)粗泥沙量资料的整理分析

1.粗泥沙量的插补延长方法

(1)直线回归。根据前面求得的全沙量系列资料,用不同粒径级的粗泥沙量分别与全沙量进行相关分析,建立直线回归方程,进行粗泥沙量插补。

直线回归公式为

$$y = a + bx \tag{3-6}$$

令全沙量系列为 x_i,某粒径级粗泥沙量系列为 y_i;采用直线回归方程插补粗泥沙量时,发现有些水文站全沙量与粗泥沙量在低值区不呈直线相关,当全沙量值较小时,插补出的粗泥沙量容易为负值,存在明显不合理现象。为了解决这一问题,对全沙量与粗泥沙低值区采用二次抛物线进行处理。

(2)二次抛物线回归。二次抛物线回归计算公式为

$$y = a + bx + cx^2 \tag{3-7}$$

设全沙量为 x,某粒径级粗泥沙量为 y,当全沙量 $x=0$ 时,粗泥沙量也应该为零,即 $y=0$,由式(3-7)得 $a=0$,式(3-7)可变为

$$y = bx + cx^2 \tag{3-8}$$

根据低值区实测值率定参数 a、b

2.不同粒径级粗泥沙量插补计算

(1)资料情况。本次粗泥沙量的计算及插补延长,主要选取了黄河干流及黄河中游多沙区内有颗分资料的 47 个水文测站资料进行计算。中游支流水文站资料插补至 1954 年,干流水文站根据有实测全沙量资料的年份大多插补至 1950 年。

(2)插补前后粗泥沙量的比较。粗泥沙资料插补延长后,使各站粗泥沙量资料起始年份实现了同步,增强了不同测站之间粗泥沙量的可比性和时间系列的一致性,并向前延长了资料时间系列的分析空间。因插补前后资料时间系列的长短不同,所统计资料的年份不同,反映的流域下垫面的产沙情况也就不同,统计计算插补前后粗泥沙量的多年平均值,就会得出不同的计算结果。选取黄甫、温家川、白家川、秦安4个水文站,对受人类活动影响较小的1969年以前实测与插补延长系列的各级粗泥沙量多年平均值进行对比分析(见表3-4)看出,4个水文站的插补、延长系列与实测系列的多年平均各粒径级沙量有一定变化,相对差值在±3%～±8%之间。说明粗泥沙量资料插补延长是必要的。粗泥沙量的插补延长不仅给不同年代粗泥沙模数图的绘制提供了可靠的数据,也为进一步分析不同年代、不同人类活动影响条件下、不同粒径级粗泥沙量的变化打下了基础。

表 3-4 不同粒径级粗泥沙量插补前后多年平均值比较 (单位:万 t)

水文站名	分类	系列年份	全沙	≥0.025mm	≥0.05mm	≥0.10mm
黄 甫	实测系列均值	1957～1969	5 881	3 672	2 575	1 416
	插补延长系列均值	1954～1969	6 081	3 828	2 688	1 515
	插补后相对差(%)		3.4	4.2	4.4	6.9
温家川	实测系列均值	1958～1969	13 381	9 591	7 661	5 352
	插补延长系列均值	1954～1969	12 481	8 894	7 064	4 928
	插补后相对差(%)		−6.7	−7.3	−7.8	−7.9
白家川	实测系列均值	1962～1969	22 744	14 388	7 729	2 047
	插补延长系列均值	1954～1969	24 053	15 221	8 179	2 170
	插补后相对差(%)		5.8	5.8	5.8	6.0
秦安	实测系列均值	1957～1969	7 795	2 709	876	246
	插补延长系列均值	1954～1969	7 409	2 574	828	232
	插补后相对差(%)		−5.0	−5.0	−5.5	−5.7

注 插补后相对差(%) = $\dfrac{插补延长系列泥沙量均值 - 实测系列泥沙量均值}{实测系列泥沙量均值} \times 100\%$

二、地貌分区图的绘制

输沙量的大小不仅与降雨条件有关,也与流域下垫面地质、地貌有关。若能较准确地绘制出流域不同地貌类型分区图,将实测输沙量合理地分配到各地貌单元内,分别计算出输沙模数,并在分区模数图的基础上勾绘出输沙模数等值线图,这样就比较容易讨论其产沙分布规律。

黄土高原是一个以黄土地貌为主体的区域地貌单元。在地貌发育过程中,既有内营力作用的影响,也受强烈外营力的作用,并受地面物质组成、降雨、植被等因素的影响。流域地貌的不同类型及其组合,与土壤侵蚀方式、侵蚀分布及侵蚀强度有密切的关系。

(一)地貌类型分区的必要性

受现有水文站网的限制,一个站以上往往包括若干个不同地貌单元,所得到的输沙模数是一个平均结果,无法直接应用,给资料移用造成了诸多困难。在气候因素相近的情况下,不同地貌单元的产沙模数差别也很大。因此,需要对每个水文站控制范围内产沙模数差异较大的地貌单元进行分区,为绘制分区输沙模数图做准备。从这一角度出发,分区越细越好。同时,由于泥沙观测站网的有限性及控制区内地貌的复杂性,地貌分区也要适当,过多、过细都给求解输沙模数带来不可逾越的困难。

(二)地貌类型分区图的绘制

本次地貌分区图以"七五"国家重点科技攻关项目(75-04-03-02)编制的《黄土高原地区侵蚀强度与侵蚀类型图》[34](以下简称"侵蚀类型图")为基础,以侵蚀类型图斑为基本单元进行区划。"侵蚀类型图"是以1:50万夏季TM影像为主要信息源,辅以部分MSS和TLS假彩色合成卫星影像及彩红外航片,将遥感方法与地学分析相结合、室内解译与野外调查相结合、定性研究与定量分析相结合编制而成。现已通过国家验收,并编印出版。

在"侵蚀类型图"的基础上,与《黄河流域片水资源评价》中"自然地理分区图"进行了比较,并参照已往有关黄土高原的论著,反复检查验证并作了部分修改,最后绘制出"黄河中游侵蚀地貌分区图"(见图3-1)。该图共划分了9种地貌类型:土石山区;石山林区;黄土台塬阶地区;冲积平原区;黄土丘陵沟壑区;黄土高原沟壑区;台状土石丘陵区;黄土丘陵林区;沙漠区。

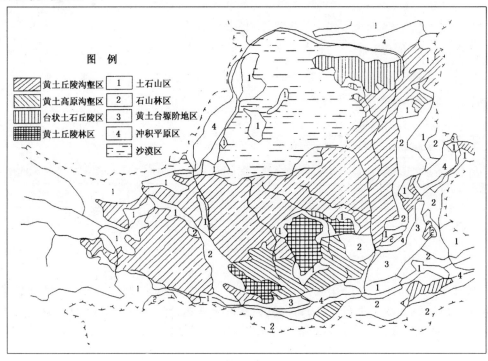

图3-1 黄河中游侵蚀地貌分区

三、输沙模数等值线图的绘制

(一)分区输沙模数的计算

本次输沙模数的计算,依据黄河中游地貌分区图,将实测断面输沙量分配到断面以上

不同地貌单元,按照不同地貌分区计算输沙模数。计算方法有以下 3 种:

1. 类比法

基本假定及要求:

(1)相近的同一地貌分区,由于降雨量基本一致,输沙模数应相同。

(2)由于沙量的年际变化要比水量大得多,所以,计算区间输沙模数时,上、下断面系列应保持一致。

在某一控制水文站的集水面积内有 2 个以上的地貌分区时,对各个地貌分区的输沙模数用下面公式计算(如图 3-2)。设 $S_总$ 为某控制站的实测输沙量,S_3 为某地貌分区代表站的实测输沙量。

$$S_总 = S_1 + S_2 + S_3$$

$$S_i = F_i \times M_i \qquad M_2 = M_3 \quad （因同一地貌类型区）$$

$$S_3 = F_3 \times M_3$$

$$则 M_1 = \frac{S_总 - S_2 - S_3}{F_1} = \frac{S_总 - M_3 \times (F_2 + F_3)}{F_1}$$

(3-9)

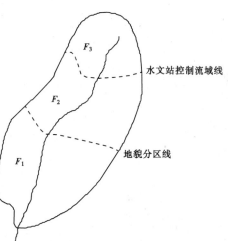

式中:S 为输沙量,万 t;F 为各计算区的面积,km^2,在地形图上量取;M 为输沙模数,万 t/(km$^2 \cdot$a)。

如控制站以上无地貌分区代表站时,可借用邻近流域降水量相似的同一地貌分区代表站的输沙模数。

图 3-2　输沙模数计算分区示意图

2. 方程求解法

首先应找一个相近的同类型的相似流域,且降水条件基本一致,假设相似流域的输沙模数相等,各分区的输沙量只与本区面积的大小有关(如图 3-3)。

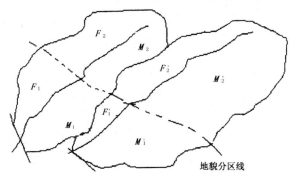

图 3-3　输沙模数求解示意图

因为 $\qquad\qquad\qquad M_1 = M_1' \qquad M_2 = M_2'$

故可列二元一次方程组

$$F_1 M_1 + F_2 M_2 = S \left.\begin{array}{c}\\\\\end{array}\right\}$$
$$F_1{}' M_1 + F_2{}' M_2 = S' \tag{3-10}$$

由方程组可解得 M_1 和 M_2。

3.泥沙资料的地理内插方法

设立泥沙代表站的目的之一,是内插无资料地区的输沙模数。如果每个代表站控制的流域都是单一的侵蚀类型区,并且每个侵蚀类型区都设有代表站,那么,绘制输沙模数分布图就比较容易。但是,大多数代表站控制的流域往往包含若干个不同类型区。因为黄河流域地形条件复杂,不同自然景观之间变化陡然,特别是黄土区石质山地与黄土沟壑区交界处,只是很窄的条带,在条带两侧输沙模数急剧变化,相差数百倍,所以,必须把区域代表站测得的多年平均输沙量,按自然界本来面貌,分配到流域内多个不同的侵蚀类型区中,求出各自的输沙模数。

泥沙资料与流量资料一样,在水文气象、地貌类型条件相似地区,不同测站的泥沙资料具有相似性和可比性。根据这些特点,可以有以下约定:

(1)不同流域的同类型分区,在降水条件基本相似的情况下,有相同的多年平均输沙模数。

(2)任一测站所控制的流域包含的每一个分区,都是 m 个分区的一种,如果某测站所控制的流域内缺少若干个类型区,则相应的分区面积可以按零处理。

根据以上约定,可把一个流域按照降水、产沙特性和地貌分为若干类型区,设某地区有 n 个水文站,其中第 i 个站的多年平均输沙量为 $S_i(i=1,2,\cdots,n$,代表每个站的顺序编号)。该站所控制的流域内,又可划分成 m 个不同的地貌类型区,每一个分区面积为 F_{ij},其相应的输沙模数为 $M_j(j=1,2,\cdots,m$,是分区的顺序编号)。

根据以上两个假定,认为各侵蚀类型区产沙总量与河流悬移质输沙量处于准平衡状态,则可建立如下数学模型:

$$\left.\begin{array}{l}M_1 F_{11} + M_2 F_{12} + \cdots + M_j F_{1j} + \cdots + M_m F_{1m} = S_1 \\ M_1 F_{21} + M_2 F_{22} + \cdots + M_j F_{2j} + \cdots + M_m F_{2m} = S_2 \\ \vdots \\ M_1 F_{n1} + M_2 F_{n2} + \cdots + M_j F_{nj} + \cdots + M_m F_{nm} = S_n\end{array}\right\} \tag{3-11}$$

在方程组(3-11)中,未知量 M_j 共有 m 个,方程式共有 n 个,当 $n=m$ 时,方程组原则上可以求解。如推求输沙模数的第二种方法即是。但由于分区不合理、资料系列不同步等因素,均可能使方程组无解或给出不合理的解。为了提高计算结果的可靠性,最好的办法是选用尽量多的水文测站,组成一个 $n>m$ 的方程组,借助于最小二乘法的原理,提高计算精度。

以上3种计算方法的主导思想是,如何将实测的流域出口断面沙量,按照不同地貌类型的产沙情况,合理地分配到流域面上。

(二)等值线图的绘制

输沙模数等值线图是在分区输沙模数图基础上内插而成的。由于输沙模数的变幅很大,等值线图的绘制没有按照等间距要求绘制,只要满足多沙粗沙区域界定和分析泥沙的空间分布即可。

为了反映泥沙的分布情况,绘制了 1954～1969 年天然本底的全沙模数、$d \geqslant 0.05mm$ 和 $d \geqslant 0.025mm$ 的泥沙模数图(见图 3-4～图 3-6)。为了分析各年代的输沙变化情况,将各年代全沙模数 $\geqslant 5\,000t/(km^2 \cdot a)$、$d \geqslant 0.05mm$ 的粗泥沙模数 $\geqslant 1\,300t/(km^2 \cdot a)$ 和 $d \geqslant 0.025mm$ 的泥沙模数 $\geqslant 2\,800t/(km^2 \cdot a)$ 的范围变化情况,反映在图 3-7～图 3-9。

即使在同一地貌分区内,由于降水、土壤结构、颗粒级配及植被疏密程度的影响,输沙模数也会有很大的变化。如沿着泾河、北洛河、延河上游向东北延伸至窟野河、黄甫川流域,呈现西南—东北的带状分布,输沙模数在 $10\,000t/(km^2 \cdot a)$ 以上,局部地区达 $40\,000t/(km^2 \cdot a)$ 左右,是黄土高原水土流失最严重的地区。该区属黄土丘陵沟壑区,峁多梁少,峁圆梁短,沟深谷窄,土质疏松、粒径较粗、胶结力差、抗蚀抗冲性弱。而延河中下游以南、渭河以北的地区,黄土地形虽然也出现深沟峡谷及黄土质的陡崖峭壁,但沟壑之间残存着面积较大的塬面和长梁,输沙模数相对较小,一般在 $5\,000t/(km^2 \cdot a)$ 以下。

(三)输沙模数等值线的合理性分析

1.控制站沙量平衡检查

因为输沙模数是依据该站多年平均实测输沙量($W_{S测}$)计算的,所以,在输沙模数等值线图上量算的输沙量($W_{S量}$)应等于 $W_{S测}$。以此对各时段输沙模数图作合理性检查,误差控制在 ±5% 以内。表 3-5 是 1954～1969 年的沙量平衡统计结果。

2.输沙模数与地貌分区的检查

输沙模数的大小与地貌类型分区是一致的,凡植被较好的石山林区,输沙模数都很小,基本上在 $1\,000t/(km^2 \cdot a)$ 以下。黄土丘陵沟壑区及黄土高原沟壑区,输沙模数较大,

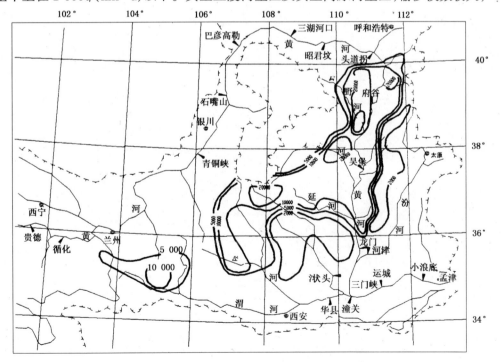

图 3-4　黄河中游 1954～1969 年全沙输沙模数等值线

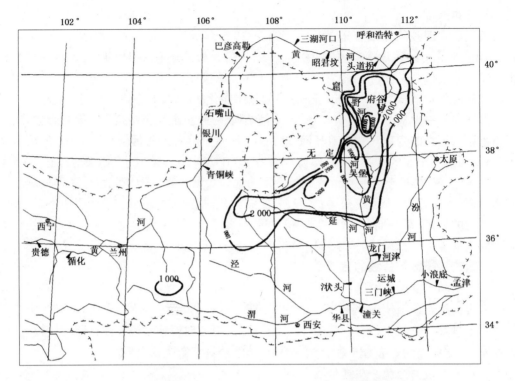

图 3-5　黄河中游 1954～1969 年 $d \geqslant 0.05$ mm 泥沙输沙模数等值线

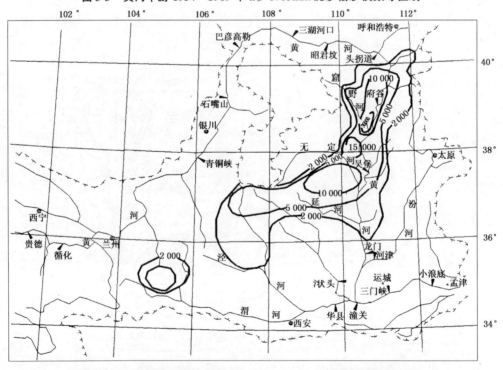

图 3-6　黄河中游 1954～1969 年 $d \geqslant 0.025$ mm 泥沙输沙模数等值线

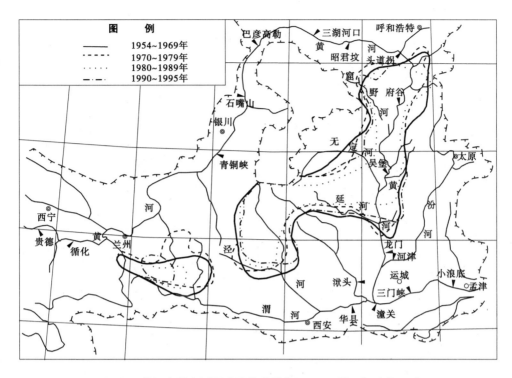

图 3-7 黄河中游各时段全沙输沙模数≥5 000t/(km²·a)的区域

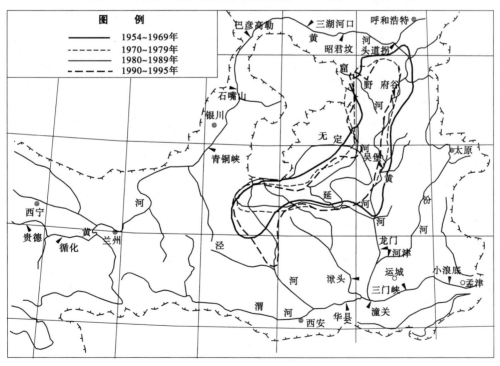

图 3-8 黄河中游各时段 d≥0.05mm 泥沙输沙模数≥1 300t/(km²·a)区域

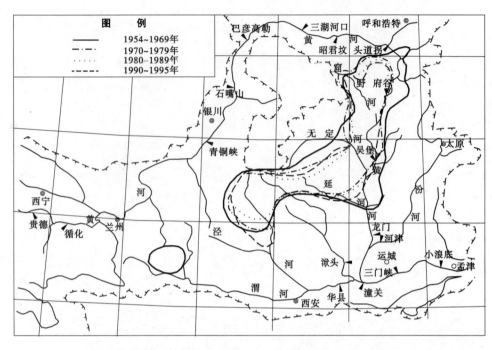

图 3-9 黄河中游各时段 $d \geqslant 0.025mm$ 泥沙输沙模数 $\geqslant 2\,800t/(km^2 \cdot a)$ 区域

表 3-5   1954～1969 年代表流域沙量平衡统计

河　名	站　名	$S_{实测}$(万 t)	$S_{量}$(万 t)	ΔS(万 t)	相对误差(%)
浑　河	放牛沟	2 408	2 486	-78	-3.2
偏关河	偏　关	2 063	2 072	-9	-0.45
朱家川	后会村	2 781	2 709	+72	+2.6
岚漪河	裴家川	1 665	1 609	+56	+3.3
湫水河	林家坪	2 873	2 919	-46	-1.6
三川河	后大成	3 463	3 295	+168	+4.8
屈产河	裴　沟	1 702	1 640	+62	+3.6
昕水河	大　宁	2 830	2 887	-57	-4.6
黄甫川	黄　甫	6 081	5 961	+120	+2.0
孤山川	高石崖	2 659	2 606	+53	+2.0
窟野河	温家川	12 481	12 232	+249	+4.5
秃尾河	高家川	2 841	2 734	+107	+3.8
佳芦河	申家湾	2 841	2 842	-1.0	-0.04
无定河	白家川	24 053	24 356	-303	-1.3
清涧河	延　川	4 657	4 868	-211	-4.5
延　河	甘谷驿	6 185	6 004	+181	+2.9
北洛河	刘家河	9 400	9 336	+64	+0.6
泾　河	景　村	34 347	35 714	-1 367	-4.0

注　①ΔS 是 $S_{实测} - S_{量}$；②相对误差是 $\Delta S/S_{实测}$。

一般在 5 000t/(km² · a)以上,局部达 40 000t/(km² · a)。

3. 粗泥沙模数图合理性检查

由于泥沙颗分站点较少,无法满足粗泥沙模数分区计算的要求,因此,在绘制粗泥沙模数等值线图时,将各区域代表站及区间计算的各级粗泥沙模数点绘在流域中心处,以实测输沙模数为依据,参考黄河中游全沙输沙模数等值线图的分布趋势,并以此作为控制(即同一量级的粗泥沙模数必须小于相应全沙输沙模数等值线的数值)。

四、泥沙分布及其变化规律

黄河中游的径流、泥沙主要受降雨及下垫面的影响。70 年代以前,人类活动影响较小,流域基本上处于天然侵蚀状态;70 年代以后,黄河中游兴建了大量的水利工程,在水土流失严重地区开展了卓有成效的水土保持工作,水利水土保持措施不同程度地起到了提高生产力、改善生态环境的作用。同时,也改变了流域的下垫面,改变了流域侵蚀过程,起到了拦截径流、减少泥沙的作用。加上气候因素的作用,多沙粗沙区全沙输沙模数与粗泥沙输沙模数也发生了变化。

本节根据绘制的 1954~1969 年全沙输沙模数及粗泥沙输沙模数图,分析了天然本底的产沙分布规律;根据各时段的全沙输沙模数≥5 000t/(km² · a)和粗泥沙输沙模数≥1 300t/(km² · a)(d≥0.05mm)和 2 800t/(km² · a)(d≥0.025mm)的范围图(见图 3-4~图3-9),分析各年代的产沙变化规律。

(一)全沙输沙模数的地区分布及变化分析

1. 全沙输沙模数的地区分布

1954~1969 年的全沙输沙模数等值线图反映了黄河中游天然状态下的土壤侵蚀状况。从图 3-4 可以看出,黄河中游多沙区集中分布于河口镇至龙门区间及泾、洛、渭河中上游地区。

(1)河口镇至龙门区间。除位于黄甫川、窟野河、无定河上游的沙地草原区,靖边至榆林一带盖沙区,吕梁山、子午岭一带的石山林区、丘陵林区全沙输沙模数低于 2 000t/(km² · a)外,河龙区间的黄土丘陵沟壑区、台状土石丘陵区全沙输沙模数基本上都大于5 000t/(km² · a)。黄甫川、孤山川、窟野河、无定河、偏关河、佳芦河等流域全沙输沙模数高达20 000t/(km² · a)以上,是黄河中游水土流失最严重的地区,其中,窟野河神木至温家川区间全沙输沙模数高达40 000t/(km² · a)以上,为黄河流域高产沙区。

(2)泾、洛、渭河上游地区。从图 3-4 可以看出,六盘山、子午岭一带石山林区全沙输沙模数低于 2 000t/(km² · a);泾河下游黄土台塬区、六盘山边沿植被较差地区全沙输沙模数在 2 000~5 000t/(km² · a)之间;全沙输沙模数大于 5 000t/(km² · a)的区域大致分布于渭河上游地区,即六盘山以西地区,泾河上、中游地区及北洛河发源地白于山一带;全沙模数在 10 000~20 000t/(km² · a)之间的区域,主要分布在甘肃镇原及泾河的黑河、洪河一带,以及马莲河西川洪德以上地区;全沙输沙模数在 20 000t/(km² · a)以上的区域,主要分布在北洛河上游吴旗一带。渭河上游地区,即六盘山以西地区,全沙输沙模数 10 000t/(km² · a)以上的区域分布在散渡河甘谷以上地区。

2. 全沙输沙模数的变化

1) 河龙区间全沙输沙模数的变化

70 年代以后,流域内兴建了大量的水利水土保持工程,黄河中游下垫面发生了较大变化。由于气候和水利水土保持工程措施的共同作用,流域产沙量减少。河龙区间全沙输沙模数大于 5 000t/(km²·a)的范围较 70 年代以前明显缩小,与 70 年代以前比较,70 年代缩小 13.6%,80 年代缩小 39.2%,1990~1995 年缩小 17.1%(见表 3-6 和图 3-7)。特别是大于 10 000t/(km²·a)的等值线范围缩小较多。变化最明显的是全沙输沙模数大于 20 000t/(km²·a)的区域(见表 3-7)。无定河中游和佳芦河的全沙输沙模数由 70 年代以前的大于 20 000t/(km²·a)降低到 70 年代以后的 20 000t/(km²·a)以下。只有黄甫川、孤山川、窟野河三条河的全沙输沙模数仍然维持在 20 000t/(km²·a)以上。

表 3-6   **黄河中游不同时段多沙粗沙区面积变化**

分级	区间	项目	1954~1969 年	1970~1979 年	1980~1989 年	1990~1995 年
全沙输沙模数 ≥5 000t/(km²·a)	河龙区间	量算面积(万 km²)	6.77	5.844	4.116	5.61
		与 1954~1969 年相比增减(%)		-13.6	-39.2	-17.1
	泾河及北洛河上游	量算面积(万 km²)	3.21	2.758	2.422	2.702
		与 1954~1969 年相比增减(%)		-14.1	-24.5	-15.8
	渭河上游(即六盘山以西)	量算面积(万 km²)	1.07	1.083	0.485	0.514
		与 1954~1969 年相比增减(%)		+1.2	-54.7	-52.0
	合计	量算面积(万 km²)	11.05	9.68	7.023	8.826
		与 1954~1969 年相比增减(%)		-12.4	-36.4	-20.1
d≥0.025mm 粗泥沙输沙模数 ≥2 800t/(km²·a)	河龙区间	量算面积(万 km²)	5.59	4.183	3.117	3.585
		与 1954~1969 年相比增减(%)		-25.2	-44.2	-35.9
	泾河及北洛河上游	量算面积(万 km²)	1.81	1.773	1.479	2.012
		与 1954~1969 年相比增减(%)		-2.0	-18.3	+11.2
	渭河上游(即六盘山以西)	量算面积(万 km²)	0.50	0	0	0
		与 1954~1969 年相比增减(%)		-100	-100	-100
	合计	量算面积(万 km²)	7.90	5.956	4.596	5.597
		与 1954~1969 年相比增减(%)		-24.6	-41.8	-29.2
d≥0.05mm 粗泥沙输沙模数 ≥1 300t/(km²·a)	河龙区间	量算面积(万 km²)	5.27	4.259	2.762	3.565
		与 1954~1969 年相比增减(%)		-19.2	-47.6	-32.3
	泾河及北洛河上游	量算面积(万 km²)	1.53	1.016	0.91	1.883
		与 1954~1969 年相比增减(%)		-33.6	-40.5	+23.1
	渭河上游(即六盘山以西)	量算面积(万 km²)	0			
		与 1954~1969 年相比增减(%)				
	合计	量算面积(万 km²)	6.80	5.275	3.672	5.448
		与 1954~1969 年相比增减(%)		-22.4	-46.0	-20.0

80 年代全沙输沙模数变化更明显。由于 80 年代降水较多年平均偏少 6.4%,全沙输沙模数大于 5 000t/(km²·a)的范围线由 70 年代以前清水河河口附近缩小到清涧河河口

附近,特别是全沙输沙模数大于 10 000t/(km²·a)的范围大大缩小,仅局限在黄甫川、孤山川、窟野河三条支流,而且全沙输沙模数峰值区由 20 000t/(km²·a)以上下降到 10 000～15 000t/(km²·a)之间,最大全沙输沙模数仅为 15 600t/(km²·a)。可以说,无论是全沙输沙模数值还是高值区范围,80 年代均是最小的。这除了水利水土保持工程继续发挥作用外,与 80 年代降水量偏枯有很大关系。根据河龙区间 40 个长系列雨量站算术平均计算,80 年代的年降水量、5～10 月降水量和 7～8 月降水量比 1969 年以前平均偏少 9.1%～20.7%(见表 3-8)。

表 3-7　　　　　　　　河龙区间全沙输沙模数大于 20 000t/(km²·a)的范围

起讫年份	全沙输沙模数在 20 000 t/(km²·a)以上的流域	最大年值 (t/km²)	最大值出现区域
1954～1969	黄甫川	20 750	沙圪堵以上
	孤山川	22 020	高石崖以上
	窟野河	40 400	神木至温家川
	偏关河	25 200	偏关以上
	佳芦河	29 840	申家湾以上
1970～1979	黄甫川	26 500	沙圪堵以上
	孤山川	24 850	高石崖以上
	窟野河	40 770	神木至温家川
1980～1989	无	15 600	黄甫川沙圪堵以上
1990～1995	窟野河	34 000	神木至温家川
	无定河	22 800	丁家沟、绥德至白家川区间

表 3-8　　　　　　　　河龙区间降水量统计　　　　　　　　(单位:mm)

项　目	1969 年前	1970～1979 年	1980～1989 年	1990～1995 年	多年平均	较 1969 年前偏少(%) 1970～1979 年	较 1969 年前偏少(%) 1980～1989 年	较 1969 年前偏少(%) 1990～1995 年
年降水量	462.9	435.8	420.6	430.3	440.7	5.9	9.1	7.0
5～10 月降水量	418.0	382.0	377.1	365.5	390.9	8.6	9.8	12.6
7～8 月降水量	232.5	222.9	184.4	221.1	216.3	4.1	20.7	4.9
最大 1 日降水量	31.5	30.3	30.9	33.5	31.3	3.8	1.9	−6.3

　　1990～1995 年全沙输沙模数又有较大变化,90 年代黄河中游水土保持工程变化不大,虽新增了一些坡面措施,但沟壑措施发展不多,拦蓄能力下降。虽然 90 年代降水总量减少,汛期较多年平均也偏少,但 1992、1994 年黄河中游,特别是无定河、窟野河流域发生了几场较大暴雨,全沙输沙模数大于 5 000t/(km²·a)的范围线从 80 年代清涧河河口附近又扩大到清水河河口附近,大于 10 000t/km²·a 的范围较 80 年代明显扩大,主要分布在窟

野河及无定河中下游地区;中心区域的全沙输沙模数增大到 20 000t/(km²·a)以上,其中窟野河神木至温家川区间全沙输沙模数高达 34 000t/(km²·a),说明水利水土保持工程抗御大洪水的能力有限,气候因素对流域产沙影响仍然较大。

从全沙输沙模数高值区变化情况来看,70 年代以来全沙输沙模数高值区范围呈缩小趋势,而其全沙输沙模数峰值变化则不明显,最大值均出现在窟野河神木至温家川区间(见表 3-7)。除 80 年代由于降水偏枯,最大全沙输沙模数仅为 15 600t/(km²·a)外,70 年代全沙输沙模数峰值超过了 70 年代以前的峰值,达 40 770t/(km²·a),1990~1995 年为 34 000t/(km²·a)。这是由于窟野河流域产沙主要受自然水文条件的影响,而水利水土保持工程对其影响相对较小的缘故。

2)泾、洛、渭河流域全沙输沙模数变化

泾、洛河流域全沙输沙模数大于 10 000t/(km²·a)的区域,70 年代主要分布在蒲河、汭河、洪河及北洛河上游吴旗一带;80 年代范围明显缩小,仅局限在北洛河上游吴旗一带;1990~1995 年又扩大到马莲河洪德以上以及北洛河上游吴旗一带。80 年代、90 年代泾河及北洛河上游地区全沙输沙模数大于 5 000t/(km²·a)的面积较 70 年代以前缩小14.1% ~24.5%。

渭河上游 70 年代以后全沙输沙模数降低到10 000t/(km²·a)以下,且范围显著缩小,80 年代、90 年代大于 5 000t/(km²·a)的面积较 70 年代以前缩小近一半。

从全沙输沙模数峰值来看,渭河上游 1954~1969 年全沙输沙模数最大为 11 570 t/(km²·a),泾河最大为 23 400t/(km²·a),北洛河金佛坪以上达 20 950t/(km²·a),具体见表 3-9。70 年代后,由于气候因素和水利水保工程的影响,渭河全沙输沙模数峰值降到10 000t/(km²·a)以下。70 年代为 9 180t/(km²·a),80 年代、90 年代为 8 600t/(km²·a)左

表 3-9 渭河流域全沙输沙模数峰值变化

区间	起讫年份	最大值出现区域	最大年值(t/km²)
渭河	1954~1969	散渡河甘谷以上	11 570
	1970~1979	首阳至武山区间	9 180
	1980~1989	首阳至武山区间	8 560
	1990~1995	首阳至武山区间	8 678
泾河	1954~1969	泾川、杨间、毛家河至杨家坪区间	23 400
	1970~1979	崆峒峡至泾川区间	12 070
	1980~1989	马莲河西川洪德以上	8 120
	1990~1995	马莲河西川洪德以上	13 780
北洛河	1954~1969	金佛坪以上	20 950
	1970~1979	金佛坪以上	15 660
	1980~1989	金佛坪以上	11 500
	1990~1995		

右。泾河全沙输沙模数峰值,70 年代降低到 12 000t/(km²·a)左右,80 年代最小,为 8 120 t/(km²·a),90 年代又增大到 13 780t/(km²·a);北洛河最大全沙输沙模数 70 年代、80 年代也下降到 15 000t/(km²·a)以下。

(二)粗泥沙输沙模数的地区分布及变化

1.粗泥沙输沙模数的地区分布

因为 $d{\geqslant}0.05$mm 和 $d{\geqslant}0.025$mm 泥沙侵蚀模数的分布和变化趋势很接近,所以这里重点介绍 $d{\geqslant}0.05$mm 的粗泥沙输沙模数分布及变化(见图 3-8)。黄土高原各地都有粗泥沙分布,且集中分布在河口镇至龙门区间及泾、洛、渭河上游的黄土丘陵沟壑区。

1954~1969 年,河龙区间粗泥沙输沙模数大于 5 000t/(km²·a)的面积集中分布在黄甫川至无定河之间的几条支流,其中,黄甫川、孤山川、窟野河、佳芦河四条支流粗泥沙输沙模数在 7 000t/(km²·a)以上(见表 3-10),神木至温家川区间则高达 30 250t/(km²·a)。泾河及北洛河上游地区粗泥沙输沙模数各年代都低于 3 000t/(km²·a)。渭河粗泥沙输沙模数各年代也都低于 1 300t/(km²·a)。说明河龙区间是黄河粗泥沙的主要来源区。

2.粗泥沙输沙模数的变化

70 年代,由于气候因素和水利水土保持工程措施的影响,粗泥沙输沙模数大于 5 000 t/(km²·a)的范围缩小,集中分布在黄甫川、孤山川、窟野河、佳芦河四条支流,神木至温家川区间粗泥沙输沙模数最大值也降低到 18 720t/(km²·a)。

表 3-10   河龙区间粗泥沙输沙模数峰值变化特征值统计

起讫年份	粗泥沙输沙模数大于 5 000t/(km²·a)的流域	最大年值 (t/km²)	最大值出现区域
1954~1969	黄甫川	8 400	黄甫站以上
	孤山川	7 450	高石崖站以上
	窟野河	30 250	神木至温家川站
	佳芦河	11 080	申家湾站以上
	大理河	6 710	青阳岔站
1970~1979	黄甫川	10 270	黄甫站以上
	孤山川	10 300	高石崖站以上
	窟野河	18 720	神木至温家川站
	佳芦河	10 110	申家湾站以上
1980~1989	黄甫川	6 440	黄甫站以上
	窟野河王道恒塔以下	5 360	王道恒塔、新庙至神木站
1990~1995	窟野河神木至温家川区间	13 220	神木至温家川站

80 年代,由于降水量偏枯,粗泥沙输沙模数大于 5 000t/(km²·a)的范围显著缩小,主要分布在黄甫川和窟野河两条支流,粗泥沙输沙模数峰值出现在黄甫站周围,仅为 6 440 t/(km²·a)。

1990～1995 年,粗泥沙输沙模数大于 5 000t/(km² · a)的范围仅分布在窟野河中下游,最大粗泥沙输沙模数峰值出现在神木至温家川区间,粗泥沙输沙模数为 13 220 t/(km² · a)。但粗泥沙输沙模数大于 2 000t/(km² · a)的范围较 80 年代有所增大,80 年代粗泥沙模数大于 2 000t/(km² · a)的范围主要分布在黄甫川至窟野河之间的几条支流的中下游,1990～1995 年又扩大到无定河、清涧河流域的中下游。

渭河上游六盘山以西地区,70 年代以后粗泥沙输沙模数均在 1 000 t/(km² · a)以下。

河龙区间,70 年代以后粗泥沙范围明显缩小,与 70 年代以前比较,70 年代缩小 19.2%,80 年代缩小 47.6%,1990～1995 年缩小 32.3%。泾河及北洛河上游,70 年代以后较 1954～1969 年缩小 33.6%,80 年代减少 40.5%,1990～1995 年粗泥沙面积增加 23.1%。说明在大力开展水利水土保持后,黄河中游干、支流的泥沙都有不同程度的变化,但水土保持工程抗御大洪水的能力有限,且不同流域治理程度不同,水保效益也不一样。1990～1995 年粗泥沙区面积增大,就说明了这个问题。

从粗泥沙输沙模数值看,泾河及北洛河上游地区各年代都低于 3 000t/(km² · a),70 年代前和 70 年代后峰值变化不大。河龙区间 70 年代以后由于气候因素和水利水土保持工程的共同作用,粗泥沙输沙模数也降低到 10 000t/(km² · a)左右。

综上所述,70 年代以后,黄河中游全沙输沙模数与粗泥沙输沙模数变化较大。这是气候因素与水利水土保持工程措施共同影响所致。从总体变化趋势看,全沙输沙模数与粗泥沙输沙模数值变小,高值区范围在缩小。同时分析表明,水土保持工程抗御大洪水的能力有限,且不同流域因治理程度不同,水土保持效益也不一样。

第三节　黄河中游多沙粗沙区区域界定研究

黄土高原面积约 45.3 万 km²,由于该区气候干旱、降水量少而汛期暴雨集中,植被稀少,再加之黄土抗蚀性差,沟壑纵横,水土流失极为严重,致使黄河成为著名的多沙河流。通过分析发现,黄河泥沙的来源分布不均匀,人们为了探寻集中治理、分期分批治理的可能性,提出了黄河中游多沙粗沙区的概念。这一概念的提出,对集中力量重点治理严重水土流失地区起到了积极的指导和促进作用。在过去的研究中,由于利用的资料不一致,确定多沙粗沙区面积的方法和指标不统一,致使界定的多沙粗沙区的面积变幅很大,给重点治理区的决策工作带来一些困难。本文在总结前人研究成果的基础上,从指标法的角度对黄河中游多沙粗沙区的区域进行了界定。

一、前期研究基础及问题

(一)科研单位研究成果

表 3-11 收集了前人研究的黄河上中游多沙区和粗沙区面积,多沙区的面积范围从 5.1 万 km² 到 21.0 万 km²;粗沙区的面积也在 3.8 万～21 万 km² 之间,而既是多沙区又是粗沙区的面积只有一家提出[5、10、35]。黄河中游多沙区、粗沙区和多沙粗沙区面积各家数据差异较大,主要是各家的技术途径、指标以及使用的资料不同所致。目前,关于多沙区、粗沙区和多沙粗沙区的研究方法大致有两种:一是来沙分配图法;二是指标法。现分

关于黄河上中游多沙粗沙区区域界定的研究成果汇总

表 3-11

编号	单位或作者	时间(年)	方法分类	研究范围	比例或指标 多沙区	比例或指标 粗沙区	面积(万km²) 多沙区	面积(万km²) 粗沙区	面积(万km²) 多沙粗沙区	资料来源
1	龚时旸 熊贵枢	1979 1980	来沙分配图法	河口镇至三门峡	80% 50%	80% 50%	11 5.1	10 3.8		文献[1] 文献[20]
2	麦乔威 李保如	1979	来沙分配图法	上中游	80% 50%	80% 50%	13 5.8	11 4.3		文献[36]
3	黄委会水文局	1986	M_S指标法	全流域	5 000t/(km²·a)		14.6			文献①
4	陈永宗 景可 卢金发 张勋昌	1987 1989	M_S指标法	龙华河洑以上 / 河口镇至龙华河洑	5 000t/(km²·a)	825t/(km²·a) α≥1 / 825t/(km²·a) α≥1	21	21 / 13		文献[11] 文献[14]
5	黄土高原综考队 景可,陈浩	1986 1990	M_S指标法	龙羊峡至三门峡	5 500t/(km²·a)	β≥25%		15.8	8.0	文献[10] 文献[4]
6	黄土高原综考队	1990	M_S指标法	龙羊峡至三门峡	5 000t/(km²·a)		16.3			文献[34]
7	赵学英 王德甫	1991	M_S指标法	龙羊峡至三门峡	5 000t/(km²·a)		14.61			文献②
8	支俊峰 李世明 邸宝全冲	1992	来沙分配图法	三门峡以上	80% 50%	80% 80%* 50% 50%*	18.69 12.9	11.7 13.7 4.6 6.2		文献[37]
9	景可 陈家宗	1993	M_S指标法	龙羊峡至三门峡	5 500t/(km²·a)	1 300t/(km²·a) β≥25%		12.9	8.0	文献[5]
10	熊贵枢	1993	M_S指标法	河口镇至三门峡	5 000t/(km²·a) 10 000t/(km²·a)					文献[38]
11	孟庆枚	1996	M_S指标法	全流域	5 000t/(km²·a)		15.6			文献[39]
12	景可 李钜章	1997	M_S指标法	河口镇至龙华河洑	4 039t/(km²·a)	1 407t/(km²·a) β≥25%	12.41	9.55	9.41	文献[35]
13	本次研究		来沙分配法	河口镇至花园口	80% 50%	80% 80%* 50% 50%*	10 4.9	8.9 9.4 3.2 4.4		
			含沙量指标法	河口镇至花园口	300kg/m³	300kg/m³	11.30 8.90			
			M_S指标法内业分析	河口镇至龙门和华、河、洑、黑、武以上	5 000t/(km²·a)	1 300t/(km²·a) 2 800t/(km²·a)*	11.05	6.80	6.80	
			M_S指标法查勘修正	河口镇至龙门和华、河、洑、黑、武以上	5 000t/(km²·a)	1 300t/(km²·a) 2 800t/(km²·a)*	11.05 11.19	7.90 6.99	7.90 6.99	
			M_S指标法卫片修正	河口镇至龙门和华、河、洑、黑、武以上	5 000t/(km²·a)	1 300t/(km²·a) 2 800t/(km²·a)*	11.19 11.92	8.15 7.86	8.15 7.86	

说明：加(*)者为粗泥沙部分的为≥0.025mm粗泥沙加≥0.05mm未加说明的为 d≥0.05mm部分；α为来沙系数（＝含沙量/流量）（$kg \cdot s/m^6$）；β为粗泥沙量与全沙量比值（含沙量）（%）。①黄委会水文局《黄河流域片水资源评价》，1986年；②赵学英，王德甫编《黄河流域土壤侵蚀遥感调查》，1991年。

别简介如下：

1. 来沙分配图法

该方法是黄委会龚时旸、熊贵枢 1979 年首先提出来的。该方法分析的结果是：在黄河中游河口镇至三门峡区间，面积 31.34 万 km²，该区间全沙和 $d \geqslant 0.05$mm 的粗颗粒泥沙 80% 集中来自 11 万 km² 和 10 万 km²，而全沙和粗泥沙 50% 又集中来自 5.1 万 km² 和 3.8 万 km²，这些泥沙都是来自黄土丘陵沟壑区，产生全沙和粗泥沙的地区相当集中[1,20]。这是最早提出的黄河中游多沙和粗沙区的面积值，原作者认为产生全沙和粗泥沙的地区相当集中，因而有人认为黄河中游多沙粗沙区是 10 万 km²，是当前治理的重点。此后，麦乔威、李保如 1979 年[36]，支俊峰、李世明 1992 年[37]，也都用该方法提出了多沙区和粗沙区面积，只是研究的范围和系列不同，因而数值有一些差异，但大都反映出同一研究区域内多沙区和不同粒径的粗沙区面积比较接近。

该方法虽能反映出来沙分配的集中程度和给出定量的面积，但它的缺点是不能确定多沙区和粗沙区的确切位置，为此还需借助输沙模数图才能直观表现出来，并且来沙量 80% 或 50% 等数值的确定也是经验性的。

2. 输沙模数(M_S)指标法

从查阅到的文献来看，中国科学院地理研究所陈永宗、景可在 1986、1987 年较早提出用指标法来界定黄河上中游的多沙、粗沙区和多沙粗沙区范围。该方法以研究区域内的平均侵蚀模数为指标确定多沙区，凡是大于平均侵蚀模数的区域即为多沙区，反之，为少沙区。对于粗沙区，则以研究区域内平均粗泥沙模数为主要指标，有时还附加其他条件，如来沙系数(含沙量/流量)大于 1 或粗泥沙含量大于 25% 等，满足这些条件的区域即为粗沙区，反之，为细沙区。满足既是多沙区又是粗沙的区域即为多沙粗沙区。陈永宗提出的多沙区和粗沙区面积都是 21 万 km²[11,14]，景可后来提出粗沙区为 12.9 万 km²，多沙粗沙区为 8.0 万 km²[5]。最近，景可又提出多沙粗沙区是 9.41 万 km²[35]。另外，还有不少黄河上中游的多沙区、粗沙和多沙粗沙区的研究成果[4,10,34,38,39]，这里不再一一介绍。

综合起来看，由于研究区域的不同和指标的差异，其所确定的多沙粗沙区的面积也有较大差异。并且多沙区、粗沙区和多沙粗沙区面积值都较完整的成果还不是很多。

(二)水土保持规划采用的数据

1. 1990 年《黄土高原水土保持专项治理规划》采用的数据

1990 年经国家计委批准的《黄土高原水土保持专项治理规划》中，根据水文观测资料，以黄河支流输沙模数大于 5 000t/(km²·a) 的地区作为治沟骨干工程的布置范围(见图 3-10)，共有面积 15.6 万 km²。其中，为了照顾部分地区，规划范围并未严格要求输沙模数在 5 000t/(km²·a) 以上地区。

2. 1992 年《黄河流域多沙粗沙区水土保持规划》采用的数据

1992 年进行《黄河流域多沙粗沙区水土保持规划》时，将 1990 年治沟骨干工程的规划范围 15.6 万 km² 称为多沙粗沙。同时，根据各省(区)的要求，将此范围所涉及县不到 5 000t/(km²·a) 的水土流失面积也纳入多沙粗沙区治理规划范围，以至多沙粗沙区面积扩大到 19.1 万 km²。

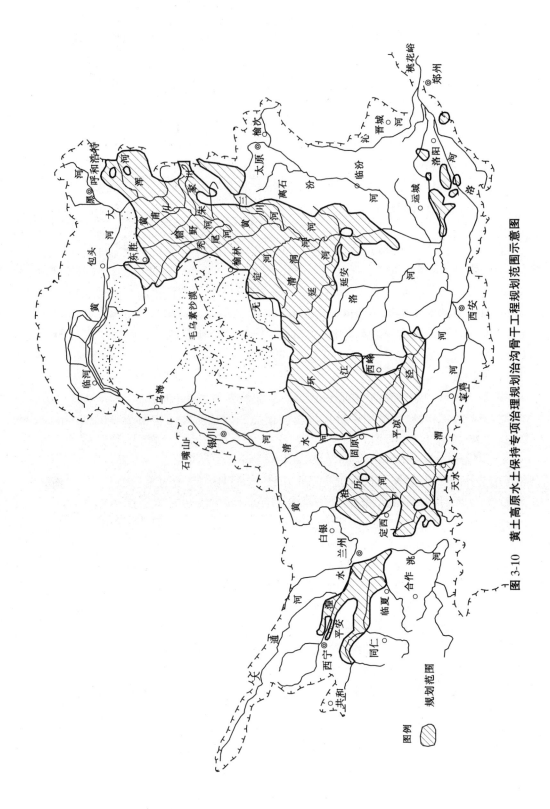

图3-10 黄土高原水土保持专项治理规划治沟骨干工程规划范围示意图

图例

规划范围

3. 1997 年《黄土高原水土保持生态建设规划》采用的数据

1997 年编制《黄土高原水土保持生态建设规划》时，根据水利部 1990 年发布的《全国土壤侵蚀遥感调查统计表》，黄河流域强度侵蚀（侵蚀模数≥5 000t/(km²·a)）以上的面积 19.18 万 km²（其中包括风蚀区 4.45 万 km²，山东水蚀区 0.12 万 km²）作为重点治理的多沙粗沙区规划范围。

二、多沙粗沙区区域的确定

(一)内业分析

通过研究分析和总结前人的经验，本研究专题采用输沙模数(M_S)指标法作为内业分析确定多沙区、粗沙区和多沙粗沙区的方法。

1. 多沙区

所谓多沙区，是指侵蚀比较剧烈的地区。黄河的泥沙绝大部分是来自河口镇以下的中游地区，河口镇至龙门区间和华县、河津、洑头、黑石关和武陟以上地区（以下简称"六站"区）多年平均输沙模数约 5 000t/(km²·a)。原水利电力部颁布的水土流失分级标准中强度侵蚀区是指多年平均侵蚀模数大于 5 000t/(km²·a)的地区[30]。因此，在黄河上把年输沙模数为 5 000t/(km²·a)作为多沙区的指标，凡是输沙模数大于中游平均数的地区即为多沙区。经分析，面积约 11.05 万 km²（见表 3-12）。

2. 粗沙区

根据粗泥沙的含义及前面的分析，黄河粗泥沙界限为 0.05mm。

关于粗沙区指标，仍然用中游平均输沙模数来表征。黄河中游 d≥0.05mm 泥沙的平均输沙模数为 1 300t/(km²·a)（4.13 亿 t/31.3 万 km²）。用粗泥沙模数大于 1 300 t/(km²·a)圈定出来的区域称为粗沙区，面积约为 6.80 万 km²。为了进行比较分析，我们将 0.025mm 同时作为粗泥沙界限进行了粗沙区的界定，得出的面积为 7.90 万 km²。经分析可以看出，用 0.05mm 和 0.025mm 分别界定粗沙区面积，差别在于六盘山以西渭河上游散渡河流域，以 0.05mm 为粗泥沙界限，该区不属粗沙区，而以 0.025mm 为粗泥沙界限，该区则有 0.5 万 km² 属于粗沙区，若考虑到该区面积不大，且与大面积粗沙区不连接，可忽略不计的话，则六盘山以东的粗沙区基本接近，分别为 6.80 万 km² 和 7.40 万 km²。

为什么用 0.05mm 和 0.025mm 界定的粗沙区面积会接近呢？这主要有两个原因：一是黄河中游的泥沙都是以高含沙形式输送，只有粗细泥沙在合适的搭配比例下，遇洪水才得以形成，在满足一定比例的细颗粒（d<0.01mm）作骨架的条件下，含沙量与粒径成正比，因此，粗沙区基本上是伴随在多沙区里的；二是多沙区界定的指标取的是中游区的平均输沙模数，这一指标是随着粗泥沙粒径变化而调整的，如 d≥0.05mm 时取 1 300 t/(km²·a)，d≥0.025mm 时则变为 2 800t/(km²·a)。因此，0.05mm 和 0.025mm 两个界限界定的粗沙区基本一致。

3. 多沙粗沙区

上面已阐明了多沙区和粗沙区的含义，所谓多沙粗沙，顾名思义应包括两方面的内容，一是这个地区的产沙量比邻近地区多；二是这个地区所产粗泥沙也比邻近地区多。换

句话说,满足既是多沙区($F_多$)又是粗沙区($F_粗$)的地区,才是多沙粗沙地区。即

$$F_{(多 \cdot 粗)} = F_多 \bigcap F_粗$$

因此,可将多年平均输沙模数$\geqslant 5\,000t/(km^2 \cdot a)$的多沙区分布面积与粗泥沙输沙模数$\geqslant 1\,300t/(km^2 \cdot a)$($d \geqslant 0.05mm$)的粗沙区分布面积套绘在一起,其重叠的地区即为多沙粗沙区。经分析,多沙粗沙区面积约为6.80万km^2(如果以$d \geqslant 0.025mm$为粗泥沙的多沙粗沙区面积约为7.90万km^2)。以$d \geqslant 0.025mm$和$d \geqslant 0.05mm$划定的多沙粗沙区范围,见图3-11和图3-12。

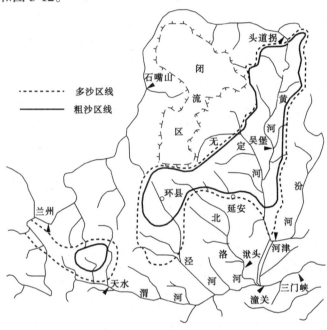

图3-11　$d \geqslant 0.025mm$**多沙粗沙区区域(内业分析成果)**

(二)外业查勘修正

黄河中游多沙粗沙区区域界定内业分析成果得出后,经征询各有关专家,认为黄河中游多沙粗沙区核心部位是合理的,但有些局部边界地区还需外业查勘加以落实。主要有三个地方问题较大:一是乡宁、吉县、大宁间,该区植被较好,侵蚀较弱,能否属多沙区需实地查勘;二是浑河下游清水河附近,有专家计算的输沙模数较小,认为不应进入多沙区;三是西峰附近塬区,该区塬面平坦,侵蚀轻微,也不宜划为多沙区。另外,还有一些局部地区……带着这些问题,我们到现场进行了查勘,情况分析如下:

1.吉县、乡宁、大宁区间

该区间主要支流有昕水河、清水河和鄂河,这些河流的上游靠近吕梁山西南端,全流域平均输沙模数$7\,000 \sim 12\,600t/(km^2 \cdot a)$(1954 $\sim$ 1969年系列,下同)。通过现场查勘,这些河流的中下游大部分是黄土丘陵沟壑区,沟壑密度很大,植被也很差,内业分析的输沙模数在$15\,000 \sim 20\,000t/(km^2 \cdot a)$之间,认为多沙区应包括这一部分。当然多沙区线内也有个别孤岛似的石山林区,如从吉县去壶口经过的石山林区,灌林丛生、植被很好,侵蚀也小,但面积不大,只有$200 \sim 300km^2$,由于它靠近黄河边,属未控制区,故不再划分。

图 3-12 $d \geqslant 0.05$mm 多沙粗沙区区域(内业分析成果)

2.浑河、清水河附近

浑河流域是河龙区间直接入黄的较大支流,放牛沟以上总面积 5 461km²,流域多年平均输沙模数 4 400t/(km²·a),该流域 70 年代又修建了以挡阳桥为骨干的干支流水库 4 座,总库容达 1.9 亿 m³,70 年代输沙模数减为 3 000t/(km²·a),80 年代只有 1 300 t/(km²·a),这与水利工程的拦蓄有关。我们这次进行多沙粗沙区区域界定,是以 1954～1969 年系列为基础系列,所以仍定为多沙粗沙区。

我们在该地区现场查勘的范围是:北到大红城、樊家窑,南到杨家川流域,东到黄河干流,西到浑河支流清水河与平鲁交界的长城。在这区域内,东南部属黄土丘陵沟壑区,水土流失极为严重,大红城以北地势很平坦,侵蚀较弱,大红城以南很像无定河河源的峒地地带,梁大沟深,有小片沙丘出现,多沙区的界限可以在此穿过;从清水河往东,逐渐出现较多的孤立石山,一般景观高山是石头,低山是黄土,水土流水是很严重的,再往东走,接近长城附近,地势平坦,侵蚀沟壑明显减少,多沙区界线宜在长城以西。

3.西峰、镇原以南地区

该区的多沙粗沙区界线顺沿丘陵区与塬区交界线,争议不是太大,多沙区界线包括镇原、西峰、崇信、泾川等县(市)的塬区,一些学者认为该区不宜划入多沙区。该区水文测站较多,塬区和丘陵区的输沙模数都在 10 000t/(km²·a)左右;该区虽然已基本条田化,我们所看到的情景是新的侵蚀滑塌面极少,陡崖边都长满了苔藓,给人的印象侵蚀不严重,这是由于近期暴雨少和查勘季节所致。分析 1979 年前后资料表明,1979 年以前,暴雨较多,条田田面也不是很宽,抗御大暴雨的能力有限,故 50 年代、60 年代、70 年代大都侵蚀模数在 10 000t/(km²·a)左右,而 80 年代以后,因该区大暴雨较少,因而实测输沙模数都较低,与现场看到的情景吻合。因此,在划多沙区时应将该区划入,但由于该区粒径很细,

$d \geqslant 0.05\text{mm}$ 的泥沙含量为 $10\% \sim 15\%$，基本上不能算为粗沙区。

4. 对其他一些地区的修改意见

1)窟野河特牛川纳林沟

从地貌分区图上看，该区属台状土石丘陵区，也有部分风沙景观，未将该部分划入多沙区。通过实地查勘，该区沟壑密度较大，侵蚀很强烈，认为该区宜划入多沙粗沙区。

2)榆林附近青云沟

原将青云沟全划为少沙区，经查勘认为，多沙区边界宜以青云沟河道为界。

3)北洛河河源区与内流区分界线问题

开始把多沙粗沙区界线划在北洛河与内流区的分水岭上，有专家认为，与分水岭相交会出现几根等值线同时交于闭流区分水岭的不合理现象，建议将多沙粗沙区界线南移闭合，避免与闭流区分水岭线相交。

本次查勘中，我们沿闭流区分水岭走了很长的路程，内流区分水岭部分也是像北洛河河源区一样，沟壑纵横，既无梯田，也无林草植被，侵蚀十分严重，只是这一地貌景观向北不远就结束了。由此看出，多沙粗沙区线穿过分水岭是符合实际的。

4)北洛河刘家河附近问题

刘家河上游有两个水文站，一个是干流的金佛坪，另一个是周河的志丹，从水文资料分析，金佛坪、志丹至刘家河区间输沙量长系列均值很小，平均模数才 $624\text{t}/(\text{km}^2 \cdot \text{a})$，故在当时将多沙粗沙区基本上定在金佛坪和志丹以上。通过本次查勘，看到金佛坪、志丹至刘家河区间，在上游区是侵蚀很严重的黄土丘陵区，直到刘家河附近才有次生林区，刘家河以下才逐渐进入林区，根据这一情况，将多沙区界线改在黄土丘陵区与次生林的分界线上。

5)对一些锯齿状分布区问题的处理

黄河中游各种地貌单元的分界线，并非光滑规则，常是犬牙交错的带状。对于这种地区在较大的地方尽量参照卫片和前人的地貌类型分区图，沿地貌类型分区线走。但有些过于狭长的条块也就放弃了，如三川河支流北川，沟谷两岸共有 15km 左右宽的植被较差，侵蚀严重的狭长带嵌在吕梁山中，与汾河上游相连，而再往两边扩大植被很好，水土流失轻微，这些狭长带地区没划入多沙；同理，也有类似的狭长带少沙区划入了多沙区。

通过外业查勘修改后确定的多沙区面积为 11.19 万 km^2。$d \geqslant 0.05\text{mm}$ 和 $d \geqslant 0.025\text{mm}$ 的粗沙为 6.99 万 km^2 和 8.15 万 km^2，对应的多沙粗沙面积为 6.99 万 km^2 和 8.15 万 km^2。

至此，多沙粗沙区界线，已不完全是指标控制的界线，而是在外业查勘基础上确定的一种当前须加速治理的区域界线。

(三)根据卫片和地貌图综合修正

从前面看出，用输沙模数等值线图方法圈定的多沙粗沙区，从大的宏观角度看核心部分已确定了，但在边界的局部地方任意性较大；外业查勘重点是针对有专家意见分歧的地区，因而也有一定的局限性。内业和外业查勘修订的多沙粗沙区边界也存在一些问题。比如在地貌类型等差异较小的图斑上，等值线从中穿过，显然是不合理的。另外，实际地貌单元是不规则的，而等值线则显得十分光滑，这也与实际情况不符。鉴于这种情况，又

根据卫星图片和有关地貌类型分区图,将多沙粗沙区边界线进一步进行调整修正。修正的原则如下:

(1)现已确定的多沙粗沙区核心部分不动,只对边界进行微调。

(2)尽量使同一地貌类型区完整。

(3)参考的指标主要包括地貌形态、沟壑密度、地表物质组成和植被状况。

如黄土丘陵沟壑区与黄土塬区,塬区一般偏南或偏东南,虽然塬区侵蚀模数较大,但粒径较细,故塬区都不在粗沙区内。又如风沙区与黄土丘陵沟壑区交界处,其沟壑密度的差异十分显著,主要以沟壑密度作为主要特征进行调整;在晋西地区主要以地面物质组成和植被为主要因素进行调整。

根据上述调整原则,调整后的多沙区面积为 11.92 万 km²,粗沙区面积为 7.86 万 km²(以 $d \geqslant 0.025$mm 为粗泥沙界限的粗沙区面积为 8.36 万 km²,其中六盘山以东两者基本一致,大约 7.86 万 km²),见图 3-13 和表 3-12。

表 3-12　　　　　　　　　　黄河中游多沙粗沙区面积分析　　　　　　　　(单位:万 km²)

方　法	分　类	多沙区	大于某粒径(mm)的粗沙区		大于某粒径(mm)的多沙粗沙区	
			≥0.025	≥0.05	≥0.025	≥0.05
内　业 分　析	河龙区间	6.77	5.59	5.27	5.59	5.27
	泾洛渭(1)	3.21	1.81	1.53	1.81	1.53
	泾洛渭(2)	1.07	0.50	0	0.50	0
	合计(1)	9.98	7.40	6.80	7.40	6.80
	合计(2)	11.05	7.90	6.80	7.90	6.80
查勘后 修　正	河龙区间	6.80	5.59	5.43	5.59	5.43
	泾洛渭(1)	3.32	2.06	1.56	2.06	1.56
	泾洛渭(2)	1.07	0.50	0	0.50	0
	合计(1)	10.12	7.65	6.99	7.65	6.99
	合计(2)	11.19	8.15	6.99	8.15	6.99
根据卫片地 貌分区图等 综合确定	河龙区间	7.16	5.99	5.99	5.99	5.99
	泾洛渭(1)	3.69	1.87	1.87	1.87	1.87
	泾洛渭(2)	1.07	0.50	0	0.50	0
	合计(1)	10.85	7.86	7.86	7.86	7.86
	合计(2)	11.92	8.36	7.86	8.36	7.86

注　泾洛渭(1)指六盘山以东泾洛渭部分;泾洛渭(2)指六盘山以西泾洛渭部分;合计(1)指六盘山以东部分;合计(2)指河口镇至"六站"区。

黄河中游多沙粗沙区面积为 7.86 万 km²,面积不算太大,占河口镇至桃花峪区间总面积的 22.8%,可产生的泥沙较多,达 11.82 亿 t,占中游同期(1954～1969 年)实测输沙量(17.07 亿 t)的 69.2%,产生的粗泥沙量达 3.19 亿 t,占中游同期实测总粗泥沙量(4.13 亿 t)的 77.2%。因此,加强该区的水土流失治理,是减少黄河下游河道泥沙淤积的关键所在。

以上所确定的多沙粗沙区界限是一个宏观的界限,在范围线内大平均超过多沙粗沙区的指标值,但在局部也有产沙强度很小的地方,如道路、水域、峁顶或难侵蚀基岩出露部分;反之,范围外也有局部侵蚀很大的地方,如易滑坡的黄土陡崖等,由于这些面积较小,或离大片的多沙粗沙区较远,所以没再划分。

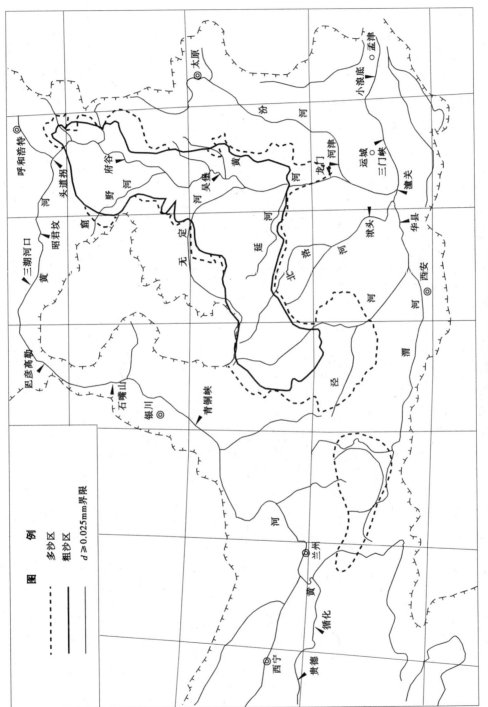

图 3-13 黄河中游多沙粗沙区区域界限

经分析,全沙输沙模数≥10 000t/(km²·a)(极强度侵蚀指标)的面积为 7.24 万 km²。也就是说,多沙粗沙区区域界定中,粗沙区界定指标起了控制性作用,并且多沙粗沙区已接近全沙的极强度侵蚀区。这也说明,多沙粗沙区应是黄河中游治理的重中之重。

本次研究界定的黄河中游多沙粗沙区面积为 7.86 万 km²,涉及五个省(区)(山西、陕西、甘肃、内蒙古和宁夏)、44 个县(旗、市)。其中,河龙区间多沙粗沙面积 5.99 万 km²,23 条支流;北洛河、泾河多沙粗沙区面积 1.87 万 km²,主要分布在北洛河刘家河以上、泾河的马莲河上游和蒲河。

(四)用来沙分配图法对多沙粗沙区面积的旁证

1.作图方法简介

首先绘制出全沙、d≥0.025mm 和 d≥0.05mm 泥沙输沙模数图,量算出各粒径级某级输沙模数的面积,并计算如表 3-13 的统计数值。

表 3-13　黄河中游河龙区间和华县、河津、洑头、黑石关、武陟以上输沙分布统计

(1954~1969 年同步系列分析)

分级泥沙	输沙模数分级(万 t/km²·a)	分布面积(万 km²)	量算输沙量(亿 t)	修正输沙量(亿 t)	累计面积(万 km²)	累计输沙量(亿 t)	累计面积占总面积比率(%)	累计沙量占总沙量比率(%)
全沙输沙量	>4.0	0.10	0.41	0.38	0.10	0.38	0.33	2.2
	4.0~3.0	0.06	0.19	0.18	0.16	0.56	0.50	3.3
	3.0~2.0	1.28	3.21	2.92	1.44	3.48	4.60	20.4
	2.0~1.0	5.80	8.70	7.92	7.24	11.40	23.10	66.7
	1.0~0.5	3.81	2.86	2.60	11.05	14.00	35.30	82.0
	0.5~0.2	5.38	1.88	1.72	16.43	15.72	52.40	92.0
	<0.2	14.91	1.49	1.35	31.34	17.07	100	100
	合计	31.34	18.74	17.07	31.34	17.07		
d≥0.025mm输沙量	>3.0	0.13	0.43	0.44	0.13	0.44	0.43	5.0
	3.0~2.0	0.03	0.07	0.07	0.16	0.51	0.52	5.8
	2.0~1.0	1.86	2.79	2.85	2.03	3.36	6.5	38.0
	1.0~0.8	0.98	0.88	0.90	3.00	4.26	9.6	48.1
	0.8~0.5	1.85	1.20	1.22	4.85	5.48	15.5	61.9
	0.5~0.28	3.04	1.19	1.21	7.98	6.69	25.5	75.6
	0.28~0.2	2.32	0.56	0.57	10.21	7.26	32.6	82.0
	<0.2	21.13	1.56	1.59	31.34	8.85	100	100
	合计	31.34	8.69	8.85	31.34	8.85		
d≥0.05mm输沙量	>1.0	0.24	0.25	0.25	0.24	0.25	0.76	6.1
	1.0~0.5	1.62	1.22	1.23	1.86	1.48	5.90	35.7
	0.5~0.2	4.01	1.40	1.41	5.87	2.89	18.7	69.9
	0.2~0.13	1.31	0.22	0.22	7.18	3.11	22.9	75.2
	0.13~0.1	1.39	0.16	0.16	8.57	3.27	27.4	79.1
	<0.1	22.77	0.86	0.86	31.34	4.13	100	100
	合计	31.34	4.11	4.13	31.34	4.13		

以某粒径级沙量大于某侵蚀模数的来沙量占总沙量的百分比为纵坐标,横坐标为大

于某模数的面积(如图 3-14)。为了反映输沙模数的变化,也可以用各级泥沙大于某输沙模数作为纵坐标,横坐标仍为大于某模数的面积(如图 3-15)。

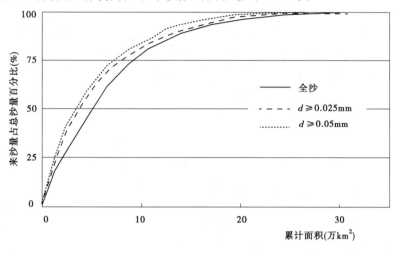

图 3-14　黄河中游来沙分配示意图

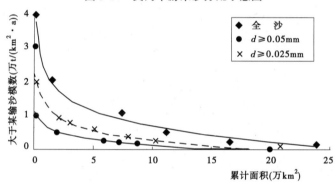

图 3-15　黄河中游输沙模数分配图

2.来沙分配图的应用

利用来沙分配图,我们可以直观而快速地知道泥沙产生的集中程度或大于某输沙模数所占的面积。如龚时旸、熊贵枢 1979 年在《人民黄河》发表的数据是:河口镇至龙门区间,80%的全沙和 $d \geqslant 0.05$mm 的粗泥沙集中来自 11 万 km² 和 10 万 km²,50%的全沙和 $d \geqslant 0.05$ mm 的粗泥沙集中来自 5.1 万 km² 和 3.8 万 km²。这些泥沙都是来自黄土丘陵沟壑区,产生全沙和粗泥沙的地区可以说是非常集中的。因而有人认为黄河中游多沙粗沙区面积是 10 万 km²。

3.来沙分配图法本次分析成果

根据图 3-14 和表 3-13 分析的成果,80%的全沙、$d \geqslant 0.025$mm 和 $d \geqslant 0.05$mm 的泥沙集中来自 10.0 万 km²、9.4 万 km² 和 8.9 万 km²。来沙分配图法分析的这一数值与用模数指标法界定的多沙粗沙区面积是接近的。50%的全沙、$d \geqslant 0.025$mm 和 $d \geqslant 0.05$mm 的泥沙集中来自 4.9 万 km²、4.4 万 km² 和 3.2 万 km²。

但该方法本身无法将多沙粗沙区圈定出来,还需借助输沙模数图才能实现。

(五)用含沙量指标对多沙粗沙区研究成果的旁证

由于黄河中游有颗粒分析的水文站点不是很多,用绘制粗泥沙输沙模数图的办法来确定重点治理区,其精度有限。因此,本文从含沙量的角度来探讨黄河中游重点治理区的范围,以便对用输沙模数指标法(M_S)界定成果的合理性加以旁证。

黄河下游之所以淤积严重,主要原因是水少沙多、水沙失调造成的。如孟加拉国的恒河年输沙量达 14.5 亿 t,接近黄河的输沙量,但恒河的径流量为 3 710 亿 m³,是黄河径流量的 6.4 倍,其含沙量只是黄河的 1/10。又如美国的科罗拉多河的含沙量达 27.5kg/m³,接近黄河含沙量,但年输沙总量只有 1.35 亿 t,是黄河的 1/12。因此,黄河下游淤积严重,水少沙多、水沙失调是一个重要的因素。

黄河来沙在时空分布上都比较集中,来沙主要是 7、8 月暴雨洪水形成的。如窟野河温家川 1958 年 7 月 10 日曾发生过 1 700 kg/m³ 的高含沙洪水[40]。

黄河中游 7~8 月平均含沙量 300kg/m³ 以上的地区达 8.9 万 km²。这些地区就是我们的重点治理区。

治河治本。减少入黄泥沙,应从黄河中游高含沙区开始治理。重点治理区在哪里,可从含沙量分布特点来探讨这一问题。

黄河泥沙主要是暴雨洪水携带而来,时间分配上非常集中,黄河中游 7~8 月输沙量占年输沙量的 75%,并且高含沙大都发生在这个时段,有的支流 6 月份也会出现。河口镇至龙门区间 7~8 月平均含沙量达 300kg/m³。因此,我们点绘了 7~8 月平均含沙量分布图(见图 3-16)。从图中可以看出,7~8 月含沙量为 300kg/m³ 的区域大致在延河口以北至河口镇黄河干流两岸,北洛河上游刘家河以上,泾河庆阳、巴家嘴以上,渭河上游靠近河口镇以上的祖厉河和清水河地区,以及河口镇以上的祖厉河和清水河的上游地区,面积约 11.3 万 km²,其中河口镇以下为 8.9 万 km²。前面已述,高含沙水流虽需要一定数量的粒径小于0.01mm的细颗粒泥沙作骨架,在满足此条件下,流域内泥沙越粗,水流所挟带的极限含沙量越大[7]。从图 3-16 中可以看出,再往西北,属风沙草原区,泥沙粒径粗,降雨入渗量大,径流比较均匀,不易形成大洪水,再加之细颗粒泥沙含量少,因而难以形成高含沙水流;再往东南,由于土壤粒径变细,粗颗粒泥沙含量减少,含沙量也不大。含沙量地区分布与刘东生绘制的黄河中游新黄土中数粒径变化图的趋势走向一致,本文所指重点治理区基本上在刘东生绘制的黄土中径 0.025~0.045mm 之间[41];也与马秀峰绘制的黄河中游原生黄土粒径大于 0.05mm 的沙重百分数等值线图的趋势一致,范围在粒径大于 0.05mm 的泥沙含量占 20%~40% 之间[42]。

通过含沙量分布图可以看出,黄河中游水土流失重点治理区主要有两片:

第一片,是河龙区间片。7~8 月平均含沙量 300kg/m³ 以上地区 5.7 万 km²,占河龙区间总面积的 51%。由于该区汛期降雨常以暴雨形式出现,加之泥沙粒径偏粗,特别容易形成高含沙水流。该区的高含沙对三门峡水库及下游河道的淤积危害十分严重,黄河下游的淤积主要是该区来水来沙造成的[6,38]。

第二片,是北洛河上游刘家河以上、泾河庆阳和巴家嘴以上、渭河上游靠近祖厉河和清水河的北岸支流。含沙量大于 300kg/m³ 的地区约 3.2 万 km²,占泾、洛、渭河流域总面积的 24.0%。由于这几条支流高含沙洪水来源区较河龙区间小,又加之中下游区的低含

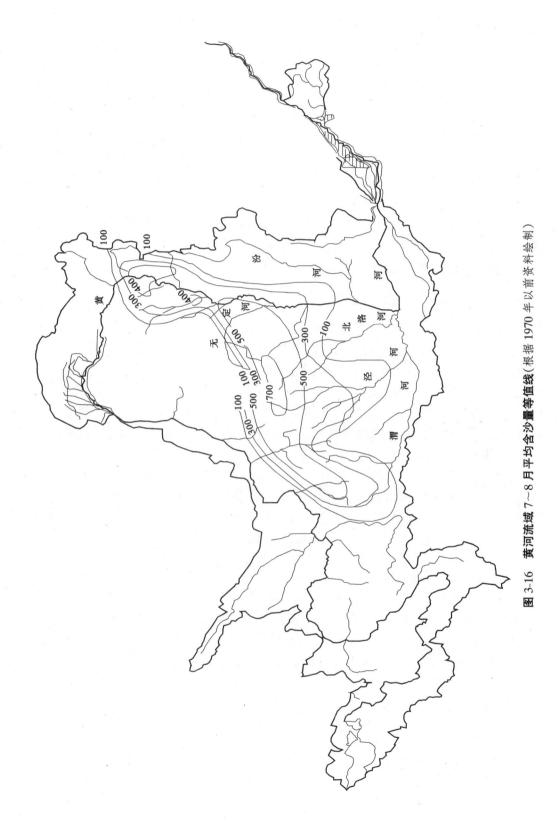

图 3-16　黄河流域 7～8 月平均含沙量等值线（根据 1970 年以前资料绘制）

沙径流加入,给人们感觉是这几条支流的洪水泥沙对下游淤积影响不大,但随着本流域水资源的开发利用,清水大幅度减少,上游高含沙洪水下来后,稀释的作用大大降低,对小北干流汇流区及渭河口的淤积影响已明显加剧。

此外,河口镇以上的祖厉河、清水河和苦水河流域,300kg/m³ 高含沙地区约 2.5 万km²。这些支流来沙进入干流后被兰州以上来的黄河清水稀释,对黄河的危害并不明显,还不如八大孔兑的高含沙洪水危害的影响大,因此,人们对该区高含沙的危害感觉不大。但是,随着龙羊峡、刘家峡水库的联合运行,汛期流量减少,年径流分配均匀化,由于水沙比例调整,这些支流汛期出现的高含沙洪水,还会淤堵黄河,对黄河上游干流带来新的影响。

从以上可以看出,在黄河中游区,以 7~8 月高含沙指标确定的水土流失重点治理区的面积为 8.9 万 km²。用全沙和粗泥沙输沙模数指标(M_s)确定重点治理区,因为有颗分资料的测站较少,粗泥沙输沙模数图的精度有限;而用含沙量指标确定重点治理区,只涉及全沙量,站网密度相对较大,因而可起到旁证作用。

三、多沙粗沙区面积合理性分析

从表 3-12 中可知,本次界定的黄河中游多沙区面积为 11.92 万 km²,多沙粗沙区面积为 7.86 万 km²,与以往研究成果比较,本次界定的面积最小。分析原因主要有两点:一是进行了泥沙颗分资料的改正;二是按地貌类型分区计算输沙模数。

(一)泥沙颗分资料的改正

由于 1960~1979 年黄河的颗分大多采用粒径计法,根据国家行业标准[22]规定:"粒径计分析成果,受群体沉降和扩散影响,应根据标样实验分析确定的方法进行校正。"因此,本文根据黄委会确认的方法进行了统一改正。

以龙门为例,1960~1979 年 $d \geq 0.05$mm 的粗颗粒泥沙百分含量,粒径计法为 45%,改正后为 27.2%,原粒径计法偏大 17.8 个百分点;花园口站,1960~1979 年 $d \geq 0.05$mm 的粗颗粒泥沙百分含量,粒径计法为 33.5%,改正后为 17.7%,原粒径计法偏大 15.8 个百分点。由此可以看出,粒径计法粗泥沙颗分资料改正后,必然使多沙粗沙区的面积变小。

(二)地貌类型分区

过去研究黄河中游多沙区、粗沙区和多沙粗沙区,基本上是以水文站区间为基本图斑来勾绘等值线图的,由于大多数水文站区间下垫面存在两种以上的地貌单元,且各地貌单元上的产沙模数差别很大,如窟野河王道恒塔以上流域控制面积 3 839km²,其地貌单元大致分为沙漠区(1 774km²)、台状土石丘陵区和丘陵沟壑区,其中,沙漠区年平均输沙模数约为 200t/km²,台状土石丘陵区和丘陵沟壑区年平均输沙模数约为 13 000t/km²;若不进行地貌分区,窟野河王道恒塔以上年平均输沙模数为 7 187t/km²。按照全沙输沙模数大于 5 000t/(km²·a)的标准,窟野河王道恒塔以上应全部划分为多沙区,而实际上沙漠区不属于多沙区。因而,多沙区面积应减少为 2 065km²。由此可以看出,以地貌单元为基本图斑勾绘输沙模数等值线图,更能反映流域产沙的集中程度。

根据分区图,河龙区间总面积约为 11.16 万 km²,其中,黄土丘陵沟壑区(7.15 万km²)、台状土石丘陵区(0.70 万 km²)和高原沟壑区(0.15 万 km²)是黄河中游水土流失最严重的地区,其余的石山林区(0.10 万 km²)、土石山区(0.49 万 km²)、沙漠区(2.28 万

km^2)和丘陵林区(0.29 万 km^2)基本上不属于多沙区。因此,地貌类型分区对多沙粗沙区的界定具有重要意义。

第四节 结论与讨论

(1)为了找出对黄河下游淤积危害最大的黄河中游多沙粗沙区,采用既是多沙区又是粗沙区的二重性原则,进行黄河中游多沙粗沙区区域界定。

将全沙输沙模数大于 5 000t/(km^2·a)的地区作为多沙区,经过内业分析、外业查勘和卫星图片对照修正后,面积约为 11.92 万 km^2;粗泥沙输沙模数大于 1 300t/(km^2·a)的粗沙区面积约 7.86 万 km^2;多沙粗沙区面积为 7.86 万 km^2(若用 $d \geqslant 0.025$mm 为粗泥沙界限,界定的多沙粗沙面积约 8.36 万 km^2,其中包括六盘山以西地区 0.5 万 km^2;若只考虑六盘山以东地区,则多沙粗沙区面积为 7.86 万 km^2,与粗泥沙界限为 0.05mm 界定的多沙粗沙区面积一致)。

(2)黄河中游多沙粗沙区面积为 7.86 万 km^2,只占河口镇至桃花峪区间总面积的22.8%,但产生的泥沙多达 11.82 亿 t,占中游输沙量的 69.2%,产生的粗泥沙达3.19亿t,占中游总粗泥沙量的 77.2%。因此,加强该区的水土流失治理,是减少黄河下游河道泥沙淤积的关键所在。

(3)从各年代黄河中游全沙输沙模数和粗泥沙输沙模数图的变化情况看出,多沙区和粗沙区的范围不仅与流域治理程度有关,而且很大程度上受降水变化的影响。1954~1969 年多沙、粗沙区面积最大,80 年代最小。若以 50 年代、60 年代的天然本底的面积为 100%,则 70 年代多沙区和粗沙区面积分别减少 12.4% 和 22.4%;80 年代分别减少36.4% 和 46.0%;90 年代(1990~1995 年)分别减少 20.1% 和 20.0%。

(4)本次进行黄河中游多沙粗沙区区域界定,采用 1954~1969 年同步系列作为本底资料,对缺测资料用降雨—径流、径流—泥沙关系进行了插补延长,使资料的一致性、可靠性和代表性得到了加强。同时,对泥沙颗分资料进行了统一改正。

(5)在进行泥沙颗分资料的改正和地貌类型分区的基础上界定的黄河中游多沙粗沙区,虽然数据较以前的小,但精度有很大提高。特别是根据前人的地貌分区研究成果,将各水文站区间的地貌类型进行分区,在分区的基础上,采取类比和联解输沙平衡方程式的方法,求出各地貌单元的产沙模数,其基本图斑比以水文站区间为基本单元的图斑大大增加,为输沙模数等值线图绘制提供了更多的信息,使模数图的精度有了很大提高。

(6)对黄河中游多沙、粗沙区和多沙粗沙区的区域界定,本次采用的是输沙模数指标法。此外,还用来沙分配图法和含沙量指标法进行了旁证。来沙分配图法能反映出来沙分配的集中程度,但多沙区、粗沙区和多沙粗沙区的地域性还需借助输沙模数图才能直观表现。还用含沙量指标法从另外一个角度说明了黄河流域多沙区范围,其结果与多沙粗沙区范围基本一致。

(7)本文界定的黄河中游多沙粗沙区是项研究成果,它对生产规划有指导意义,但绝对没有限制作用。在实际生产规划中,为便于管理,照顾到地区和流域的完整性,完全可以突破这一数值。

第四章　黄河中游多沙粗沙区产沙输沙规律研究

第一节　多沙粗沙区侵蚀产沙环境

一、侵蚀产沙环境系统及形成背景分析

(一)侵蚀产沙环境系统

　　土壤侵蚀的特点和规律离不开当地的侵蚀环境特性,多沙粗沙区也不例外。多沙粗沙区在黄土高原的出现并不是偶然的,有其重要的自然和人文环境背景。所谓土壤侵蚀环境,是指影响侵蚀过程的所有因素构成的景观综合体。在这个综合体中各因素是相互联系的,在过程中有相互促使作用,也有相互牵制和制约的作用。从系统科学观点出发,这个综合体是一个开放系统,有着充分的物流和能流交换。研究流域侵蚀环境系统,必然要首先分析构成侵蚀环境因素的结构系统。土壤侵蚀环境是由自然侵蚀环境因素和人为侵蚀的社会环境因子构成,即由影响侵蚀的自然因素构成的自然综合体,为自然环境;由影响土壤侵蚀的人文社会因素构成的综合体,为人文社会环境。这两个环境系统都是由若干因素构成的。侵蚀的自然环境由气候因素、植被因素、地形因素和土壤因素构成;侵蚀的人文社会环境则由人类社会的、经济活动的行为和从事能够促使土壤侵蚀发生发展的人文行为活动构成。土壤侵蚀环境的每一个因素又有若干因子组成。因此,侵蚀环境结构系统是极其复杂的。

　　地表能否产生侵蚀,完全取决于侵蚀系统之间的对比关系。只有侵蚀的动力子系统各因素构成的侵蚀力大于抗蚀力时才可能产生侵蚀;反之,则不可能产生侵蚀。为此,弄清楚侵蚀环境系统中各因子之间的关系,各因子与侵蚀的关系,对制定正确的侵蚀防治措施是必要的。

(二)侵蚀产沙环境的形成背景

　　多沙粗沙区位于黄土高原与鄂尔多斯高原的过渡地带,是水力侵蚀与风力侵蚀的交错地带。这里生态环境脆弱,自然灾害类型多、发生频率高,其中水土流失是最严重的,也是影响最大的灾害。黄河中游多沙粗沙区脆弱生态环境形成的原因、形成的时间,都是当前生态环境建设过程中大家关心的热点问题,也是讨论和争论最为激烈的问题。现在很多生态学家和历史地理学家,都认为现在的黄土高原在 2 000 年以前的汉代,这里是"水草丰美"、"森林茂密"的地方,当时农、牧、林三业都很昌盛,出现了"牛马衔尾"、"羊群塞道"的繁荣景象。当然也有与此相反的意见。正确地认识黄土高原多沙粗沙区的侵蚀环境的始末及过程,对治理水土流失和生态农业建设是非常必要的。在影响侵蚀的众多因素中,地质地貌背景和古气候特征是决定历史地理环境的根本。下面就这两方面的问题

进行简要论述,将有助于对多沙粗沙区现代侵蚀环境的来龙去脉的了解。

1.地质地貌环境背景

多沙粗沙区的地质构造单元属于华北台块的次级构造单元鄂尔多斯台向斜的一部分。该区经燕山运动最后一幕之后,处于相对稳定发展阶段,各地进入准平原发展过程,直至上新世,台向斜处于稳定的微微下沉,由此在向斜内堆积了厚50~60m的三趾马红土层,厚的地方达到百米以上。上新世末,第四纪初由于受到新构造运动的影响,全区整体上升,在整个第四纪期间,黄土高原都是以间歇性抬升为主。多沙粗沙区是黄土高原新构造最为活跃的地区,抬升量相对较大,第四纪总抬升量80~100m,抬升速率随时间的推移逐渐增加。据有关资料推测,现代抬升量在3mm/a以上。由于该区自中生代以来以整体间歇性抬升运动为主,未受到强烈的区域变质、强烈的褶皱和断裂活动,新老地层都未经过构造变动,地层呈现微倾向的单斜构造,倾角3°左右。这样的地质构造结构在第四纪前塑造了两种地貌类型。

(1)波状起伏的丘陵地形。主要分布在延安以北米脂、佳县、志丹一带。古地貌的物质基础是中生代三迭纪的砂岩,志丹的基岩是中生代侏罗纪的砂岩,基岩上覆三趾马红土,三趾马红土的厚度与出露的地貌部位有关,一般在分水岭比较厚。古地形呈长条形,一般沿大河垂直方向延伸,起伏和缓,沟间地相对较宽,起伏较小,这样的古地貌形态是形成黄土长梁丘陵、梁峁丘陵和峁状丘陵的基础。

(2)起伏和缓的台状丘陵。主要分布在多沙粗沙区的北部,神木、准格尔旗、志丹、吴旗的北部、庆阳的北部。古地形的物质基础是中生代的侏罗白垩纪的胶结不良的砂页岩、泥岩,基岩上部覆盖三趾马红土。三趾马红土厚度在黄甫川上游可达百米以上,地形为起伏和缓的台状平原,类似于现在东胜一带的基岩台地。第四纪被黄土覆盖,又经侵蚀形成沟间地相对宽的平顶黄土梁峁丘陵地和破碎塬地貌。如泾河马莲河、洛河的上游、榆林鱼河堡以北等地区的现代地貌,都是由台状平原上经黄土堆积和侵蚀过程逐渐演变成现代地貌。

2.生物气候环境形成背景

多沙粗沙区生态环境脆弱,自然灾害类型多而且频繁,其根本原因是由于干旱。而大范围干旱半干旱的环境形成则不是任何人为行动所能左右的,客观地说,这个地区的干旱半干旱环境的形成由来已久。早在第三纪,本区处于亚热带的北缘,在副热带高压控制下,盛行干燥的东北信风,再加上当时大陆长期处于燕山运动之后的陆地相对稳定期,大部分地面夷平为准平原,或剥蚀缓丘,地形平坦,地形雨难以形成,因而具有干热的气候特征。那时的植被以亚热带的稀树草原景观占优势。本区干旱半干旱环境的明朗化,是伴随着东亚季风的形成与加强而出现的。自上新世以来,由于印度洋板块与欧亚大陆板块的相撞,使青藏高原及其周围山地大面积的强烈隆升,改变了大气环流系统,促使东亚季风和西南季风环流系统形成与发展,使我国东部地区都处于东亚季风的控制圈内。季风系统的形成,将我国分成自然环境截然不同的两个大区域,即季风区和非季风区。其总的特点是季风控制区夏季湿润多雨,冬季干冷;而在非季风区,夏季干热少雨,冬季寒冷。多沙粗沙区乃至整个黄土高原都处于东亚季风的后缘,是东亚季风向大陆季风的过渡带,因而,也称之为大陆性季风气候。

二、侵蚀环境特征

多沙粗沙区绝大部分地区位于干旱半干旱气候带内。世界上所有干旱半干旱气候带都是环境脆弱带，有独特的环境特征。多沙粗沙区除具有世界干旱半干旱带的共性外，还有其独特的特征。

(一)环境的过渡性特征

多沙粗沙区位于黄土高原与鄂尔多斯高原的过渡地带，气候上是半湿润向干旱过渡的半干旱带，因此该区的自然环境特征表现出明显的过渡性特征，具体表现在以下方面：

1. 地貌形态与组成物质的过渡

研究区位于鄂尔多斯剥蚀高原和陕北黄土高原交错地带，地貌的过渡性表现在地貌形态、地表物质和地貌的现代营力等方面。

(1)地貌形态的区域过渡性。多沙粗沙区的主要地貌类型是破碎塬和黄土梁峁，多沙粗沙区向北是干燥剥蚀高原，向南是黄土塬和土石山区。

(2)地表组成物质的过渡。多沙粗沙区的地表主要组成物质是沙黄土，在沟谷坡面有老黄土、红土及基岩出露，而在多沙粗沙区的北部是风沙土和红土，南面是黄土、红土和基岩。地表组成物质由南向北，由细变粗逐渐过渡。

(3)地貌现代营力的过渡。多沙粗沙区的现代地貌外营力是水蚀和风蚀作用兼有，但主要是水蚀作用，其次是风蚀作用，所以，该区是水蚀风蚀交错区。该区北部塑造地貌的主要营力是风力，其次是水力；而南部塑造地貌的营力主要是水力，而风力次之。

2. 植被的过渡

多沙粗沙区的植被与它周围的植被存在明显的过渡关系。这种过渡性主要是受气候的影响，其中尤以降水多寡影响最大。由于这种影响，植被带由东南向西北过渡，多沙粗沙区的本身大部地区属于中温带的森林草原带，以灌丛草原为主，而沟谷则可以生长木本植物；但在多沙粗沙区的北面是温带草原，而南面则是暖温带落叶阔叶林带，无论在沟谷还是在丘陵，都能生长木本植物。

3. 气候的过渡

多沙粗沙区处于半湿润和干旱带之间的半干旱带，区内的年降水量350~550mm，降水量由东南向西北减少，70%集中在7~9月。由多沙粗沙区向西北，降水量减少为400mm以下，向南则降水量增加到550mm以上。与降水的分布规律相反的是风力，在多沙粗沙区内风力及风日都表现为由东南向西北递增。

以上多沙粗沙区过渡环境特征，充分地表现出该区生态环境的脆弱性。侵蚀营力的复杂性使之成为脆弱环境带的敏感区。

(二)环境的时空分异性特征

研究区范围虽然不大，但自然环境的分异明显。从自然地理景观看，研究区可分为三大块，即黄土景观区、基岩景观区和片沙覆盖景观区。基岩区位于多沙粗沙区的东北角，风沙区分布在研究区北部边缘的范围，真正属多沙粗沙范围的面积很小，但对多沙粗沙区的影响很大；黄土景观区是多沙粗沙区的主要景观区，在北部是沙黄土景观区，南部是黄土景观区。其特点具体表现在以下方面：

1. 降水年际变率大和年内集中性

该区多年平均降水量350~550mm,降水空间分布不均匀,由东南向西北减少,延安540mm,绥德500mm,榆林400mm,东胜只有350mm。年降水量在时间上的特点是年际的不均匀性和年内的高度集中性。最大年是最小年降水量的2倍,如榆林最大年降水量484mm,而最小年是209mm,降水年际变率一般都在30%~35%;而年降水量集中在7~9月,占年降水量的60%~70%;最大日降水量占年降水量的1/9~1/10,个别年份一月降水量占年降水量的50%左右。该地区以暴雨为主。

2. 干旱频繁

干旱是该区的最大环境特点,也是国民经济发展的重要制约因素。该区有三年两旱之说。据1470~1970年的旱涝资料分析,发生干旱的年份要占到统计年份的70%~75%。该区有三年两旱、七年一大旱的规律。近30年发生过6个春旱年、10个夏旱年、9个秋旱年。尤其是近十多年来,几乎每年都有不同程度的干旱发生。干旱的同时又伴随着大风,大风又促使干旱程度加剧。多年平均的风暴日为23.6天,其中,沙风暴日数12.8天。

3. 植被群落单一,覆盖度小

植被受到气候要素的影响,同时还受到局部地形的影响。多沙粗沙区属中温带半干旱森林草原带,这里的天然植被受到较大程度的破坏,残存的植被皆属于耐干旱的旱生和沙生物种,只有局部地区如沟谷、川台地、村庄道路有零星的人工乔木林。树种单一,多半是杨树、刺槐和少数的油松、侧柏。多沙粗沙区虽然人口密度不大,但由于生产条件差,乱垦滥牧现象严重,大部分地区是农耕地和牧荒地,平均植被覆盖度10%左右。

(三)人为侵蚀环境特征

多沙粗沙区的人口密度只有50~150人/km²,但是对半干旱地区来说,这已经是很大的了。国际上一般认为半干旱地区的人口密度不应超过8人/km²。我国半干旱地区人口承载力最多也不能超过20人/km²,而多沙粗沙区大大超过这一指标。在绥德、米脂一带达到150人/km²,北部地区的准格尔旗、神木县、吴旗、志丹县等地人口密度也都达到50人/km²以上,这显然大大地超过了自然容量。由于人口的超载,垦殖指数过高,大量耕种坡地尤其是陡坡地,结果导致植被破坏、土地退化、土壤侵蚀增大。此外,土地利用和产业结构也不合理。

多沙粗沙区强烈侵蚀产沙区地下资源丰富,尤其是煤炭、石油、天燃气资源更为突出,拥有我国乃至世界罕见的特大煤田,成为我国商品煤基地和大型的天燃气供应地。由于煤田、石油、天燃气等大规模开发和交通、城镇建设等,将导致土地退化和土壤侵蚀的加剧。今后,在这一地区采取减少人为侵蚀措施,显得十分重要。

第二节 多沙粗沙区侵蚀产沙规律

一、侵蚀产沙地层及侵蚀产沙类型

(一)侵蚀产沙地层

很长时期内,人们都把黄土作为黄河中游惟一的侵蚀产沙地层,直至20世纪60年代中期,才认识到黄河中游侵蚀产沙地层的复杂性。多沙粗沙区的面积虽然不大,但地面出露的地层不仅有不同性质的黄土,还有不同性质和特征的基岩及风沙土。各出露地层的特性、出露的面积及流域的侵蚀产沙贡献,在地域上都存在明显的差异。不仅如此,不同地貌部位出露地层也有着不同的组合特征。

1.基岩地层

多沙粗沙区基岩地层,从大时代看都是属于中生代的地层,其中包括三迭纪、侏罗纪和白垩纪地层。

(1)三迭纪地层。中生代三迭纪地层,主要分布在晋陕之间的黄河峡谷两岸,构成峡谷陡岸,此外,峡谷两岸的支流也有分布。无定河以南地区的黄土下伏岩层,主要在沟谷两岸及谷底出露。这一地层为灰绿、黄绿、紫红和肉红色的细—中粗长石砂岩,出露岩层层理厚2m左右,块状结构,垂直节理发育,在两个岩层之间往往夹有一层厚20～50cm的软弱泥岩地层,属易侵蚀岩。由于上下岩层的风化差异,往往使上覆盖的砂岩失去支撑而悬空,由此,岩块沿着垂直节理发生块体崩塌,产生重力侵蚀。由于三迭纪岩层结构微密,抗蚀能力强,不易遭受破坏,因而侵蚀产沙作用不大,但由于重力侵蚀较发育,侵蚀物在河口堆积。黄河支流碛石滩的砾石成分大部分是三迭纪砂岩。

(2)侏罗纪、白垩纪地层。侏罗纪、白垩纪地层主要在窟野河的中上游、孤山川、黄甫川、延河、洛河的上游、马莲河的中上游。侏罗纪、白垩纪地层为内陆河湖相碎屑岩建造,未经过强烈的区域变质作用,其成岩作用差,结构松散。依据胶结程度,大致可以分为三种胶结程度有明显差异的岩类。第一种有两类:一类是紫色的细粒长石石英砂岩,含较多的黏土矿物,由于表层颜色与羊肝相似,当地称为羊肝石;另一类为灰白色、灰绿色或者夹肉红色的石英砂岩,当地称为砒砂岩,这种基岩分布在黄甫川、孤山川、清水河和窟野河等流域,其矿物成分,见表4-1。第二种是灰绿色的砂砾岩,无胶结,其粒配结构,见表4-2。第三种是白垩纪的紫红色、紫色砂岩,主要出露在延河、泾河、洛河,其粒配结构,见表4-2。

(3)第三纪三趾马红土。第三纪三趾马红土(N)在多沙粗沙区广泛出露,但除了黄甫川上游的纳林川连片地出露外,在其他地区都是不连续地出露,出露的厚度由沟口向分水岭逐渐增厚。三趾马红土为红褐色、紫红色、淡红色的砂质黏土,含较多的钙结核,层状分布,红层出露厚度从几米到几十米不等,在沟谷内多半形成45°的陡坡。三趾马红土是未成岩,很容易风化,尤其是受冷热变化作用的机械风化。三趾马红土自然风化物的颗粒组成中,黏粒($d<0.005$mm)含量比较大,$d>0.05$mm的砂粒的百分比也比较大(见表4-3)。由此可见,三趾马红土不仅是细泥沙的来源之一,也是粗泥沙的来源之一。

2.第四纪黄土

黄土是多沙粗沙区的主要产沙地层之一,在多沙粗沙区黄土出露平面的面积约占到总面积的70%以上。根据沉积的时间序列,黄土高原的黄土,可以分为早更新世午城黄土(Q_1)、中更新世离石黄土(Q_2)和晚更新世的马兰黄土(Q_3)与现代黄土(Q_4)。该区黄土堆积厚度在各地相差很大,在马莲河,其厚度可以达到180～250m,在洛河上游,黄土厚度也在百米以上,在河龙区间的多沙粗沙区范围内,黄土堆积厚度由北向南增厚,从几十米到百米,很少超过百米的。在四种类型的黄土中,出露最为广泛的是晚更新世的马兰黄土。马兰黄土的结构在区域分布上不完全相同,其堆积厚度由北向南逐渐变薄,变化于

矿物种类	神木（砒砂岩）	准格尔（羊肝石）	稳定性
普通角闪石	1.83	5.49	
黑云母	2.02	1.57	不稳定矿物
小 计	3.85	7.06	
透辉石	0.73		
阳起石	1.28	4.71	
透闪石		1.96	
绿帘石	4.22	30.2	较稳定矿物
绿泥石	0.73	0.78	
夕线石	3.12		
石榴子石	59.45	33.5	
小 计	69.53	71.15	
磁铁石	0.73	0.39	
钛铁矿	0.92	1.76	
蓝晶石	2.57		稳定矿物
榍 石	0.18		
独居石		1.96	
小 计	4.40	4.10	
锆 石	1.10	0.59	
电气石		0.39	极稳定矿物
金红石	0.55	0.20	
小 计	1.65	1.18	
白钛石	2.2		
褐铁矿	2.49	16.47	风化矿物
岩 屑	14.86		
小 计	19.55		
总 计	98.98	99.97	

地点	粒度含量（%）				岩性
	>0.1mm	0.1~0.05mm	0.05~0.01mm	<0.01mm	
神木(1)	43	16.0	35.0	6.0	砒砂岩
神木(2)	8.2	20.7	36.0	35.1	羊肝石
黄甫(1)	28.68	7.21	30.21	33.90	羊肝石
黄甫(2)	56.65	20.78	11.91	10.66	砒砂岩
清水河	48.2	15.5	32.30	4.0	砒砂岩
杏子河	53.57	39.4	6.94	0	紫色砂岩
准格尔	20.0	28.0	36.0	16	羊肝石

10~30m 之间；但其颗粒组成则由北向南，由粗变细。在北部，把马兰黄土称为沙黄土。多沙粗沙区范围内的黄土的粒配结构，见表 4-4。由表 4-4 可以看出，多沙粗沙区的黄土比其他地区平均颗粒都粗，在粒级组成中，$d>0.05mm$ 的粗泥沙都要大于 30%。可见，

黄土是多沙粗沙区的主要产沙地层。

表 4-3   三趾马红土粒配结构

样　点	粒度含量(%)		
	>0.05mm	0.05~0.005mm	<0.005mm
黄甫川	24.27	35.48	40.25
窟野河	36.5	31.20	32.30
散渡河	43.19	10.78	46.30

表 4-4   黄土的粒度组成

地点	粒度含量(%)			
	>0.25mm	0.25~0.05mm	0.05~0.005mm	<0.005mm
洛川	0	15.0	59.0	26.0
离石	0	35.5	45.5	19.0
保德	0	25.7	59.5	14.8
兴县	0	34.25	49.75	16.0
安塞	0	31.5	55.6	12.9
绥德	0	34.75	55.15	7.60

黄土以粉砂为主,孔隙度大,富含碳酸盐。黄土遇水后,碳酸盐的溶解,加速了土体的崩解性和湿陷性。黄土的这一物理特性决定了它可蚀性大的特点。

3.风成沙

黄河中游由两大地貌单元构成,一是黄土高原;二是鄂尔多斯高原。黄土高原以黄土堆积与侵蚀为特色,而鄂尔多斯高原则以风沙堆积与风蚀为特色。其具体分布位置,如图4-1[43]。由图 4-1 可见,真正属于多沙粗沙区的面积很小,多半属于风沙影响区,或者片沙黄土区。

(二)侵蚀产沙地层的区域组合特征

上述产沙地层在多沙粗沙区的空间分布不都是各占一方、独成体系的,大多数情况下是相互交融的。根据不同产沙地层的产沙贡献及在空间上的出露面积的比例关系,将多沙粗沙区划分为不同产沙地层类型区。所谓产沙地层类型,是指一区域区内有几种产沙地层,但其中有一种产沙地层在区内出露面积最大,产沙的贡献也是最大的,那么,称该区为以某产沙地层为主的产沙地层类型区。根据这一特定的产沙地层类型区含义,将多沙粗沙区划分为三大产沙地层类型区:基岩类、黄土类和盖沙类。

1.基岩地层类型区

该类型区主要分布在黄甫川、清水河、孤山川和窟野河的上游,占多沙粗沙区面积的10%左右。在这个区域中,中生代的侏罗纪、白垩纪(M₂)基岩为主,但不全是该地层出露。从平面上看出露面积,基岩最广,其次是红土,再次是黄土和风成沙;而从垂直剖面看,自上而下都是单一基岩的,主要分布在黄甫川支流纳林川、窟野河上游、清水河中下游,自上而下为黄土、红土、基岩的,主要分布在孤山川的中上游,黄甫川中下游;红土、基

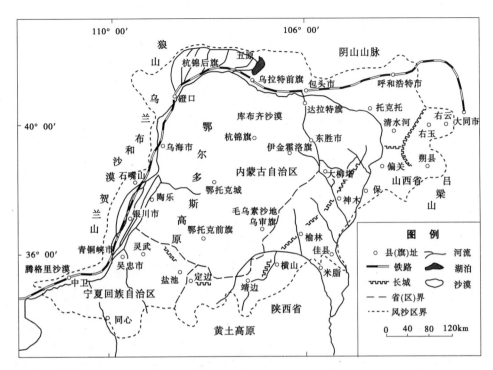

图 4-1 黄河中游风沙主要影响区位置

岩,主要分布在牸牛川的中下游,乌兰木伦河的中游。此外,在黄甫川的支流十里长川的中上游,垂直剖面结构是风成沙与基岩,在分水岭垂直剖面是黄土、红土、基岩。

2. 黄土地层类型区

黄土是多沙粗沙区的主要产沙地层,分布面积广,其面积约占多沙粗沙区总面积的73.8%。该类型区平面上除河谷外都是出露黄土,可是在垂直方向则有不同组合,主要有:黄土剖面,自上而下都是黄土,主要分布在各沟谷的沟掌、马莲河的上游;黄土—基岩剖面,上部是黄土,下部是基岩,主要分布在晋陕峡谷两岸;黄土—红土—基岩剖面,主要分布在大河谷的两侧,如洛河、延河、清涧河等河流及其大支流;上部是黄土,下部是红土剖面,主要分布在大冲沟或干沟的两侧,在佳芦河的中游也是这样的结构。

3. 风成沙及红土产沙地层类型区

风成沙及红土这两种产沙地层类型区,在多沙粗沙区为零星分布,所占面积很小。红土产沙地层,主要分布在黄甫川支流纳林川和十里长川的河源区及窟野河支流乌兰木伦河和牸牛川河源的局部区,从顶部至沟底都是羊肝石(红色沙岩)出露。严格地说,厚层的风成沙产沙地层在多沙粗沙区没有分布,只在其周围有分布,在多沙粗沙区出露的风成沙都是比较零星的呈现片状薄层沙堆出现,这在黄甫川、孤山川、窟野河、无定河以及马莲河等地都可见,总面积也不大。

多沙粗沙区的产沙地层垂直剖面上的组合特征,如图4-2。

(三)侵蚀产沙类型

1. 侵蚀产沙类型划分

根据促使侵蚀产沙发生发展的营力类型,多沙粗沙区的侵蚀产沙类型可以分为水力

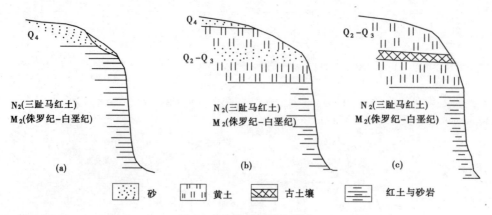

图 4-2　产沙地层组合模式

侵蚀、风力侵蚀、重力侵蚀和人为侵蚀。每一种侵蚀类型又有不同的侵蚀方式,而每一种侵蚀方式可能又有不同的侵蚀形态。侵蚀产沙类型与方式本身是一个系统中的不同子系统,如果说侵蚀类型是一级子系统,那么,侵蚀产沙方式就是二级子系统,侵蚀形态为三级子系统,三者之间互为因果关系。根据这个思想体系,黄河中游多沙粗沙区的侵蚀产沙类型可以归纳为表 4-5。

表 4-5　　　　　　　　　　　　侵蚀产沙类型与方式

外动力性质	营力	类型	方式	侵蚀形态	典型分布
自然动力	水	水力侵蚀	面状侵蚀	雨点坑、细沟、浅沟	坡耕地
			线状侵蚀	切沟、悬沟、冲沟	沟坡、塬边
			潜蚀	洞穴、串洞	峁边线附近
			泥流	条状泥流、斑状泥流	高寒山区
	风	风力侵蚀	吹蚀	风蚀坑、风蚀洼地	干旱的准平原区
			磨蚀	风蚀条痕、风蚀穴	平缓的基岩区
			蠕移	活动沙丘	沙地
内力	重力	重力侵蚀	面状侵蚀	泻溜、剥落体	陡坡
			块状侵蚀	滑坡体、崩坍、滑坍	沟谷、河岸
人为活动	人为	人为侵蚀	挖掘运移	多种多样形态	人类不合理活动的地区

2.各类型的区域组合

多沙粗沙区位于自然地理的过渡带,自然因素交错分布十分突出,侵蚀营力也同样有这种特点。在多沙粗沙区主要集中了四种侵蚀类型(水力侵蚀、风力侵蚀、重力侵蚀和人为侵蚀),这四种侵蚀营力都是相互交错在一起的,但又不是均衡分布的,在某一地区可能是以水力作用为主,而在另一些区可能是风力为主。根据侵蚀营力的平面分布特征和侵蚀产沙的贡献,多沙粗沙区可以分出水力侵蚀区和水力风力侵蚀区。在区域上缺少重力和人为侵蚀类型区,因为这两种侵蚀类型在全区都有表现,但都不是主要的,因而不可能出现以此为主导的独立类型区。

1)水力侵蚀类型区

以水力侵蚀产沙为主的类型区,主要分布在多沙粗沙区的南部。唐克丽等人曾将整个多沙粗沙区都纳入到水蚀风蚀交错区。从整个黄土高原看,这无疑是正确的,但对于这样一个小区域来说,考虑这样的分区也是可以的,不是说这个地区就没有风蚀,而是从两种侵蚀营力侵蚀产沙比较,说风力作用相对较弱,不是主要的,主要的侵蚀力是水力,有些地方则是水力重力相伴。在侵蚀产沙地层的划分中这部分地区都是属于黄土侵蚀产沙类型区,由于黄土及其他产沙地层构成的形态结构及其特点不一样,因而各地表现出不同的侵蚀方式和各种侵蚀形态,尤其是垂直方向上的差异。

(1)黄土梁峁丘陵沟壑区。晋西柳林,陕北绥德、米脂及志丹以南的地区,以梁峁丘陵为主,其沟间地与沟谷地的面积接近,自上而下的侵蚀方式的变化,见图4-3。由图4-3可见,沟间地以水力侵蚀为主,侵蚀方式:峁边线以上是面蚀为主,峁边线至沟缘线之间是以浅沟、切沟侵蚀形态为主,在沟缘线以下是以水力重力侵蚀为主。其中,重力侵蚀又表现出不同的侵蚀方式,有滑坡、崩塌、泻溜等。

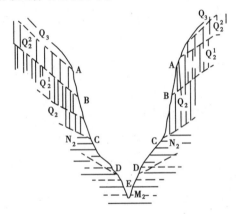

A	谷缘陡崖暴流沟蚀和重力崩塌侵蚀亚带	B	谷坡中部水蚀、重力侵蚀和潜蚀综合作用亚带
C	谷坡下部水蚀、泻溜侵蚀亚带	D	坡脚堆积—冲刷交替作用亚带
E	沟槽暴流侵蚀—崩塌、滑坡亚带	Q_2	黄土
N_2	三趾马红土	M_2	侏罗纪—白垩纪

图4-3 黄土梁峁丘陵侵蚀方式垂直分布

(2)台状黄土沟壑区。主要分布在马莲河与泾河流域,其地貌类型是以破碎塬为主,上部地形平坦,堆积较厚的黄土,沟坡陡峻,自上而下的侵蚀方式分布,见图4-4。由图4-4可见,沟缘线以上(Ⅰ、Ⅱ、Ⅲ)主要是溅蚀、片蚀、细沟侵蚀、浅沟侵蚀、潜蚀,沟缘线以下(Ⅳ)是水力及重力侵蚀,水力是以悬沟侵蚀为主,重力侵蚀为泻溜、滑塌、崩塌等形式,沟道(Ⅴ)是以下切和潜蚀为主。

2)水力风力侵蚀类型区

该类型区主要分布在多沙粗沙区北部的神木县、准格尔旗、东胜市、榆林市、吴旗县、志丹县与环县的北部,由于地貌形态类型及产沙地层的差异,表现出不同的水力、风力与重力侵蚀方式。

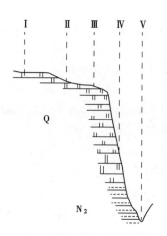

图 4-4　黄土破碎塬水力侵蚀方式分布

(1)基岩丘陵侵蚀方式。该方式主要出现在黄甫川、窟野河、孤山川、清水川的中上游,由于产沙地层的单一性和基岩固有的特性,表现出与黄土不同的产沙方式。泻溜侵蚀是该区最常见的、普遍存在的一种侵蚀方式,而且一年四季都有表现。基岩丘陵另一种侵蚀方式是沟谷侵蚀,但沟谷的前进或拓宽都是以重力侵蚀中的崩塌或滑塌方式表现得最为明显。

(2)滑塌长梁丘陵侵蚀方式。这一形态类型区主要分布在志丹至吴旗,表现出长梁深谷及泾洛河上游的破峒地。长梁丘陵在垂直方向反映出两个截然不同的地貌部位,即以沟缘线为界分成上下两部分,上部是梁峁坡,主要的侵蚀方式是溅蚀、细沟侵蚀、浅沟侵蚀;沟缘线以下的主要侵蚀方式是泻溜、滑塌、崩塌、切沟侵蚀。此外,沟底的沟道的下切也极其明显。

二、不同地层产沙量

(一)风沙产沙量

风沙产沙对黄河粗泥沙补给问题,一直是近年来争论的焦点,特别是穿行于风沙覆盖区的若干支流,如窟野河、无定河、秃尾河和黄甫川等,产粗沙数量较多,因此,有必要进行深入分析。

1.风沙产沙方式及产沙量

1)降尘

沙地中的一些细颗粒在起沙风的作用下,发生吹扬,随风运移到较远的地方降落,称为降尘。降尘是风沙产沙的一种方式。降尘可以坠落在各种不同的地貌单元上,坠落在黄河及其支流中便成为入黄泥沙的一个组成部分。降尘颗粒比较细,一般粒径小于0.01mm的沙量占总量的95%以上,粒径0.1mm左右的粗颗粒只能吹扬几米到几十米,吹扬高度也只有几米,只有粒径小于0.05mm左右的粉尘才能吹高输远。同时扬尘一般要有较大风速的风才能将粉尘送往高空,但这样的大风是很少的。前苏联中亚列别捷克沙漠试验站10年风速的观测资料表明[44],微风是大量的,风速越大的风,出现的频次越低。山西省雁北地区水土保持研究所在右玉县观测的资料表明,Ⅴ级风(风速大于8m/s)

集沙才较多(表4-6),但大于Ⅴ级风仅占年风次的8%(见表4-7)。也就是说,有害的扬沙风是不多的[45]。

表4-6　　　　　　　　　　　山西省右玉县风速与集沙量关系

风速(m/s)	6.4	6.6	8.3	8.5	9.5	10.1
集沙量(g)	0.04	0.15	0.48	0.57	1.83	4.81

注　1　风速取 0.5m 高度;

　　2　集沙量为近地面 0~20cm 高度内兰州沙漠所固定式 10 孔集沙器,进风口为 2cm×2cm,分 8 个方位安置,集沙量为 10 孔集沙器 8 个方位的平均值;

　　3　观测时期为 1986.5.6.13:30~15:30,每隔 10 分钟测一次。

表4-7　　　　　　　　　　　山西省右玉县风力等级观测

级别	Ⅰ	Ⅱ	Ⅲ	Ⅳ	Ⅴ	Ⅵ	Ⅶ	Ⅷ	Ⅸ	总计
风速 (m/s)	0.3 ~1.5	1.6 ~3.3	3.4 ~5.4	5.5 ~7.9	8.0 ~10.7	10.8 ~13.8	13.9 ~17.1	17.2 ~20.7	20.8 ~24.4	
总风次	3 796	7 201	3 685	2 117	1 109	295	57	2		18 262
占总风次(%)	20.8	39.4	20.2	11.6	6.1	1.6	0.3			100

注　1984 年 4 月~1986 年 6 月观测统计和。

关于降尘数量,榆林地区环境保护监测站利用口径为 15cm、高 30cm 的降尘取样器,沿毛乌素沙地主风向线 600km 范围内的 11 个乡(镇),监测了 1987 年 3~5 月大气降尘量[46](见图 4-5)。可以看出,降尘量最多的是窟野河流域的大柳塔:3 月份为 120t/km²,4 月份为 380 t/km²,5 月份为 50 t/km²,全年降尘量为 550 t/km²。如果假定窟野河神木以上(流域面积 7 298km²)为降尘落区,并按大柳塔降尘量计算,则全年降尘量为 401.4 万 t。假设降尘量全部成为输沙量,则降尘量约占该年温家川水文站实测年输沙量的 10% 左右,占温家川站多年平均实测输沙量的 5% 左右。从图 4-5 还可以看出,无定河上游和

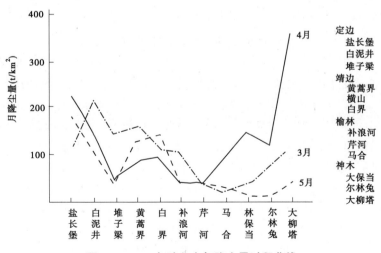

图 4-5　1987 年陕北大气降尘量过程曲线

秃尾河上中游,年降尘量小于窟野河大柳塔。由此可以推断,其他地区风沙产沙不会超过5%～10%。

2)沙丘移动

临近河流的一些流动、半流动沙丘地,在风力作用下形成近地面的风沙流,大量沙粒通过跃移、蠕动向前运移,称为沙丘移动。如榆林芹河流域,在主风向西北风的作用下,沙丘由西北向东南移动,据1985～1990年对不同高度和不同形状沙丘的定位观测,6年内沙丘每年向前移动1.25～5.5m,年平均前移1.68m。沙丘移动的结果,有部分在岸边谷坡、河滩等地因风力减小或地形变化受阻而停息下来形成堆沙。秃尾河上中游干支流沿岸沙地分布较广,其干流按流向不同可分为两大河段:一段是彩兔沟以上至宫泊海子;另一段是彩兔沟以下至高家堡干流段。宫泊海子两岸滩地较宽,风沙直接入河较少;宫泊沟下段至彩兔沟一段,河段右岸为侵蚀岸,滩地很少,流沙直逼河岸,大量风沙可随风直接吹入河床。彩兔沟至高家堡河段也有类似情况。由于吹入河谷的风成沙颗粒比较粗,一般只能落入河道沉积抬高河床。为说明这一现象,我们在秃尾河中上游取明沙样和在河道、河滩取河床质沙样做颗粒分析,发现明沙颗粒级配与河床质颗粒级配基本一致(见图4-6)。由此可见,明沙的沙丘移动绝大部分沉积于河道或河滩,说明沙丘移动直接产沙不多。但必须指出的是,风成沙在河道的淤积为以后的洪水冲刷提供了前提条件。

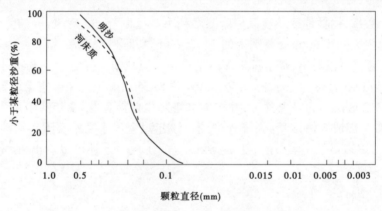

图4-6 秃尾河中上游泥沙颗粒级配曲线

3)河岸的水力侵蚀

河岸的水力侵蚀是风成沙入黄的主要形式。发育于风沙区的河流,河网密度较低,地势较平坦,其上游广大地区往往为周围流沙所包围,中间为草滩盆地,丘间地较宽展,地下水位较高,部分滩地还有盐渍化现象,无明显的地表径流,降水主要通过地下径流汇入河网,水蚀轻,风蚀重。如:芹河流域流域面积205.2km²,70%以上没有明显的河道,而在流域中下游才是河道形成区,其面积不足流域面积的30%,河段长度16.5km,仅为流域长度26.7km的61.8%,而且在16.5km的河段中,长度极为有限的谷坡陡峭部分(坡度一般为25°～55°),才是水力侵蚀和重力侵蚀的集中地带,是泥沙的集中来源区,在这里稳定的河道水流冲刷河岸,产生严重的侧蚀,随着侧蚀的发展,岸坡松散的沙粒在重力作用下不断向下滑塌或崩塌,产生重力侵蚀,两种侵蚀方式交替进行,产生大量泥沙。据芹河水磨梁径流站6年观测资料,全流域年平均输沙模数仅为333t/km²,而占流域面积3.35%

的河道水力侵蚀面积的年平均侵蚀模数为 9 927t/km²,与黄土区的侵蚀强度相近[1],但产沙总量较小。

2.风沙区侵蚀泥沙输移特征

风沙区的风蚀,一般发生于每年的冬春季节,侵蚀产沙与输沙时间上不同步,其滞后的时间更长。因此,风沙区产沙与输沙的关系用输移比接近于 1 表示不恰当。这些地区在使用输移比时要进行具体分析,不能盲目套用输移比接近于 1 的结论。例如,榆林地区沙漠研究所对榆林市芹河流域的观测表明,风沙区泥沙输移比远小于 1(见表 4-8)[1]。发育于风沙区的秃尾河高家堡以上也有类似情况,点绘秃尾河高家堡、高家川两站实测大断面,计算的断面冲淤量见表 4-9。由表列成果可以看出,高家堡断面 1967~1986 年累计淤积面积 520.3m²,说明泥沙输移比小于 1;高家堡至高家川站,河流流经黄土丘陵沟壑区,高家川断面有冲有淤,但量不大,基本上处于冲淤平衡,说明泥沙输移比接近于 1。

表 4-8　　　　　　　　　　　芹河流域泥沙输移比

年份	风力侵蚀		水力侵蚀		侵蚀总量		输沙量（万 t）	输移比
	面积（km²）	侵蚀量（万 t）	面积（km²）	侵蚀量（万 t）	面积（km²）	侵蚀量（万 t）		
1982	193.9	88.74	11.3	15.85	205.2	104.59	15.03	0.144
1990	193.9	26.46	11.3	3.86	205.2	30.32	4.07	0.134

(二)基岩产沙量

1.基岩产沙的分布特点

野外考察表明,多沙粗沙区基岩产沙是客观事实,但不同基岩产沙地层地域分异性很大,其分布表现出以下几个特点:

1)基岩产沙强度由南向北递增

延河以南黄河右岸支流主要有云岩河、仕望河,地层主要为基岩和黄土,年均降雨量 500mm 以上,植被较好,河道一般为石质河床,侵蚀产沙轻微,基岩产沙较少。

延河以北黄河右岸支流,年均降雨量不及 500mm,地面植被覆盖率低,加之地面物质组成十分松散,暴雨强度又很大,侵蚀产沙强度较大。据治理水平不高的 50~60 年代实测资料统计(见表 4-10),年输沙模数由南向北递增,8 条支流年均输沙模数 1.033 万 t/km²,特别是窟野河下游神木至温家川区间,其面积 1 347km²,仅占窟野河温家川以上流域面积的 15.6%,而该区间流域平均年输沙量却达 5 723 万 t(1956~1969 年),占到全流域同期平均年输沙量 12 499 万 t 的 45.9%,其年输沙模数高达 4.25 万 t/km²,最大年输沙模数高达 8 万 t/km²(1959 年、1967 年)。根据黄河中游多沙区与粗沙区重合的特点,输沙模数较高地区也是粗沙模数较高地区。延河、清涧河、无定河等支流,除无定河上游有风沙分布外,高产沙区主要地层为黄土和基岩。这三条支流,基岩主要分布于沟道两岸,大部分为钙质胶结的较坚硬的砂岩,尽管在砂岩之间也存在泥质胶结的页岩夹层,但

---

[1] 付选齐,孙忠堂,刘志学.榆林市芹河沙地综合治理试点小流域径流泥沙观测研究.陕西省榆林地区沙漠研究所,1991

表 4-9　　　　　　　　　　　　　　　　　　禿尾河水文断面冲淤量

年　　份	高家堡断面面积变化(m²)	高家川断面面积变化(m²)
1967	+18.8	+5.0
1968	+28.2	-4.2
1969	-34.6	+1.0
1970	+12.0	-5.2
1971	+19.6	+12.0
1972	-5.6	-11.1
1973	-5.9	+0.2
1974	+5.4	+9.6
1975	+14.6	+1.4
1976	+37.0	+7.1
1977	-8.0	-16.0
1978	+65.0	+3.0
1979	-12.0	-2.4
1980	+77.6	-1.0
1981	+44.0	-1.8
1982	+33.8	+20.6
1983	+162.0	-29.6
1984	+103.8	+7.4
1985	-19.4	+1.8
1986	-15.2	-10.6
1967～1986	+520.3	-12.8

注　"+"为淤,"-"为冲。高家堡 1980 年 6 月 1 日上迁 100m。

表 4-10　　　　　　　　　延河以北黄河右岸支流 50 年代、60 年代产流产沙情况

河名	站名	面积(km²)	年降雨量(mm)	年径流量(万 m³)	年输沙量(万 t)	年径流模数(万 m³/km²)	年输沙模数(万 t/km²)	统计年份
黄甫川	黄甫	3 199	366.8	20 719.8	6 079.0	6.477	1.900	1954～1969
孤山川	高石崖	1 263	374.0	10 458.9	2 565.3	8.281	2.031	1955～1969
窟野河	温家川	8 645	338.2	76 690.0	12 474.1	8.871	1.443	1954～1969
禿尾河	高家川	3 254	352.2	42 356.4	3 181.9	13.017	0.978	1956～1969
佳芦河	申家湾	1 121	370.8	10 372.5	2 985.6	9.253	2.663	1958～1969
无定河	川口	30 217	384.0	153 676.0	20 891.0	5.086	0.691	1957～1969
清涧河	延川	3 468	450.2	15 505.0	4 745.4	4.471	1.368	1955～1969
延河	甘谷驿	5 891	510.1	23 860.0	6 032.0	4.050	1.024	1955～1969
合计(或平均)		57 058	393.3	353 638.6	58 954.3	6.198	1.033	

夹层较薄,又有上下层砂岩保护,较难风化,即使页岩风化蚀空后大块砂岩失去支撑而崩塌入河,也难以风化成碎屑,一般存留当地,很难输送到下游断面,更难以成为悬移质泥沙。因此,这几条河流基岩产沙量不大,黄土是主要产粗沙地层。北部的黄甫川、窟野河一带,主要产沙地层为风沙、基岩和黄土,特别是砒砂岩、沙黄土,粒径很粗,是主要粗泥沙产沙地层。关于这一地区产粗泥沙机理,将在后面论述。

2)黄河左岸支流比右岸支流基岩产粗泥沙强度小

黄河左岸支流,除湫水河以外,蔚汾河、岚漪河、偏关河、三川河等产沙地层分布大体相似。中上游多为土石山区,石质坚硬,植被较好,基岩产粗沙数量较少;中下游多为黄土丘陵沟壑区,沟谷下部为结构比较松散的砂页岩,可产一定数量的粗泥沙;临近黄河峡谷,又多为石质坚硬的厚层砂岩或石灰岩,基岩产粗泥沙意义也不大,表现出"两头小、中间大"的产沙特点。这些支流卵石推移质较多,布满河床,经洪水急流挟带,可进入黄河,在支流与黄河交汇处可见到碛石滩,但无输移到下游的迹象。黄河右岸支流则不然,基岩产粗沙强度远远大于黄河左岸支流,特别是黄甫川、窟野河一带。

3)砒砂岩分布

所谓砒砂岩,是鄂尔多斯高原东南部出露的基岩及黄土、风沙土下伏基岩的俗称,泛指三迭纪到白垩纪中生代陆相碎屑沉积岩类。据黄委会绥德水保站调查[1],主要分布在内蒙古东南部的准格尔旗、伊金霍洛旗、东胜市、达拉特旗,以及陕西省的神木、府谷县的黄甫川、窟野河等流域,总面积 11 682km²,其中,裸露砒砂岩面积 6 265km²;占 63.6%,盖土砒砂岩面积 2 796km²,占 23.9%;盖沙砒砂岩面积 2 623km²,占 22.5%。从砒砂岩垂直分布来看,一般裸露砒砂岩为红、白层状交错分布,其红、白层厚度大体相等。

2.基岩产沙方式及产沙量

基岩产沙方式,可分为直接产沙和间接产沙两种。直接产沙,主要指在强烈的物理、化学、生物等风化作用下,使易侵蚀岩类先风化、破碎,然后再由水力、重力、风力等搬运位移。主要产沙方式为泻溜和崩塌等。基岩的间接产沙,主要指沟谷中由于下伏基岩不断被侵蚀,致使上覆黄土因失去支撑而形成黄土崩塌。黄土的这种重力侵蚀是因下伏基岩稳定性受到破坏而形成的,因此,称为基岩的间接产沙。此外,随着国民经济建设的发展,人类活动强度增大,特别是开矿、修路、建窑(房)等,一是放炮炸石,破坏基岩的稳定性,二是大量弃土弃石就近排入河(沟)道,在暴雨洪水期增加基岩产沙量,这也是基岩产沙的一种方式。

基岩产沙是多沙粗沙区不可忽视的产沙地层,因为基岩产沙的地貌部位、产沙方式等与黄土地层有很大的不同,防治也较困难。考察所见,凡是基岩侵蚀严重的地段,基本上未进行有效治理。在黄河中游,基岩面积虽然占研究区总面积的 30% 左右,但基岩岩性地域分异性很大。连片分布的易侵蚀基岩(主要是砒砂岩)比较集中,主要分布在黄甫川、窟野河一带,这样为集中治理提供了条件。在砒砂岩地区,基岩侵蚀非常强烈。据黄甫川流域沟坡小区径流侵蚀和重力侵蚀观测资料(见表 4-11),砒砂岩平均总侵蚀模数达 44 570t/(km²·a),降雨径流侵蚀是黄土的 4.4 倍,重力侵蚀是黄土的 100 倍,而且重力侵

---

❶ 张金慧.砒砂岩类型区筑坝材料可行性分析.水土保持科技信息,1988(8)

蚀占总侵蚀量的 30% 以上,说明砒砂岩地区基岩侵蚀十分强烈。根据李少龙等利用泥沙颗粒自身挟带的核信息,用自然界泥沙中比较稳定的 ^{226}Ra 作为标识物,测定黄土 ^{226}Ra 强度和原生基岩 ^{226}Ra 强度,再在下游淤地坝泥沙测其 ^{226}Ra 强度,用以下公式计算基岩侵蚀量[47]:

$$Ax + By = C \tag{4-1}$$
$$x + y = 1 \tag{4-2}$$

式中:A 为堆积黄土的 ^{226}Ra 强度;B 为基岩的 ^{226}Ra 强度;C 为淤积泥沙的 ^{226}Ra 强度;x 为堆积黄土的侵蚀量,%;y 为基岩侵蚀量,%。

表 4-11   黄甫川径流小区观测资料

岩土类型	坡度(°)	径流侵蚀模数 (t/(km²·a))	重力侵蚀模式 (t/(km²·a))	总侵蚀模数 (t/(km²·a))	重力侵蚀占总侵蚀比率(%)
白砒砂岩	53	36 450	3 940	40 390	9.8
红砒砂岩	57	21 080	21 150	42 230	50.0
红白砒砂岩	55	35 280	15 790	51 070	30.9
平均	55	30 940	13 630	44 570	30.6
黄土	55	7 060	138	7 190	1.9

联立解方程式(4-1)、(4-2),即可得到黄土和基岩的侵蚀量。

1992 年,李少龙等在黄甫川流域的大塔沟,采取此法进行了基岩产沙的研究工作。大塔沟位于黄甫川下游,距黄甫站约 1km,流域面积 2km²。流域内基岩裸露,基岩面积占流域面积的 51%,其中,碎屑沉积岩面积约占 23%,泥岩约占 28%。该小流域在距沟口以上约 100m 处建有 1 座淤地坝,该坝始建于 1958 年,70 年代进行了加高,1988 年在西北侧开挖了一条泄洪渠。分别取黄土、基岩、淤积泥沙样品进行测试,求得 ^{226}Ra 强度,代入式(4-1)、(4-2)计算,得到黄土和基岩侵蚀量(见表 4-12)。从表列成果可以看出,黄甫川大塔沟侵蚀泥沙主要来自基岩,其来沙量占总泥沙量的 55%~76.6%,平均为 62.4%。由此可见,砒砂岩产沙量是比较大的。

表 4-12   黄甫川大塔沟泥沙来源测试结果   (%)

分类	A 点	B 点	C 点	D 点	E 点	平均
基岩	76.6	60.0	55.0	58.0	62.6	62.4
黄土	23.4	40.0	45.0	42.0	37.4	37.6

注 A、B、C、D、E 点为布设在淤地坝淤积物自上而下的五个探坑,探坑深度为 1.7~2.0m。

砒砂岩地区基岩产沙量大并不意味着所有基岩出露地区基岩产沙量都大。例如,无定河流域,特别是黄土丘陵沟壑区,其下游基岩出露也比较高,但基岩产沙量就很少。黄委会水文局支俊峰等利用控制断面实测输沙量中粒径大于 0.05mm 部分沙量减去流域内原生黄土中粒径大于 0.05mm 部分沙量,得基岩产沙量,经取样分析并计算了基岩产沙量(见表 4-13)。可以看出,基岩产沙量仅占总产沙量的 0.4%~8.7%。窟野河神木附近河段,在暴雨洪水期河道中也布满卵石推移质,这些卵石推移质大多是牸牛川两岸卵石沉积层冲刷而来,这些卵石石质坚硬,有些被当地居民拉走作石料。黄河左岸晋西诸支流,河道卵石推移质也比较多,有的还考虑作为石料场,这些石质坚硬的卵石难以风化,产粗泥沙并不多。这些支流的下游多为峡谷段,基岩露头较高,但河岸一般较整齐稳定,显示不出有什么快速扩张变化迹象,若基岩产沙较大,必然出现出活跃而又剧烈的横向侵蚀,沟壁扩张也必然迅速。经现场考察,这种现象并不明显。由此可见,这些地区基岩产沙比较少。根据我们取样分析计算,晋西诸支流基岩产沙 5%～15%[1][2]。

表 4-13　　　　　　　　　　　无定河小流域基岩产沙计算

沟名	站名	多年平均输沙量 (t)	>0.05mm 含量(%)			基岩产沙量 (t)
			悬沙	黄土	基岩	
辛店沟			27.5	27.1	0.4	
韮园沟	想她沟	8 457	29.4	22.1	6.7	567
	团圆沟	13 521	31.2	22.5	8.7	1 176
	桑坪则沟	8 667	27.4	22.3	5.1	442
岔巴沟	西庄	1 070 000	31.1	25.2	5.9	63 130

注　据支俊峰等资料,1990。

(三)黄土产沙量

以上分析表明,在不同地层产沙中,风沙产沙占 5%～10%;基岩产沙地域分异性较大,除黄甫川、窟野河等流域砒砂岩分布区基岩产沙较大外,其他地区基岩产沙较少,占 5%～15%。那么,就总量而言,可以认为泥沙主要来自黄土地层。鉴于目前坡沟产沙争论较大,为此,利用[137]Cs 技术重点分析了黄土地区的坡沟侵蚀产沙量。

目前,流域的侵蚀产沙量都是来自水文站的泥沙测验资料,这个泥沙量是沟间与沟谷侵蚀产沙之和,难以正确地区分出沟间与沟谷各自的侵蚀产沙量。以往沟间与沟谷侵蚀量的区分多半依赖径流小区的泥沙观测资料,依据面积关系分别推算出沟间与沟谷的侵蚀产沙量。自 80 年代以来,国外广泛地应用土壤中的放射性同位素[137]Cs 含量的多寡测量坡面土壤的流失量。80 年代中期以来,国内张信宝等人在黄土高原的一些流域,运用[137]Cs 分析坡面的侵蚀产沙取得较好的效果。本研究中,也运用该项技术分别测定沟间坡面与沟谷坡的侵蚀产沙量。由于受到经费的限制,只选择几个有代表性的典型剖面并借助于张信宝的研究成果[48],综合论述沟间与沟谷的侵蚀量。

1.洛河沟间与沟谷坡面侵蚀量

1)沟间侵蚀量

选择支流周河杨家沟,采集了一个农耕地剖面的土样,测[137]Cs 含量。剖面总长度 361m;梁峁顶至峁边线 121m;峁边线至沟缘线 240m;峁边线以上采了 6 个土样,峁边线

❶ 张胜利,景可,许炯心.黄河中游多沙粗沙区产沙输沙规律研究考察报告.黄委会黄河水利科学研究院,1997.2

❷ 张胜利,康玲玲,陈发中.河龙区间产沙输沙规律初步研究.黄委会黄河水利科学研究院.1998.1

至沟缘线采了 11 个土样。每个样的土层厚 20～25cm，相当于犁耕层的厚度。通过测定土壤中的 ^{137}Cs 含量来测定侵蚀量。其基本原理就是将采集的侵蚀剖面上的土壤 ^{137}Cs 含量与未遭受侵蚀地面土壤层中 ^{137}Cs 的含量（即本底值）进行比较，得到两个剖面土壤 ^{137}Cs 含量的差值，然后再将 ^{137}Cs 含量换算为侵蚀量。根据这个要求，在附近一块未经过人为扰动，植被覆盖度为 100% 的平坦草地上，选择从各方面判断都未遭受过侵蚀的地面，在面积 $1m^2$ 的正方形的三个边的中心点分别采集厚 20cm 的土样 3 块，测定的 ^{137}Cs 含量为本底值样。土样分析结果，^{137}Cs 本底值平均含量是 1 765.4Bq/cm²。

坡耕地年均土壤流失厚度由下式求得：

$$X_n = Y_n (1 - \frac{h}{H})^{N-1963} \tag{4-3}$$

$$M = 10\ 000 \times h \times \gamma \tag{4-4}$$

式中：X_n 为 ^{137}Cs 面积浓度，Bq/cm²；Y_n 为 ^{137}Cs 本底值，Bq/cm²；H 为犁耕层厚度，cm；h 为土壤年流失厚度，cm；N 为取样年份；M 为年均土壤流失强度，t/km²；γ 为土壤容重，g/cm³。

将杨家沟剖面的峁顶至峁边线及峁边线至沟缘线的 ^{137}Cs 值、本底值及年份代入式(4-3)计算，得到：峁顶至峁边线的侵蚀厚度为 0.18cm/a，峁边线至沟缘线侵蚀厚度为 0.5cm/a。然后，再将此值代入式(4-4)，求得志丹杨家沟沟缘线以上的侵蚀模数分别为 1 918t/(km²·a) 和 6 750 t/(km²·a)。用峁边线上下单位面积比换算，求得沟间地坡面的侵蚀强度为 5 107 t/ (km²·a)。

2）沟谷侵蚀量

由于杨家沟未采集沟谷坡面和淤地坝的 ^{137}Cs 土样，因此，不能运用上式直接计算沟谷的侵蚀量，只能用间接方法计算。选择下式：

$$f_1 \cdot m_1 + f_2 \cdot m_2 = M \tag{4-5}$$

式中：M 为流域年平均侵蚀模数，t/km²；f_1、f_2 分别为沟间地与沟谷地的面积比，%；m_1、m_2 分别为沟间地与沟谷地的侵蚀模数，t/(km²·a)；M 为水文站实测的输沙模数。考虑到该流域的侵蚀泥沙输移比接近 1，侵蚀模数近似等于输沙模数，因而 M 用输沙模数代替，式(4-5)中的 3 个参数 f_1、f_2、面积比可以从图上量算得到，在式(4-5)中只有 m_2 是未知数，因此

$$m_2 = (M - f_1 m_1) / f_2 \tag{4-6}$$

将 f_1、f_2、m_1 代入式(4-6)中，求得 m_2 为 34 010 t/(km²·a)。由此，得到杨家沟沟间地与沟谷地的侵蚀模数比是 1:6.7，而沟间与沟谷侵蚀产沙总量之比是 1:2.5，即沟间侵蚀量占 29%，沟谷侵蚀量占 71%。

2. 清涧河沟间与沟谷侵蚀

1）沟间侵蚀量

选择了位于子长县城东约 3km 的清涧河右岸的一条支沟——赵家沟，流域汇水面积 3.86km²，沟间地、沟谷地面积平均分别占流域面积的 53% 和 47%。流域地表物质组成主要为马兰黄土(Q_3)、老黄土(Q_{1-2})，出露于沟谷两侧沟间地，沟缘线以下分别出露黄

土、红土和基岩。在赵家沟中游右侧坡耕地上，峁顶农地^{137}Cs 浓度介于 371.45～5 215.4 Bq/cm^2 之间，平均值为 1 248.2 Bq/cm^2；峁坡农地上部^{137}Cs 面积浓度随坡长的增加而增加；峁边线以下随坡长的增加而减少；再下坡接近沟缘线附近，随坡长的增加而增加。峁坡农耕地的^{137}Cs 浓度介于 58.3～1 515.0 Bq/cm^2 之间，平均值为 561.7 Bq/cm^2。峁边线至沟缘线之间的陡坡耕地的^{137}Cs 浓度介于 8.9～1 057.4Bq/cm^2 之间，平均值 431 Bq/cm^2。3 个本底值样土壤剖面的^{137}Cs 浓度分别为 2 773.4Bq/cm^2、2 309.5 Bq/cm^2 和 2 429.1 Bq/cm^2，取其平均值 2 504 Bq/cm^2 为该地的^{137}Cs 本底值。将不同部位坡耕地土壤耕作层的^{137}Cs 和本底值浓度代入式(4-3)，再根据式(4-4)换算为侵蚀模数。峁顶、峁坡、谷坡线以下三个部位侵蚀模数分别为 4 158t/(km^2·a)、8 564 t/(km^2·a) 和 15 851 t/(km^2·a)。

2)沟谷侵蚀量

为了计算沟谷坡的侵蚀量，在接纳上述坡地^{137}Cs 采样剖面的淤地坝中采集了三个剖面的土样，每个剖面采集了两个洪水过程的沉积物，两次洪水沉积泥沙的^{137}Cs 含量介于 0.01～2.72Bq/kg 之间，加权平均含量 0.90Bq/kg；第一次洪水沉积泥沙的加权平均^{137}Cs 含量 0.74Bq/kg，低于第二次洪水的 1.06Bq/kg(见表 4-14)。

表 4-14　　　赵家沟流域不同土地类型表层及重力侵蚀堆积物^{137}Cs 含量

地貌类型	原地土壤和土壤类型	占流域面积比例（%）	样品数目（个）	^{137}Cs 含量(Bq/kg)		侵蚀特征和估计侵蚀速率(t/(km^2·a))
				范围	平均	
沟谷地（47%）	谷坡草地表层土壤	21	8	3.10～13.03	6.97	轻微的面蚀、细沟侵蚀(500)
	谷坡陡坡地耕作层	2	7	0.04～3.38	1.17	极强烈面蚀和细沟侵蚀(15 851)
	谷坡裸坡表层土壤和重力侵蚀堆积	19	7	0～0.15	0.02	裸坡上面蚀、细沟侵蚀极强烈，冲沟侵蚀、重力侵蚀非常活跃
	村寨、道路、阶地农耕地、沟床	5				
沟间地（53%）	峁顶农地耕作层	14	36	2.73～7.95	5.34	较强烈的面蚀和细沟侵蚀(4 158)
	峁坡农地耕作层	36	32	0.35～4.45	3.40	强烈的面蚀和细沟侵蚀(8 584)
	草地等	3				

为了分析泥沙来源和推算沟间地、沟谷地相对泥沙来量，在流域内采集了不同土地类型的表层土壤和重力侵蚀堆积土样，表层土壤取样深度 1～5cm，并测定^{137}Cs 含量(见表4-14)。沟谷地草坡表层土壤的^{137}Cs 含量(6.97Bq/kg)和峁顶农地耕作土的^{137}Cs 含量(6.43Bq/kg)最高，峁坡农地耕作土的^{137}Cs 含量(3.40Bq/kg)次之，它们都大大高于沉积泥沙的^{137}Cs 含量(0.91Bq/kg)。谷坡陡坡地耕作土的^{137}Cs 含量(1.17Bq/kg)略高于沉积泥沙。谷坡裸坡地表层和重力侵蚀堆积物基本上不含^{137}Cs。这里根据峁顶农地和峁坡农地的面积和耕作土平均^{137}Cs 含量，求得梁峁坡地耕作土的加权平均^{137}Cs 含量

(3.83Bq/kg),谷坡裸坡表层和重力侵蚀堆积物的平均^{137}Cs含量(0.02Bq/kg)作为沟谷地产出泥沙的平均^{137}Cs含量,沟间地与沟谷地相对产沙量利用以下混合式求得:

$$C_d = C_m \cdot f_m + C_g \cdot f_g \qquad (4\text{-}7)$$
$$f_m + f_g = 1 \qquad (4\text{-}8)$$

式中:C_d 为沉积物^{137}Cs含量,Bq/kg;C_m 为沟间地产出泥沙^{137}Cs含量,Bq/kg;f_m 为沟间地相对产沙量,%;C_g 为沟谷产出泥沙^{137}Cs含量,Bq/kg;f_g 为沟谷地相对产沙量,%。

将上式数值代入式(4-7)和式(4-8),得到沟间与沟谷相对产沙量分别为27.3%和72.7%。赵家沟多年平均侵蚀模数为13 413t/km^2,沟间地侵蚀模数为6 580 t/(km^2·a),而沟谷侵蚀模数为21 118t/(km^2·a),根据峁顶、峁坡谷地侵蚀模数^{137}Cs法,加权平均求得赵家沟沟间地平均侵蚀模数为 6 929 t/(km^2·a)。此值与^{137}Cs示踪法求得的 6 580 t/(km^2·a)非常吻合。

由上述剖面研究表明,多沙粗沙区的流域泥沙主要来源于沟谷的谷坡裸地、重力侵蚀堆积物和沟间的农耕地。由于沟谷地产出泥沙基本不含^{137}Cs,根据流域输出泥沙的^{137}Cs含量和沟间农耕地耕作土^{137}Cs含量的对比,可以确定沟间地与沟谷地的相对产沙量。

(四)黄甫川流域不同地层产沙量典型分析

黄甫川流域位于黄河中游河口镇至龙门区间右岸上段,发源于内蒙古准格尔旗点畔沟,在陕西省府谷县巴兔坪汇入黄河,干流长 137km,流域面积 3 246km^2,多年平均输沙模数1.9 万 t/km^2(1954~1969 年),其中粒径大于 0.05mm 粗泥沙占50%以上,是黄河粗泥沙主要来源区之一。流域内地貌类型复杂,弄清不同地层产沙量,是进行水土保持、减少入黄泥沙、改善生态环境、发展当地经济的需要。我们通过对流域内近期坝库测淤资料,结合面上调查及定点、定位观测,对流域内不同地层产沙量进行了研究,以期进一步明确治理重点,提高治理速度。

1. 侵蚀产沙地层

黄甫川流域产沙地层主要有第四纪黄土、砒砂岩、第三纪红土及风积沙,对粗泥沙贡献较大的为砒砂岩、黄土和风积沙。

(1)黄土地层。黄甫川流域的黄土是沙黄土。沙黄土由于形成晚,故结构疏松、抗蚀能力弱。粒径大于 0.05mm 的粗泥沙约占78%,粒径小于 0.005mm 的黏粒约占 7%。

(2)砒砂岩。砒砂岩为第三纪基岩在黄甫川流域的俗称,包括二迭系、三迭系、侏罗纪、白垩纪地层。砒砂岩是碎屑沉积岩,以砂岩、粉砂岩和泥岩为主,也有砾岩、页岩分布。砒砂岩成岩性差,为钙质、泥质胶结,疏松易风化。

(3)风积沙。风积沙在黄甫川流域呈条带状或片状,断续地分布于出露的基岩或黄土上,粒径大于 0.05mm 的粗泥沙约占 95%。风积沙区地势平缓,地形较完整。

2. 不同地层产沙强度

1)黄土地层产沙强度

黄土地层分布地貌为黄土丘陵沟壑区。黄土区所具有的侵蚀产沙方式在黄甫川流域一般均可出现。黄土地层侵蚀产沙强度,采用小型库坝泥沙淤积资料和水文站输沙资料相结合方式确定。

黄甫川流域黄土区已测定淤积量的小型库坝,1989 年为 60 座,1997~1998 年为 180

座。黄土区库坝平均侵蚀模数为17 700t/(km²·a),贺家圪楞水文站输沙量加上控制区内库坝淤积量后的输沙模数为16 100t/(km²·a),长滩水文站控制范围内输沙模数为13 850t/(km²·a)。由于长滩水文站控制范围内有风积沙分布,综合考虑后,取黄土地层侵蚀产沙模数17 000t/(km²·a)。

2)砒砂岩侵蚀产沙强度

砒砂岩在黄甫川流域梁峁、梁峁坡、沟谷均有出露,但以沟谷出露为主。砂岩、泥岩互层分布,两者物理性质差异大是砒砂岩产沙方式多样且产沙量较其他地层大的内因。其产沙方式主要有崩塌、泻溜、沟蚀、面蚀和吹蚀等。

确定砒砂岩产沙量的典型库坝要求出露砒砂岩分布面积占库坝控制面积的50%以上。分年代统计:70年代淤满的库坝控制区侵蚀模数为33 403t/(km²·a);80年代坝库控制区侵蚀模数为21 850t/(km²·a);90年代坝库控制区侵蚀模数为18 643t/(km²·a)。平均坝库控制区侵蚀模数为26 000t/(km²·a)。沙圪堵水文站不同年代输沙模数变化见表4-15,平均为19 000t/(km²·a)。考虑库坝淤积物中有推移质部分,取砒砂岩分布区侵蚀产沙强度23 000t/(km²·a)。

表4-15　　　　　　　沙圪堵水文站不同年代输沙模数　　　　[单位:万t/(km²·a)]

年代	1960~1969	1970~1979	1980~1989	1990~1997
输沙模数	1.66	2.65	1.56	1.00
库坝拦沙模数	0.02	0.04	0.08	0.02
水土保持措施减沙模数		0.03	0.1	0.32
产沙模数	1.68	2.72	1.7	1.38

3)风积沙产沙强度

控制区以风积沙分布面积为主的库坝较少。从坝库控制面积占80%以上是风积沙的4座库坝资料分析,产沙模数最大值为2 423t/(km²·a),最小值为529t/(km²·a),平均为1 400t/(km²·a)。

综上看出,黄甫川流域主要产沙地层为砒砂岩,其次为黄土,风积沙地层产沙较少。其面积分别占流域面积的54.9%、28.3%和16.8%,而产沙量却分别占总产沙量的71.5%、27.2%和1.3%。因此,砒砂岩地层应成为黄甫川流域今后治理的重中之重。从砒砂岩小流域坡沟产沙来看,沟间地面积占流域面积的60%,而产沙量仅占总产沙量的20%左右;沟谷地面积占流域面积的40%,而产沙量却占总产沙量的80%以上。因此,加强沟道治理,是减少入黄泥沙,特别是减少入黄粗颗粒泥沙的极为重要的措施。

三、不同地层侵蚀产沙对黄河粗泥沙的综合影响分析

自60年代中后期钱宁等提出"集中治理黄河中游粗沙来源区"以来,不少学者对不同地层产沙量进行了研究,取得了一定成果。但研究多为孤立割裂地研究某一地层产沙量,缺乏整体综合分析各种产沙地层的内在联系,致使研究成果争论较大,甚至出现矛盾对立的结论。例如,地学界一些学者研究认为,黄土是粗泥沙的主要产沙地层,非黄土地层产

粗沙数量占 5%～30%,其中,风沙产沙仅占 3%～5%左右,其余为基岩产沙[14,49]。水土保持界有的学者认为,粗泥沙主要来自风沙,基岩产粗沙极少[50]。我们研究认为,基岩和风沙对黄河粗泥沙均有一定影响,它们提供了粗沙补给,但起关键作用的还是黄土。其产沙比例各流域有差异。黄土既含一定数量的粗颗粒泥沙,也含一定数量的细颗粒泥沙,粗细泥沙搭配的泥沙来源是产粗沙的重要原因。在黄河中游多沙粗沙区支流所具备的坡降前提下,高含沙水流必须有一定含量的细粉沙和黏土作骨架,细颗粒与水组成难以分选的载体,使粗颗粒沉速大幅度降低,以致被大量携带。多沙粗沙区窟野河、黄甫川、无定河等支流产粗沙较多,正是由于其上游为风沙覆盖区,又流经胶结不紧的砂页岩或砒砂岩地区,为河流提供了一定数量的粗颗粒泥沙,在暴雨洪水作用下,粗颗粒泥沙与中下游黄土产沙相结合,形成浓度较高的粗颗粒泥沙,并以极强的输沙能力输送入黄河。单纯细沙来源区或单纯粗沙来源区(如风沙区)都不是高产沙区。

(一)河龙区间不同产沙地层分布及主要产粗泥沙支流

各种地层产沙量的多寡,主要取决于各种地层的侵蚀强度和裸露面积。尽管多沙粗沙区产沙地层复杂多样,但大致可分为黄土、基岩和风沙三类产沙地层。据统计,在河龙区间的 11.16 万 km² 面积中,黄土覆盖区 69 405km²,约占 62%;风沙覆盖区 26 520km²,约占 24%;基岩出露区 15 664km²,约占 14%。为进一步分析主要支流产沙,在 1:50 万地质图上量算出各种地层出露面积(见表4-16)。由表4-16可以看出,在流域面积大于

表 4-16　　　　　　　　　河龙区间主要支流不同地层面积

河名	流域面积（km²）	占流域面积（%）		
		黄土	风沙	基岩
浑河	5 533	17.6	0	82.4
偏关河	2 089	35.2	0	64.4
黄甫川	3 246	28.3	16.8	54.9
县川河	1 587	80.1	0	19.9
孤山川	1 272	44.8	0	55.2
朱家川	2 922	75.7	0	24.3
岚漪河	2 167	48.8	0	51.2
蔚汾河	1 478	60.0	0	40.0
窟野河	8 706	31.8	6.4	61.8
秃尾河	3 294	24.6	62.7	12.7
佳芦河	1 134	50.4	0	20.2
湫水河	1 989	67.1	0	32.9
三川河	4 161	38.3	0	61.7
屈产河	1 220	56	0	44.0
无定河	30 261	56.7	31.8	11.5
清涧河	4 080	74.4	0	25.6
昕水河	4 326	49.1	0	50.9
延河	7 687	72.8	0	27.2
汾川河	1 785	81.4	0	18.6
仕望河	2 356	80.1	0	19.9
20 条支流合计	91 293	52.2	14.4	33.4

$1\,000\mathrm{km}^2$ 的 20 条支流的 $91\,293\mathrm{km}^2$ 总面积中，黄土分布面积占 52.2%；基岩出露面积占 33.4%；风沙覆盖面积占 14.4%，而且集中分布在黄河右岸流经毛乌素沙地的窟野河、秃尾河、佳芦河和无定河以及受库布齐沙带影响的黄甫川等 5 条支流。在河龙区间 12 条主要支流中，根据颗分改正资料，统计各支流各年代不同粒径产沙情况，并与龙门站输沙情况进行比较，得出各支流各年代不同粒径产沙量与龙门站的比值（见表 4-17）。可以看出，河龙区间 12 条主要支流控制面积占龙门以上控制面积的 13.79%，而全沙输沙量却占龙门输沙量的 60% 左右，粒径大于 $0.05\mathrm{mm}$ 的粗泥沙占 70% 以上。其中，窟野河、黄甫川、无定河 3 条支流对黄河粗泥沙的贡献率最大，尤以窟野河、黄甫川为甚。这两条支流控制面积仅占龙门站控制面积的 2.38%，而 80 年代产粗沙量却占龙门粗沙量的 45%。可见，窟野河、黄甫川、无定河 3 条支流是河龙区间粗泥沙的高产沙区，而这 3 条支流也正是黄土、基岩、风沙 3 种地层分布区。这一结果，为综合研究不同地层产粗沙规律提供了有利条件。

（二）不同地层侵蚀产沙对黄河粗泥沙影响的综合作用分析

已有研究成果表明，黄河中游多沙粗沙区风沙产沙对黄河粗泥沙影响为 $5\% \sim 10\%$；基岩产沙对黄河粗泥沙影响地域分异性较大，河龙区间右岸北端砒砂岩广布地区，如黄甫川基岩产沙约占 60% 以上，而无定河及其以南支流基岩产沙甚少，晋西诸支流基岩产沙为 $5\% \sim 15\%$[1]。人们不禁要问，进入黄河的大量粗泥沙从何而来？又是如何形成的呢？笔者研究认为，主要原因是黄土、基岩、风沙产沙的综合作用。

侵蚀产沙是降雨、地形、植被、土壤（地面组成物质或称地层）4 项主要自然因素在各种不同组合情况下的综合结果。研究表明，只有坡陡、土松、暴雨、无植被等 4 项自然因素同时处于不利情况下，才能形成强烈的侵蚀产沙。如果其中任一因素处于绝对有利状态，侵蚀产沙就可能减轻或制止。如暴雨、坡陡、无植被，但地面是明沙形不成径流，或是难侵蚀基岩，虽有径流但冲不走土粒，都形不成强烈侵蚀产沙。1977 年 8 月 1 日，内蒙古乌审旗木多才当大队 10 小时降雨 $1\,400\mathrm{mm}$（调查值），可谓特大暴雨，这个地区的植被并不好，但由于这里是平坦的沙地，因而未形成强烈侵蚀产沙。统计河龙区间 12 条主要支流高含沙洪水含沙量大于 $1\,000\mathrm{kg/m}^3$ 的洪水含沙量出现次数（见表 4-18）。由表列成果可以看出，含沙量大于 $1\,000\mathrm{kg/m}^3$ 的高含沙洪水出现最多的支流依次为黄甫川、窟野河、秃尾河、佳芦河、无定河，这几条支流在地面组成物质方面的共同特点是：上游为风沙区、中下游为基岩和黄土区。风沙区和基岩区（特别是砒砂岩区）提供了较多的粗泥沙补给。表 4-19 为榆林地区流沙机械组成。可以看出，粒径大于 $0.05\mathrm{mm}$ 的粗沙占 98.74%，粒径小于 $0.05\mathrm{mm}$ 的较细颗粒泥沙仅占 1.26%。表 4-20 为黄甫川、窟野河一带砒砂岩、羊肝石、红土等粒度分析资料。可以看出，裸露砒砂岩粒径大于 $0.05\mathrm{mm}$ 的粗沙占 84.7%，并含有一定数量的粉砂与黏粒，粒径小于 $0.005\mathrm{mm}$ 的泥沙量只占 6.2%。在羊肝石和红土中，粒径小于 $0.05\mathrm{mm}$ 较细颗粒泥沙含量更多，特别是粒径小于 $0.005\mathrm{mm}$ 的黏粒含量羊肝石达 23.7%，红土达 47.7%。表 4-21 为黄土粒度分析成果，可以看出，在黄土中粒径

---

[1] 张胜利，康玲玲，陈发中．黄河中游多沙粗沙区不同地层产沙输沙规律及对黄河粗泥沙影响分析．黄委会黄河水利科学研究院，1999 年 2 月

表4-17　　　　　河龙区间主要支流产沙与龙门站输沙比值　　　　　　　　　　（%）

河流	测站	面积比重	全沙			d<0.025mm			0.025<d<0.05mm			d>0.05mm		
			60年代	70年代	80年代	60年代	70年代	80年代	60年代	70年代	80年代	60年代	70年代	80年代
黄甫川	黄甫	0.64	4.46	7.19	9.12	4.17	5.28	7.01	3.12	3.95	5.08	6.19	13.68	17.10
窟野河	温家川	1.74	10.47	16.11	14.27	9.11	11.81	10.44	5.53	9.63	8.16	17.30	29.90	27.56
孤山川	高石崖	0.25	2.21	3.42	2.72	2.61	2.65	2.51	1.57	2.76	2.13	2.25	5.40	3.70
秃尾河	高家川	0.65	2.30	2.70	2.12	1.23	1.57	1.15	1.20	2.01	1.71	4.95	5.34	4.34
佳芦河	申家湾	0.23	2.27	2.06	0.98	1.35	1.54	0.77	1.33	1.69	0.89	4.53	3.31	1.44
岚漪河	裴家川	0.43	1.51	0.91	1.87	1.83	0.81	1.75	1.34	0.79	1.86	1.22	1.20	2.11
蔚汾河	林家坪	0.38	2.89	2.64	1.98	3.17	2.78	2.22	2.70	2.55	1.94	2.66	2.48	1.57
无定河	白家川	5.97	16.49	13.36	11.22	13.68	10.34	8.58	18.31	13.94	13.66	18.82	18.05	13.61
清涧河	延川	0.70	3.79	4.92	3.08	3.61	4.49	3.01	4.30	5.62	3.87	3.56	4.97	2.42
延河	甘谷驿	1.18	5.51	5.39	6.79	5.14	4.77	6.24	5.84	5.78	8.16	5.73	6.11	6.43
三川河	后大成	0.83	3.00	2.11	2.05	3.73	2.37	2.37	2.92	2.13	2.14	2.00	1.64	1.38
昕水河	大宁	0.80	2.27	2.15	1.58	3.06	2.71	1.97	2.40	1.96	1.54	0.98	1.35	0.90
12条支流合计		13.79	57.16	62.96	57.79	55.88	54.95	52.37	48.61	55.25	54.40	67.42	84.39	71.25

大于0.05mm 的泥沙的含量平均值为36.8%,而粒径小于0.05mm 的泥沙的含量达63.2%,其中粒径小于0.005mm 的泥沙的含量 10%～15%;沙黄土粒度较粗,粒径大于0.05mm 的泥沙的含量达 70%左右。

表 4-18　　　　　河龙区间 12 条支流大于 1 000kg/m³ 的洪水含沙量出现次数统计

| 河名 | 总次数 | 含沙量＞1 000kg/m³ | | 统计年限 |
		次数	占总数(%)	
黄甫川	118	63	53	1954～1975
孤山川	116	12	10	1954～1975
岚漪河	90	0	0	1956～1975
窟野河	126	44	35	1954～1975
秃尾河	101	27	27	1956～1975
佳芦河	84	19	23	1957～1975
湫水河	121	0	0	1954～1975
三川河	93	0	0	1954～1975
无定河	129	22	17	1955～1975
清涧河	121	5	4	1955～1975
昕水河	112	0	0	1955～1975
延河	138	10	7	1955～1975
12 条支流合计	1 349	202	15	

表 4-19　　　　　　　　　　　　榆林地区流沙机械组成

| 地点 | 分组粒径(mm)泥沙所占比重(%) | | | | | |
	1.0～0.25	0.25～0.05	0.05～0.01	0.01～0.005	0.005～0.001	＜0.001
神木大柳塔	32.65	65.79	0.05	0.35	0.16	0.55
神木瑶镇	50.98	47.83	0.35	0.15	0.30	0.84
府谷大昌汉	8.96	90.16	0.58	0.04	0.10	0.16
榆林城东	11.81	87.23	0.32	0.22	0.23	0.19
平均	26.10	72.64	0.44	0.19	0.20	0.44

注　据宝音等资料,1984 年。

上述颗分成果说明,在这些地区泥沙组成的粒度范围很宽,泥沙的补给有风沙区的风成沙和易侵蚀基岩区岩石风化壳的较粗颗粒,也有粒径很细、结构松散的黄土及红土和深度风化的泥岩、羊肝石等。研究表明,细颗粒与水组成难以分选的载体,使粗颗粒沉速大幅度降低,以致被大量携带,随着含沙量的增大,越来越多的粗颗粒泥沙将参加絮凝结构,成为浑水的一个组成部分。沉速的这些特点,使得在高含沙水流中,粗如豆大的砾石都有可能以悬移质形式运动,而且含沙量越高,水流中所挟带的泥沙也越粗。这种现象可以由以下推导得到解释。

表 4-20   黄甫川、窟野河一带基岩粒度分析平均值

样品类别	分组粒径(mm)泥沙所占比重(%)				
	>0.5	0.5~0.25	0.25~0.05	0.05~0.005	<0.005
砒砂岩	17.2	25.7	41.8	9.1	6.2
羊肝石	2.8	5.4	29.3	38.8	23.7
红土	0	0.1	16.1	36.1	47.7

注 据吴成基资料,1995 年。

表 4-21   黄甫川、窟野河一带黄土粒度分析

河流	取样地点	样品类别	大于某粒径(mm)泥沙所占比重(%)		
			>0.025	>0.05	>0.1
黄甫川	沙圪堵	沙黄土	79.4	73.2	38.2
	古城	沙黄土	77.4	65.3	29.2
	黄甫	原生黄土	60.7	27.3	11.7
窟野河	中嘴峁	原生黄土	62.0	38.0	2.0
	牛栏沟	原生黄土	55.0	45.0	1.0

由含沙量定义可知:

$$S_V = V_s/V \times 100\% \qquad (4\text{-}9)$$

而 $\eta_{总} = V_T/V$,即 $V_T = \eta_{总}V$

又因

$$V_s = \frac{\pi}{6}\sum_{i=1}^{n}d_i^3 N_i \qquad (4\text{-}10)$$

则有

$$V = V_T + V_s = \eta_{总}V + \frac{\pi}{6}\sum_{i=1}^{n}d_i^3 N_i$$

将式(4-10)代入式(4-9)得,

$$S_V = \frac{1}{[1 + 6\eta_{总}V/(\pi\sum_{i=1}^{n}d_i^3 N_i)]} \times 100\% \qquad (4\text{-}11)$$

式中:S_V 为含沙量体积百分数;$\eta_{总}$ 为孔隙率;V 为浑水体积;d_i 为分组粒径;V_s 为沙粒体积;V_T 为水占体积;N_i 为泥沙颗粒数。

由式(4-11)可以看出,含沙量与粒径 d 和颗粒数 N 成正比,与孔隙率 $\eta_{总}$ 成反比。由于粗细颗粒的不均匀性,细颗粒充填粗颗粒空隙,使颗粒数增加和泥沙孔隙率变小。同时,由于细颗粒表面作用,存在较厚层的薄膜水,孔隙率较大,而粗颗粒的孔隙率较小,它

们的相互作用,使得越是粗泥沙来源区,其含沙量越高,而细泥沙来源区的含沙量反而不大。这种现象与库区淤积物干容重很相似,库区淤积物越粗的地方,干容重越大,而淤积下来的异重流细颗粒泥沙干容重则越小。由此可见,风沙区的风蚀,可将较多的粗颗粒泥沙吹运到河道,为洪水输沙提供了物质条件;易侵蚀基岩地层,岩性松软,极易遭受风化剥蚀,既提供了一定数量的粗颗粒泥沙,也提供了一定数量的细颗粒泥沙;松散易蚀的黄土,提供了一定数量的粗颗粒泥沙,更重要的是提供了一定数量的细颗粒泥沙。粗细搭配的泥沙来源是产粗泥沙的重要原因。因此,可以得出这样的结论:风沙、基岩产沙对产粗泥沙都有一定影响,而风沙、基岩、黄土产沙的综合作用,特别是黄土、基岩中细颗粒泥沙对粗泥沙的影响,是形成高浓度粗泥沙的重要原因。据此规律,应当对风沙、基岩、黄土进行全面综合治理,单纯治理某一地层,难以达到减少粗泥沙的良好效果。

第三节　泥沙输移规律

泥沙输移是河流研究的重要课题之一。以往的研究多局限于下游的冲积性河道,而沟道泥沙输移研究起步较晚,沟间坡面侵蚀泥沙的输移更是如此。黄土高原沟道泥沙输移研究开始于 20 世纪 70 年代末,最早开创黄土高原泥沙输移研究的是龚时旸、熊贵枢等人,继后有牟金泽、孟庆枚对此进行了研究。而沟间坡面泥沙输移研究开始于 90 年代,张信宝在这方面做了一些研究。80 年代初期以来,我们对沟道泥沙输移进行了一些研究。本文将从以下几个方面论述多沙粗沙区的泥沙输移规律。

一、沟间与沟谷的泥沙输移

(一)沟间泥沙输移

多沙粗沙区的侵蚀形态类型区是比较复杂的,各侵蚀形态类型区的地形特征差异很大,但也有其共同特点,典型黄土丘陵区的梁峁一般由平缓的峁顶和较陡的峁坡组成,峁边线以上的平均坡度小于 15°,峁顶或梁顶坡度都比较缓,一般小于 10°。但是,平缓地面的面积不大。峁边线至沟缘线的沟间地坡度在 20°~25°之间。由于坡面的坡度不一样,坡面的侵蚀方式也不一样。在梁峁顶,无论是荒坡地或农耕地都是以面蚀为主,主要是雨滴溅蚀、片蚀,农耕地除了雨滴溅蚀外,在缓坡地主要是细沟侵蚀,泥沙搬运距离都很短;在离梁峁顶 20~30m,由于坡度变大(>15°),又有径流汇集(即上坡来水来沙的影响),不仅侵蚀方式改变,由溅蚀、细沟侵蚀为主,变为以浅沟侵蚀为主,坡面的侵蚀泥沙直接通过浅沟向下输送。这也可以从坡面农耕地的土样^{137}Cs 的含量中反映出来(见表 4-22)。梁峁顶的^{137}Cs 含量都比较高,变化也比较大,这说明不但侵蚀弱,而且侵蚀泥沙的输移比很小(小于 0.5)。在有浅沟开始发育梁峁的农耕地除了有田埂的地段,或者有梯田的坡面地侵蚀泥沙的输移比小于 1 外,其他都应该接近 1。在农耕地的坡地土样中^{137}Cs 的含量比上坡都高,这反映侵蚀土壤在坡面是有堆积的。这种堆积有两方面的原因:一是犁耕翻地的结果,二是自然侵蚀的结果。坡面侵蚀输移,主要根据农耕地内^{137}Cs 流失量和堆积量的对比,分析了不同类型农地的泥沙输移比,梯田、有地埂坡地、无地埂坡地等类型农地内的^{137}Cs 分布,^{137}Cs 的流失量堆积情况见表 4-22。

表 4-22 不同土地类型坡地^{137}Cs 流失量和泥沙输移比

地点	土地类型	坡长(m)	坡度(°)	^{137}Cs 流失量(A) Bq/m²	^{137}Cs 流失量(B) Bq/m²	泥沙输移比 A/(A+B)
西峰	梯田	8.0	3.00	0	1 590	0
西峰	有地埂	45.0	5.70	17.1×10⁴	2.1×10⁴	0.89
安塞	无地埂	88.8	11.20	12.6×10⁴		1

安塞取样坡地为一梁峁坡上的坡耕地,坡长 88.8m,平均坡度 11.2°,农地的^{137}Cs 面积浓度均低于 2 504Bq/m² 的本底值水平。说明该坡地无堆积现象发生,侵蚀产沙全部输移出坡地。西峰有地埂坡地,中上部的^{137}Cs 面积浓度低于 2 504Bq/m² 的本底值水平,表明有侵蚀产生;坡面下部的^{137}Cs 面积浓度高于本底值,最高达 4 000Bq/m²,表明坡脚有堆积发生。经过计算,此块坡地的^{137}Cs 总流失量 17.1 万 Bq/m²,总堆积量 2.1 万 Bq/m²,表明大部分侵蚀泥沙输出农地。西峰梯田,^{137}Cs 面积浓度平均值从顶部的 980Bq/m² 增加到底部的 4 970Bq/m²,梯田的^{137}Cs 平均面积浓度 2 680Bq/m²,略高于本底值,表明无^{137}Cs 流失,也就是无泥沙输出梯田,因而泥沙输移比为 0。

(二)沟谷坡的泥沙输移

在多沙粗沙区无论是何种侵蚀形态类型区,沟谷坡地坡度都比较陡,一般坡度都大于 25°,而且绝大多数都是大于 45°的红土或基岩坡。沟谷坡的侵蚀方式有两种:一是以沟谷侵蚀为主,特别是悬沟;二是各种方式的重力侵蚀,如崩塌、滑塌、泻溜和少量的滑坡。这些侵蚀方式中,任何一种的泥沙都不能在坡面上停留,都会直泻而下进入沟道。此外,我们从沟谷坡面上采集的^{137}Cs 土样分析,其中的^{137}Cs 含量几乎没有。如子长赵家沟重力侵蚀堆积物^{137}Cs 含量很少(0.02Bq/m²),反映沟谷的侵蚀更为直观的是沟坡的坡度大,沟坡坡面上只有侵蚀形态而没有物质的堆积形态,这就反映出这种谷坡无论侵蚀强度如何,谷坡的侵蚀泥沙输移比都是 1。

二、流域泥沙输移

上文论述了多沙粗沙区沟间地梁峁坡和沟谷地沟坡侵蚀泥沙的输移的特征和基本规律,下面将论述流域泥沙输移比,或称沟道的泥沙输移比,也就是梁峁坡和沟坡侵蚀泥沙进入沟道以后侵蚀泥沙的输移情况,一般用泥沙输移比来表示。

(一)泥沙输移比的内涵

泥沙输移比一般定义为:通过某一断面的输沙量与该断面以上同时段的侵蚀量之比。其表示式为

$$D_r = R/T \tag{4-12}$$

式中:D_r 是泥沙输移比(无量纲),R 是断面输沙量,t 或 t/(km²·a);T 是控制断面以上的侵蚀量,t 或 t/(km²·a)。

经研究,我们认为一个完整的流域的泥沙输移比必须涵盖以下三方面的内容:

1.泥沙的粒级条件

根据前述,泥沙的定义是在流体中运动,或受水流、风力、波浪、冰及重力作用移动后沉积下来的固体颗粒碎屑。从泥沙定义中可以看出,泥沙就是经过搬运的碎屑物,不同碎屑物的粒径最大与最小可差百万倍,它们的体积可以相差亿倍。众所周知,输移不同粒级的泥沙,需要不同的流域环境条件,而流域水流输送泥沙的能力是有限的,流域泥沙的粒径也不是定值;在流域沟道,尤其是河道河床里,往往有大粒径的砾石堆积,一般是稳定的,在正常水流条件下这些河床质在短期内是不会向下输移的。从这一点说,中小流域的泥沙输移比不可能等于1,或永远小于1,这种认识是正确的,是毋庸置疑的。然而,这种结论既无理论意义,又无实践意义。要使泥沙输移比研究有实用意义,就要确定计算输移比的泥沙粒径的上限。根据研究,多沙粗沙区主要侵蚀产沙地层对环境和中下游河道淤积有影响的泥沙粒径及对农业有影响的是黄土和红土,而对下游河道沉积有影响的泥沙粒径是大于0.05mm的泥沙。为此,将粒径小于1.0~2.0mm的泥沙确定为流域泥沙输移比的研究对象。

2.时间序列

如果从地质角度考虑,泥沙输移比是由地质构造性质决定的,凡是在构造抬升区,长时段的泥沙输移比总是接近于1的;而在构造下沉区或坳陷区,泥沙输移比总是小于1的。如果从这个角度考虑,泥沙输移比的研究就没有多少意义了。因而,只有确定某一时间序列的泥沙输移比才有意义。经分析,流域的泥沙输移能力在短时间内是不稳定的,如次降雨径流输沙能力就不稳定,长序列时间看基本上是稳定的;但时间又不能太长,太长也没有意义。输送泥沙的径流的变化规律是选择时间序列的依据。这是因为输送泥沙的动力径流既有年际间的波动性,又有一定的周期性。目前从多数分析资料看,大约是11年为一个周期,枯水期和丰水期的周期变化差不多是20年左右。泥沙输移比的计算必须包括枯水期和丰水期。由于以往估算泥沙输移比很少考虑时间序列,因而其结论不尽相同,但这些结论似乎都各有其理。

3.流域空间范围

流域,就是一个封闭的集水区。集水区可大可小,大到像长江流域那样,面积为180万km^2,小的只有$1km^2$,甚至更小。流域规模越大,流域内的自然环境因素和社会环境因素越复杂,影响泥沙输移比的因素就越多。其中,与泥沙输移关系最密切的是地质构造单元与产沙地层。流域越大,这两个因素就越复杂,推算出来的泥沙输移比应用性就越差。由此认为,研究泥沙输移比的流域面积不能太大,一般以中小流域为宜。研究大流域的泥沙输移比没有实际意义。

在承认上述三个前提条件的基础上,泥沙输移比的定义是:在一定时间、空间范围内,流域某过水断面输出小于某一粒级的泥沙量与断面以上侵蚀量中的同粒级产沙量之比,为泥沙输移比。

(二)流域泥沙输移比影响因素

鉴于以上认识,在一个流域内的侵蚀泥沙,从坡面的地表侵蚀产沙到流域出口断面,泥沙运动的物理过程构成一个复杂的泥沙运动系统。该系统又可分为地表侵蚀和泥沙的输移两个子系统。流域的泥沙输移又可分为两部分:一是沟间的泥沙输移,二是沟道的泥沙输移。沟间的侵蚀泥沙进入沟道或河道以后,便成为河床与水流作用的纽带。水流中的泥沙在某种情况下发生淤积使河床抬高;在另一种情况下,又可以通过泥沙水流的冲刷使河床降低,因为泥沙有时是河床的组成部分,有时又是水流的组成部分。水流运动过程中,泥沙在水流与河床之间转化,它们之间转化的对比关系不总是平衡的,而是视河段而变化的。多数河段往往向一个方向转化,或是以沉积为主,或是以侵蚀为主。向哪个方向发展,完全取决于泥沙输移的影响因素。影响泥沙输移的主要因素包括以下几个方面:

1.流域地貌类型与形态特征

沟道泥沙输移能力的大小以及沿程输移泥沙能力的变化,尽管受到众多影响因素的制约,但其中河谷形态和河床纵比降是重要的影响因素之一。根据爱里定律($E_s = AV^6$, A 为系数, V 是起动流速, E_s 为水流搬运物质的能量),在其他条件一定的情况下,当流速增加 1 倍,水流的搬运能力则要增加 64 倍。由曼宁公式可知,流速与河床纵比降成正比。由此可见,水流的挟沙能力与河床纵比降成正比。也就是说,河床纵比降越大,水流的挟沙能力越大,反之,水流的挟沙能力就小。根据统计分析,在黄河流域河床纵比降大于 2‰的河流,皆属于侵蚀性河道,河床比降小于 0.5‰的为堆积性河道。统计分析多沙粗沙区的河流纵比降,点绘于图 4-7。由图 4-7 可见,支流的纵比降都很大,因而水流具有强大的输沙能力。

河谷纵比降大是影响水流挟沙能力的基础条件之一,河谷的形态也是十分重要的条件。一个宽深比大的断面肯定要比宽深比小的断面的输沙能力小。早在明代治黄方略中的"束水攻沙"就是这个道理。多沙粗沙区二级以上支流其河谷形态基本上呈现"V"字形,而一级支流和干流呈现出切入基岩的矩形河床,河床两侧或一侧有一定宽度的河漫滩,漫滩的后缘与谷坡线相接,(见图 4-8)。汛期中、小洪水水流都能被束缚在沟道或河床里,只有大洪水时,河水漫滩,在滩地上才出现有泥沙沉积,但是这种漫滩机遇是比较小的,在一个水文周期也很难遇到 1~2 次。因而河流漫滩泥沙沉积的机遇较少。由此从沟谷纵比降和沟谷形态特征判断,多沙粗沙区各主河河段及其支流都有较大的泥沙输移沙能力。

2.地表组成物质和侵蚀类型

地表组成物质类型、理化特性是决定泥沙特性的根本。在其他泥沙输移条件相同或相近的条件下,流域侵蚀产沙地层的组成物质越细,水流携带泥沙的能力越强;相反,流域产沙地层物质粒级粗大,胶结坚硬,水流挟带的泥沙粒径以及数量都受到限制。如长江流域的广大地区,由于产沙地层都是基岩为主,而且又处于湿润区,机械风化作用相对弱,流域的侵蚀物大都是大粒径的粗大物质,尽管纵比降不小,流量也比较大,但流域内仍有大量粗大物沉积在河谷里,而黄河中游多沙粗沙区约 70%的区域是黄土覆盖,而非黄土基岩区其风化后的碎屑物也都比较细。水流携带泥沙粒径的大小除了与原生产沙地层有关外,还与侵蚀类型有关,如重力侵蚀类型由于一次性侵蚀物的堆积量没有经过充分分选的机会,不仅泥沙的粒径大,而且一次来沙量集中,水流携带泥沙的数量受到限制,往往侵蚀泥沙可能就地堆积,保留一个相当长的时间,大的砾石也许长期保留。多沙粗沙区的泾、洛河流域及其他流域地表出露地层除黄土外,就是白垩纪的内陆河湖相沉积的砂岩。众所周知,无论是沙黄土,还是其他性质的黄土,其最大粒径都小于 0.25mm;白垩纪的产

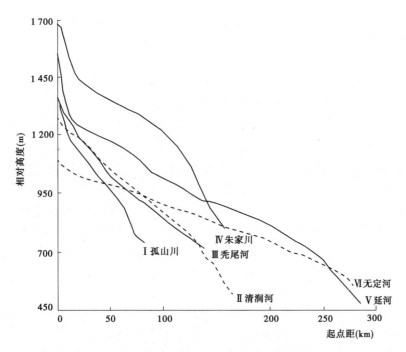

图 4-7 多沙粗沙区主要河流纵比降

延河

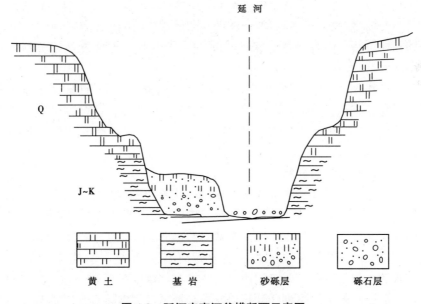

黄 土	基 岩	砂砾层	砾石层

图 4-8 延河安塞河谷横断面示意图

沙地层由于未受强烈的变质作用,物质结构松散,有厚层的风化壳,风化物中有 40% 左右是黏粒。该地层主要出露在沟缘线以下,其侵蚀方式是以泻溜为主,大型的滑坡或崩塌很少。坡面上主要侵蚀方式是面蚀和沟蚀,春季有风蚀,侵蚀物质以细颗粒为主。所以侵蚀泥沙是以粉砂质为主,又有足够大的比降保证,因而洪水时易形成高含沙水流,为此水流有足够能力携带数量多、粒级大的泥沙物质。

3. 径流特性

流域的径流特性固然与流域形态有关,但在其他条件相似的情况下,径流特性主要取决于补给源及其变化。多沙粗沙区的所有河流以大气降水为惟一的补给源,地下水则微乎其微,因此径流总量多寡及其变率大小等都是取决于大气降水量、降雨强度和变化特性。该区域位于东亚季风影响区的边缘,降雨量无论是年际变化还是季节变化,比一般季风影响区都来得大。一年中降水主要集中在6月下旬至9月中旬,7~9月3个月的降水量占到全年总降水量的70%左右。因而,年径流量的60%集中在这三个月,最大月水量可占到年水量的24%~46%,大洪水出现在7~8月。这三个月也是产沙量集中的时间,90%的沙量集中在这个时间。这个区域暴雨集中及洪峰流量大,产流量集中,一次产流量大,含沙量也特别高,最大超过1 000kg/m³。多沙粗沙区一次流量过程线纯属暴涨暴落的尖瘦型。这样的暴雨径流无疑是有利于河道泥沙输送。多沙粗沙区总的特点是雨大水大沙多,雨小水少沙少,高强度暴雨形成高含沙水流。高含沙水流既有极强的输沙能力,又有很强的侵蚀能力。

4. 人类活动的影响

人类活动对泥沙输移的影响主要是通过各种拦沙工程,如坡面上的梯田不仅可以减少坡面侵蚀,而且可以拦截上方的来水来沙,减少泥沙的归槽率,由此减少坡面的泥沙输移比,人类活动对流域泥沙输移影响更多的、也是最为重要的反映在沟谷里。如沟谷中的淤地坝和各种类型的水库对流域的泥沙输移都会产生不同的影响。其中特别是闷葫芦淤地坝,它可以拦截控制流域的大部分来沙或全部的来沙,对流域泥沙输移比产生很大影响。多沙粗沙区的流域内有大量的小型拦沙工程,尤其是河龙区间的沟谷拦沙工程比较多,对减少流域泥沙输移比产生很大的影响。

从以上多沙粗沙区与泥沙输移能力相关的几个因素分析,不难推断多沙粗沙区河道长期以来处于侵蚀下切,河床组成物以基岩和砂砾质为主,而沉积的砂砾质多半比较粗,不属本文讨论的范畴。因此,可以说多沙粗沙区上述因素是有利于河道泥沙输送,为流域泥沙输移比接近1,奠定了动力和物质基础。

(三)流域泥沙输移比的计算

泥沙输移比的内涵以及影响泥沙输移比的因素都已清楚,即单位时间内通过断面输沙量与该断面以上的侵蚀量之比。由此可见,泥沙输移比的计算极其简单。但是,此前所见到的泥沙输移比没有一个是真正通过数量计算获得的,即通过断面输沙量和断面以上的侵蚀量计算出来的。根据有关报道,无论在黄河流域,还是全国其他流域,都已应用遥感技术普查得到土壤侵蚀强度等级的面积。既然有侵蚀强度,又有相应的侵蚀面积,理应凡是有泥沙测验资料的水文站都能计算出该控制流域的泥沙输移比。但为什么至今黄河流域的泥沙输移比还是根据定性指标进行估算,而不是由侵蚀量与输沙量计算而得的结果?因为要获得流域的侵蚀量,首先是要借助包括遥感技术在内的多种技术手段和研究成果的积累,才有可能计算出不同区域的侵蚀量,只有这样才能计算出已有输沙量资料的流域的泥沙输移比。如果仅有侵蚀量,仍然无法获得流域泥沙输移比。为了达到定量的计算流域泥沙输移比,我们在多沙粗沙区的具体做法是:首先,根据地貌形态类型和植被覆盖度将工作区划分出若干相互有明显区别的形态类型区,命其为侵蚀形态类型区;其次,借助于黄河中游具有众多的闷葫芦淤地坝(指没有溢洪泄水工程的淤地坝)的有利条件,采集每个坝的泥沙淤积量、淤积时间,同时采集淤积坝以上流域各相关的侵蚀影响因素的信息,由此建立一个侵蚀量估算模型[51]。再利用侵蚀模型计算出每个侵蚀形态类型区的侵蚀强度,然后乘以面积,计算出侵蚀量。有了侵蚀量,就可以计算出凡是有输沙量流域的泥沙输移比。

在计算沟道泥沙输移比之前,必须明确侵蚀量的内涵。目前,对侵蚀量的理解不太一致。根据侵蚀定义,凡是物质移动,都称为侵蚀。这些移动物质的量就应该都是侵蚀量。很显然,这个正确的侵蚀量无法求得,即使求得了也没有多少价值。为此,有人提出要将侵蚀量与流失量或产沙量区别开来。所谓产沙量,是指由坡面进入沟道的泥沙量,它与侵蚀量的关系用下式表示:

$$W_s = K \times E \tag{4-13}$$

式中:W_s 为产沙量;E 为侵蚀量;K 为归槽率,也就是进入沟道的泥沙量与坡面的侵蚀量之比。

由于式中的 K、E 都无法获得,故 W_s 与 E 的真正关系不清楚。但根据上文利用 [137]Cs 技术在多沙粗沙区测定坡面侵蚀量的应用所获得的结果,反映出沟间与沟谷坡面侵蚀泥沙的输移比基本上接近 1,这就是说产沙量与侵蚀量接近。流域 $W_s = E$,$K = 1$,由此,进入沟道的泥沙量可以近似地认为就是流域的侵蚀量。

多沙粗沙区的泥沙输移状况可以从定性和定量两个途径判断。定性判断,即通过河床性质,如基岩河床或砾质河床、沙质河床、河床断面的冲淤变化、河谷两侧堆积状况、沟谷两侧有无堆积形态等定性指标,判断多沙粗沙区除了在淤地坝以上的沟谷有泥沙堆积外,其余都是基岩河床或是砾质河床。沟谷两侧没有大型堆积形态,如洪积扇或冲积锥之类的堆积地貌形态。可以初步判断,多沙粗沙区的侵蚀泥沙绝大部分都输出多沙粗沙区。同时,也应用上述的方法做了多沙粗沙区的泥沙输移比的定量计算。先是在研究区选择了具有输沙量资料的流域,利用侵蚀模型计算出每个侵蚀形态类型区的侵蚀模数,再统计出每个侵蚀形态区侵蚀量,该流域的输沙量由水文测验获得,这样就可以计算出凡是有输沙量流域的泥沙输移比(见表 4-23)。计算的结果是:周河是 0.912,金佛坪是 0.915,洛河的刘家河是 0.910,泾河支流马莲河洪德站是 0.908,庆阳(西)是 0.905,雨落坪是 0.890;由此可见,粗沙区的沟道泥沙的输移比平均为 0.9 左右。没有输入流域外的泥沙主要沉积在河漫滩上,大洪水或特大洪水时,水流漫滩以后,泥沙沉积在滩地上,一小部分被淤地坝拦蓄。

综上所述,流域的侵蚀产沙首先是来源于坡面的输移进入沟道,然后才是河道的泥沙输移。当前人们对坡面的泥沙输移似乎不是那么关注,而关注更多的是沟道的泥沙输移。沟道泥沙输移能力受到众多的自然和社会因素的影响,其中,较为重要的有流域沟道纵比降、流域沟道或河道的形态特征、流域的侵蚀类型、侵蚀物质的理化特性、降雨及径流特性,以及沟道的水利水保工程等。多沙粗沙区的泾、洛河流域及其他沟道或河道都有较大比降,沟道形态都呈"V"字形,侵蚀物质无论是黄土还是红土都是以细粉沙或黏粒为主的,含钙量高,遇水易崩解,降水集中时易形成暴雨洪水。

表 4-23　　　　　　　　　　　**多沙粗沙区主要流域泥沙输移比**

流域	控制站	集水面积 （km²）	实测输沙模数 （t/km²·a）	计算侵蚀模数[*] （t/km²·a）	泥沙输移比
牸牛川	新庙	1 527	11 575	12 651	0.915
秃尾河	高家堡以下	1 158	8 150	8 893	0.916
孤山川	高石崖	1 272	16 730	17 015	0.983
湫水河	林家坪	1 989	8 100	8 875	0.913
偏关河	偏关	2 040	5 658	6 427	0.88
洛河	吴旗	3 842	8 321	9 094	0.915
周河	志丹	774	13 691	15 012	0.912
马莲河	洪德	4 640	6 481	7 136	0.908
茹河	彭阳	1 544	5 033	5 416	0.929
散渡河	甘谷	2 484	6 634	7 304	0.908

[*]　1970~1989 年平均数。

由于有泥沙输移的条件和泥沙高输移能力,定性指标和主要的河段的定量计算,多沙粗沙区河龙区间河流及泾、洛流域的泥沙输移比平均大于 0.9。未进入下一河段的泥沙,约 10% 在洪水漫滩时沉积在河谷两侧的河漫滩上。

第四节　结论与讨论

一、主要结论

(1)在分析多沙粗沙区侵蚀产沙环境系统和形成背景的基础上,对多沙粗沙区侵蚀产沙环境的过渡性特征、时空分异性特征、人类活动侵蚀环境特征进行了重点分析,指出了多沙粗沙区侵蚀产沙环境的脆弱性、侵蚀营力的复杂性,认识到该区是侵蚀产沙脆弱环境带的敏感区,是防治侵蚀产沙的重点区域。

(2)在分析多沙粗沙区侵蚀产沙地层及侵蚀产沙类型的基础上,对风沙、基岩、黄土侵蚀产沙、地区分布规律以及产沙量进行了分析,基本上弄清了各地层产沙量及相互作用,取得了以下新进展:

第一,风沙产沙对黄河粗泥沙有一定影响,其主要产沙方式是降尘、沙丘移动和河岸的水力侵蚀,主要分布于秃尾河、无定河、黄甫川、窟野河等四条支流的中上游,其面积约占河龙区间主要支流总面积的 14.4%,根据目前的降尘观测资料和有关调查研究成果,风沙产沙量占黄河粗泥沙量的 5.0%~10.0%。

第二,基岩产沙对黄河粗泥沙也有一定影响,但地域分异性较大,对黄甫川等砒砂岩集中分布区定点观测表明,基岩产沙约占 60%,而且重力侵蚀占总产沙量的 30% 左右,其他地区基岩产沙数量较少,占 10%~15%。

第三,黄土,特别是"沙黄土",是黄河粗泥沙的主要产沙地层。它既含一定数量粗泥沙,也含一定数量的细泥沙,在形成高浓度粗泥沙中起关键作用。资料分析表明,黄土产沙占60%~70%。在黄土地层中,经^{137}Cs测定,70%的泥沙产自沟谷地,30%的泥沙产自沟间地。

第四,黄甫川流域不同地层产沙量典型分析表明,基岩、黄土和风沙面积分别占流域面积的54.9%、28.3%和16.8%,而产沙量则分别占总产沙量的71.5%、27.2%和1.3%。可见,砒砂岩地层是黄甫川流域最主要的产沙地层,其次为黄土,风沙产沙较少。

第五,黄土、基岩和风沙等不同地层产粗泥沙综合作用分析表明,风沙和基岩产沙对产粗泥沙都有一定影响,而风沙、基岩和黄土产沙的综合作用,特别是黄土和基岩中细颗粒泥沙对粗泥沙的影响,是形成高浓度粗泥沙的主要原因。因此,应当对风沙、基岩和黄土进行全面综合治理,单纯治理某一地层,难以达到减少粗泥沙的良好效果。

(3)本项研究分析了沟间、沟谷以及流域的泥沙输移规律,对泥沙输移比的内涵、影响因素进行了探讨,通过侵蚀模型计算流域侵蚀量与实测输沙量比较,在水土保持工程较少的流域,得到泥沙输移比为0.9以上,不足10%的泥沙在洪水漫滩时沉积在河谷两侧的河漫滩上。

二、问题讨论

面对黄河中游多沙粗沙区产沙输沙规律这样一个情况十分复杂、研究难度很大的问题,加之基础工作薄弱,尚有许多问题有待深入研究。

(1)黄土,特别是"现代黄土",本来就是近代风沙堆积的产物,又由于邻近沙漠,粒径组成中粗泥沙含量相对较多,因此黄土产沙与风沙产沙的关系实际上非常复杂。尤其是沙黄土,对粗泥沙的贡献最大。本次研究得到的黄土、基岩、风沙产沙数量关系仅是初步的,今后应进一步深入研究。

(2)本次研究中的风沙区面积,主要指风沙区本身的面积,并不包括降尘吹高输远的面积,即不是降尘的所有面积。因为大风可将降尘送往高空输远,如刘东生等1980年4月18日在北京收集到的降尘样品为每小时每平方公里一吨,一次降尘总量平均厚度0.045mm,本次分析没有涉及。

(3)本次着重研究了河流泥沙输移比,今后还应结合不同侵蚀类型区、不同河道形态(如河道比降陡缓与河道宽窄),季节性河流还是全年河流,径流的洪枯变化以及人类活动强度等研究输移比的分布变化规律。

第五章　黄河中游多沙粗沙区亚区划分
及治理开发方略探讨

第一节　亚区划分的目的与基本原则

一、亚区划分的目的

黄河中游多沙粗沙区，是黄河流域侵蚀产沙最为严重的地区，也是下游河道泥沙的主要来源地。减少黄河下游河道泥沙淤积的首要工作是加强对中游多沙粗沙区的治理。同时，多沙粗沙区严重的水土流失造成自身生态环境的恶化，也制约着区内经济的发展。因此，采用科学的方法实施对多沙粗沙区的全面系统治理，已成为当务之急。

多沙粗沙区作为一个整体，自有比其他侵蚀区更特殊的地方，即使在其内部，由于侵蚀环境的差异，不同个性地区在侵蚀强度上也有相当程度的差异，治理上应有不同的策略。因此，为了做到因地制宜，应根据一定的原则通过分区进行治理。这些各具特色的分区称为多沙粗沙区的亚区。显然，亚区的划分，能为各级政府和水土保持主管部门确定重点治理区，制定水土保持规划、确定各地水土保持投资比例提供科学的依据。同时，也将能更深入地研究多沙粗沙区的产沙输沙规律，有的放矢地制定出各亚区治理方略。

二、有关黄土高原地区区划的历史回顾

以往在黄河流域黄土高原地区进行过许多水土保持区划工作。最早在 1954 年《黄河综合利用规划技术经济报告》中，将整个黄河中游划分为 9 个土壤侵蚀类型区[1]，即黄土高塬沟壑区、黄土丘陵沟壑区、黄土阶地区、冲积平原区、高地草原区、干燥草原区、石质山岭区、风沙和林区，其中黄土丘陵沟壑区又分为 5 个副区，即共分 13 个类型区。分区的主要依据：一是侵蚀形态，二是侵蚀强度(分为严重、一般和轻微三种)。

1983 年，黄委会在编制黄土高原水土保持专项治理规划中，基本上采用了上述分区。1986 年，将原来 9 个类型区作为二级区划，并按照侵蚀强度，将 9 个区归并为 3 个大区，即严重流失区，局部流失区和轻微流失区，亦即 3 个一级区和 9 个二级区[2]。其中严重流失区包括了黄土高塬沟壑区和黄土丘陵沟壑区。多沙粗沙区即在严重流失区内，绝大多数属于黄土丘陵沟壑区第一副区。

1980 年，为进行黄河中游黄土高原综合治理的研究，朱显谟将黄土高原划分为 4 个

---

[1] 黄河水土保持志，上册(送审稿).1991 年
[2] 黄土高原水土保持规划工作组．黄河流域黄土高原地区水土保持专项治理规划要点(送审稿).1990 年

地带和 1 个地区❶,即风沙草原地带、草原地带、森林草原地带、森林地带和青藏高原草甸草原森林地区。分区的主要依据是生物气候特点,进一步又依据地貌特点下分为 23 个区。其中,全部或部分属于多沙粗沙区的主要有:风沙草原地带的风蚀波状高原区,草原地带的环(县)吴(旗)华(池)志(丹)黄土丘陵区,绥(德)米(脂)佳(县)黄土峁状丘陵区,陕蒙沙盖黄土丘陵区,森林草原地带的陕北晋西残塬丘陵区。

1984 年,由黄委会水保处蔡志恒主编的《黄河流域水土流失类型分区图》,以地形作为一级分区的主要因素,将整个黄河流域分为 6 个一级区和 18 个二级区,即土质丘陵沟壑地区、黄土台塬沟壑地区、冲积平原地区、高地草原地区、土石山区和荒漠地区。多沙粗沙区分别包括在土质丘陵沟壑地区及黄土台塬沟壑地区中。

同期,中国科学院地理研究所陈永宗等,以侵蚀强度为主要依据,进行了黄土高原现代侵蚀强度分区,分为轻度侵蚀区、中度侵蚀区、强度侵蚀区、极强度侵蚀区和剧烈侵蚀区。多沙粗沙区基本属于后两种侵蚀区。

1990 年,中国科学院黄土高原综合科学考察队,对黄土高原地区进行了土壤侵蚀分区,依据土壤侵蚀类型、水土保持和农林牧生产的区域特征,同时考虑到区域治理和区域资源开发的相互依存性等因素,在地域上除黄土高原主体部分外,还包括鄂尔多斯风沙高原。分为 3 个一级区(Ⅰ鄂尔多斯高原风蚀地区,Ⅱ 黄土高原北部风蚀水蚀地区,Ⅲ 黄土高原南部水蚀地区)、12 个二级区(多沙粗沙区分别属于Ⅱ$_4$陇东宁南低山丘陵微度风蚀强度水蚀区、Ⅱ$_5$晋西北缓丘中度风蚀强度水蚀区、Ⅲ$_6$陕北黄土丘陵中度风蚀极强度水蚀区、Ⅲ$_7$陕晋蒙沙化黄土丘陵强度风蚀剧烈水蚀区、Ⅲ$_{12}$陕北晋西黄土丘陵残塬强度水蚀区)。其中,部分二级区内又分出 10 个三级区[4]。

1991 年,由中国科学院—国家计委自然资源综合考察委员会主持,完成了国家"七五"重点科技攻关项目《黄土高原地区资源与环境遥感系列图》。其中《黄土高原地区侵蚀强度与侵蚀类型图》依据侵蚀方式、侵蚀强度、地面物质和植被盖度的不同组合,划分了几百个侵蚀类型图斑[52]。

几十年来,各级水土保持部门以治理当地水土流失为目的,也编制过各种比例尺的区划图件。前人的研究成果,在本次亚区划分中许多经验可资借鉴[52,53,54]。但是,这些成果多是泛指整个黄河流域或黄土高原地区或局部地区的,而针对多沙粗沙区这一特定含义地区,将提高当地蓄水保土能力与振兴经济、改善生态环境和减少下游淤积这一最终目的相结合,来分析亚区特征、制定各亚区治理开发方略的亚区划分研究,尚未报道。

三、多沙粗沙区亚区划分的特点

本次亚区划分主要有以下特点:

(1)划分的对象指黄河中游多沙粗沙,其范围可详见第三章第三节。本次亚区划分体现了土壤侵蚀区域差异性和防治措施区域差异性。

(2)划分的目的性明确,即通过对其土壤侵蚀区域差异的划分,寻求各具特色的治理方略,为确定正确的经费投资方向,改善当地生态环境和下游的减淤服务。本次亚区划分

---

❶ 黄河水土保持志,上册(送审稿).1991 年

与以往的区划相比,具有较强的针对性。

(3)在亚区划分时,不同于以前的以地貌(植被,土壤,气候等)为划分依据,而是在综合分析的基础上,利用了主导因素法,突出地面组成物质和土壤侵蚀强度。这是因为前者是侵蚀产沙的对象,它的组成、结构、风化侵蚀性直接影响着侵蚀方式和产沙效应;后者是侵蚀产沙强度的量值,实际上也反映了各种侵蚀因素在土壤侵蚀上的反馈程度,这样划分的亚区能够正确反映出侵蚀产沙的区域差异。

(4)为了便于治理,同时考虑到不同地区治理程度的差异。本次划分适当注意保持行政界线或流域界线的完整性。

(5)划分中采用的资料较新,手段较先进。根据遥感影像进行地面组成物质和地貌类型、形态的判别,而土壤侵蚀强度系根据黄委会水文局最新的经颗分改正所作的全沙和粗泥沙模数图,并参考中国科学院综合考察委员会等单位1991年新编的黄土高原土壤侵蚀图资料取得。土壤侵蚀强度标准按照1984年原水电部《关于土壤侵蚀类型区划分和强度分级标准的规定(试行)》[30]进行分级。

(6)本次划分总体上以主导因素法为主。但由于黄土区面积太大,侵蚀环境差异性复杂,为了更科学地进行划分,还尝试对陕西境内的黄土侵蚀区通过聚类分析进行了划分,以便与主导因素法相互补充印证,与主导因素法平行进行,二者结果较为吻合,使划分结果更具科学性和客观性。

在聚类分析中,为了使指标体系的选择更具权威性和科学性,采用特尔菲法进行了专家意见咨询。

四、亚区划分的基本原则

为保证亚区划分的科学性、准确性和最大限度地揭示各亚区的差异,达到预期的目的,亚区划分应按照一定的原则进行。

1. 综合性原则

该原则是在划分中应着眼于多个影响因素的综合作用,即在分区过程中尽可能地把各种影响因素都考虑进去。因为影响水土流失的因素(因子)是复杂多样的,这是一个客观事实,综合性原则就是为了很好地反映这一客观事实。

本区的侵蚀产沙过程影响因素十分复杂,是地质、地貌、地面组成物质、植被、气候和人类活动等多个因素(因子)综合作用的结果,它们均是影响亚区划分的重要因素,划分时对这些因素应进行全面地综合分析,以揭示出亚区的基本特征和它们之间的差异。

严格地说,亚区间的差异是多因素(因子)综合效应的差异,不仅是某个因素或因子的差异。综合性原则即要求全面、综合地分析各因素的影响,从而确定不同的区域及其界限。

亚区划分对象是人和自然侵蚀环境的综合体,不仅要进行自然要素的划分,而且要体现人类各种活动(社会的、工程的)对侵蚀影响的差异。在亚区划分指标体系中,应适当将人的社会行为作为亚区划分的因素考虑,这是由于社会经济发展水平、人的素质、政府职能部门的施政能力,对侵蚀和治理过程正产生着愈来愈多的影响。

2.亚区之间差异性和亚区内部相似性原则

一方面,所划分出的各个亚区之间必须要有明显的差异,为此,要寻求指标体系之间的最大差异性,以便科学、准确地揭示各亚区在侵蚀上和治理措施上的差异;另一方面,亚区内每一因素作用强度应大体涵盖全区,即同一因素在亚区内各处的影响大体相似。考虑到多沙粗沙区的特殊性,在实施此原则时,必须将粗泥沙产沙输沙特征的一致性和差异性作为重点,对粗泥沙的产沙输沙规律给以足够的重视,充分考虑粗泥沙的来源、产沙量、产沙方式及输移方式等因素对亚区划分的影响,并将其中的重要因子作为亚区划分的指标之一。

3.主导因素(因子)原则

在影响土壤侵蚀的多种因素中,虽然它们是综合作用的,但具体到各个因素(因子),它们的作用不会均等,一般总有某个或某几个影响较大的因素(因子)起关键作用,只要抓住这一两个关键的因素(因子)进行划分,就可能把亚区最基本的特征确定出来,从而起到提纲挈领的作用。在此基础上再参考其他因素作进一步划分。

据此原则,结合本区特征,按照侵蚀物质的不同,首先可明显地分出以易侵蚀岩为主的侵蚀亚区、沙盖黄土侵蚀亚区和黄土侵蚀亚区。如此划出的亚区仅有三个,不足以体现多沙粗沙区内部在水土流失上的差异和不同的治理方略,因此,要进行二级区的划分。由于水土流失的严重程度是治理中首先要考虑的问题,所以,在二级区的划分中选定土壤侵蚀强度(全沙输沙模数)作为划分依据。由于不同地貌形态对水土流失的影响也很大,所以,二级区的划分中还适当考虑了地貌因素。

4.治理与开发方略的一致性原则

亚区划分的目的是为了治理开发,因此,尽量将治理开发方略和目标大体相同的邻近地区归入一个亚区,以方便水保部门了解和实施具体的治理措施,促进综合治理和开发。

因为这种治理开发方略的一致性主要具有宏观上的意义,所以亚区内不同流域间存在具体治理措施及其布局上的差异是正常的。但亚区之间在治理方略上应有明显的差异。

5.可操作性及实用性原则

亚区划分中的各种依据(指标)应具体明确,便于确定,能借助于影像资料、地质地理图件进行图斑划分,在可能的情况下,亚区划分应兼顾与地貌形态、流域界线或行政界线的吻合。同时所划分出的亚区应简明实用,可参考群众中的一些习惯划分方法及命名,便于群众理解和应用。

第二节　亚区划分指标体系的确定

亚区划分的指标体系是进行亚区划分的重要依据,无论采用哪种方法,都需要有一定的指标体系作为具体划分的依据。

一、利用特尔菲法确定指标体系

(一)特尔菲法简介

特尔菲(Delphy)法为美国兰德公司的道尔奇(N.Dalkdy)和赫尔曼(Ohermer)所创,

自 20 世纪 60 年代以来,在软科学领域得到了广泛的应用。

这种方法能客观地综合多数专家经验与主观判断的技巧,对大量非技术性的定性因素作出概率估算,并将结果告诉专家,充分发挥信息反馈与信息控制的作用,使分散的评估意见逐渐收敛,最后集中在协调一致的评估意见上。具体操作上是以问卷的形式对一组选定的专家进行征询,反复几轮后使意见趋向一致,从而取得预测结果。在本研究中,利用此方法来确定亚区划分的指标体系(若干因子的集合),其操作简单,结论可信。

特尔菲法的具体实施步骤如下:

(1)确定研究待评对象的有关因子,设计专家意见征询表。

(2)选择专家。这是特尔菲法成败的关键,要求专家的总体权威较高,代表面应广泛,人数以 20~50 人为宜。

(3)专家征询的信息反馈。将第一轮专家意见进行汇总分析,据多数意见再设计第二轮征询表反馈给专家。如此反复几次,直到意见基本趋于一致。

(4)权重测定结果的数据处理。在每轮征询之后都要进行数据处理,计算出专家打分的均值和方差,以了解专家意见的趋向和分散程度,将此结果再反馈给专家,以便专家据此重新考虑修改自己的意见,否则,请专家说明自己的理由。如此反复进行,直到意见的分散程度越来越小。

计算均值和方差的公式为

$$E = \frac{1}{m}\sum_{i=1}^{m} a_i \tag{5-1}$$

$$\sigma^2 = \frac{1}{m-1}\sum_{i=1}^{m}(a_i - E)^2 \tag{5-2}$$

式中:E 为均值;σ^2 为方差;m 为专家人数;a_i 为第 i 位专家的赋分值。

(二)特尔菲法实施过程

根据研究计划,需实施特尔菲法进行黄河中游多沙粗沙区亚区划分指标体系的确定。为此,在 1996 年 10 月至 1997 年 2 月和 1997 年 4~7 月共进行两轮专家意见征询。第一轮征询意见表中给出的四大因素,即侵蚀状况、自然地理、社会经济、治理情况,每一因素中又分若干因子,全表共列 29 个因子,基本覆盖了亚区划分中需要考虑的各个因子。

第一轮收到 40 份意见表,第二轮收到 22 份意见表,两次共计有 62 人次参加。其中,黄委会专家 25 人,其余为中国科学院地理研究所、水土保持研究所、陕西省水土保持局、陕西省水土保持研究所、陕西师范大学等单位共 15 人,97% 具有高级职称。他们对黄河泥沙和黄土高原水土保持研究有很深的造诣。因此,这项工作的研究结果具有广泛性、代表性和权威性。

将第一轮反馈意见进行了统计分析,并及时将结果反馈给专家。意见表填写中,一些专家同时也提出了自己独特的见解或更好的建议,拓宽了我们的思路,并在第二轮征询意见表中得以反映。

根据第二轮反馈意见,集中了多数专家的意见,通过统计得出最终结果,即表 5-1 中选出的 13 个因子,组成多沙粗沙区亚区划分的指标体系。

表 5-1

多沙粗沙亚区区划分特尔菲法实施结果汇总

因素	因子指标	第一轮专家咨询意见				第二轮专家咨询意见					项目组原初步意见		
		选择比例	重要性排序	因素权重	因子权重	选择比例	因素权重	因素重要性排序	因子权重	因子重要性排序	选择项	因素重要性排序	因素权重范围
侵蚀状况	全沙模数	0.93			0.096 0	1.00			0.136 8	2	√		
	粗泥沙模数	1.00	1	0.255 5	0.090 1	1.00	0.344 1	1	0.138 5	1	√	1	0.25
	侵蚀方式	0.73			0.069 4	0.90			0.071 9	6			
自然地理要素 地貌	沟壑密度	1.00	2	0.173 5	0.106 0	1.00	0.178 4	2	0.109 5	3	√	2	0.20
	相对高差	0.95			0.067 5	0.86			0.070 4	7	√		
植被	植被盖度	1.00	5	0.095 1	0.095 1	1.00	0.097 0	5	0.098 0	4	√	3~4	0.15
地质	地面组成物质	1.00	3	0.131 0	0.084 0	1.00	0.147 9	4	0.080 2	5	√	4~3	0.15
	地面物质抗蚀性	0.70			0.047 0	0.95			0.069 0	9			
气候	汛期降水量	0.98	4	0.110 0	0.053 3	1.00	0.151 1	3	0.069 7	8	√	5	0.1
	暴雨日数	0.68			0.034 9	0.90			0.047 0	10	√		
	年大风日数	0.90			0.030 6	0.81			0.035 6	12	√		
社会经济	垦殖指数	0.98	6	0.076 1	0.046 1	0.95	0.076 1	6	0.045 3	11	√	6	0.1
	工程活动强度	0.90			0.030 0	0.81			0.028 0	13	√		

二、主要指标体系及其说明

(1)指标体系最终选取的结果说明,项目组最初考虑的指标体系和大多数专家的意见基本是一致的,同时吸收了专家的意见,部分作了调整。因此,最终得到的这一指标体系应该说是体现了专家的普遍看法,13个因子可以反映多沙粗沙区的侵蚀产沙环境。

在上述13个指标中,由于水蚀区不考虑风蚀,将气候因素中的大风日数的权重分别加给暴雨日数和汛期降水量。

(2)各因素中以侵蚀状况的权重最大,这是因为侵蚀状况是各个因子综合作用的结果,反映了侵蚀产沙的一种综合能力;其次是地貌和地质因素;植被因素权重排序和项目组在第一轮意见表中的初步意见有所不同,其权重之小可能是反映专家们更看重的是黄河中游多沙粗沙区水保治理过程中的工程措施。

(3)因素重要性排序和因子重要性排序是两个不同的概念。前者反映某一因素的综合实力(影响效应),后者是单项因子的实力(影响效应)。某些因素虽然权重值较大,排序靠前,但它们反映的是各因子的综合效应,因此,分配到每个因子的权重就不一定很大。相反,某些因素的权重未靠前,由于是单因子的作用,因而这个因子的权重值也会变大。前者如地貌因素排序第二,其因子有两个分别排为3和7,后者如植被因素,尽管排序靠后,但仅一个因子,故排序上升为4。

(4)专家给出的地面组成物质、输沙模数权重较大,说明将这两个因子作为定性划分亚区的指标是正确的。因此,在聚类分析和主导因素划分中,都将这两个因子作为最重要的因素。最终在黄土侵蚀区用于聚类分析的指标体系,包括全沙模数、粗泥沙模数、沟壑密度、相对高差、地面组成物质、地面物质抗蚀性、植被盖度、汛期降水量、暴雨日数、工程活动强度共10个指标;用于主导因素法进行亚区划分的指标体系,经征询专家意见确定为地面组成物质和土壤侵蚀强度(以全沙输沙模数并结合粗泥沙输沙模数衡量)。

第三节　亚区划分的方法

一、利用主导因素法进行亚区划分

利用1:50万卫星影像、1:5万彩红外图、1:50万黄土高原土壤侵蚀图、1:50万多沙粗沙区输沙模数图进行亚区划分。多沙粗沙区范围依据本项目第二专题组研究成果,面积为7.86万 km²。

1.一级亚区划分

一级亚区划分,是以地面组成物质为主进行的。因为不同的地面组成物质,不仅影响到地貌形态的差异,而且直接影响到水土流失的方式、强度和治理的方略,这是亚区划分的一级主导因素。按地面组成物质分为以易侵蚀岩为主的侵蚀亚区(Ⅰ)、沙盖黄土侵蚀亚区(Ⅱ)、黄土侵蚀亚区(Ⅲ)等3个一级亚区。

为区分出不同的地面组成物质,采用了以下方法:

(1)沙盖黄土亚区依据影像和野外考察资料勾绘边界。它在影像图上的特征明显,一是在黄土地貌上有片沙覆盖,风沙地貌和黄土地貌插花分布;二是在同样的地貌、地质、植被、气候条件下,该区地貌形态不及其他亚区破碎,沟谷密度小;三是有风蚀地貌形态。

(2)以易侵蚀岩为主的侵蚀亚区,是根据砒砂岩和上古生界至第三系砂岩、页岩和三趾马红土等岩石在水平投影上的出露面积比例大于70%为界予以圈定,而把黄土出露面积大于70%的地区则划为黄土亚区。

Ⅰ亚区地面组成物质是以上古生界疏松砂岩、中生界砒砂岩为主的易侵蚀岩类为主,其区界并非是砒砂岩的特定界,这是结合治理的可操作性原则而确定的。因为这些易侵蚀岩类在侵蚀方式、侵蚀强度、侵蚀危害程度等方面类似,就侵蚀的实际意义而言可以归于一个亚区,不过其范围比狭义的砒砂岩区要大,在划分同时也参考了黄委会绥德水保站的研究成果,其中对砒砂岩的定义和我们的定义相同,但范围比易侵蚀岩范围小。还需说明,本区同样属于沙黄土分布区,只是由于侵蚀物质更具有特殊性才单独划出。

Ⅱ亚区地面组成物质为沙盖黄土和黄土,二者呈插花分布,不能再进一步细分,其特点是区内有片沙覆盖,为风水交错侵蚀区。

Ⅲ亚区绝大部分为典型黄土分布,惟区内北部无定河、清涧河、佳芦河上游、窟野河下游有沙黄土分布,虽然历史时期风蚀和风积作用已达到此地,但现代侵蚀营力仍以水蚀为主,侵蚀特征与黄土区相似,故仍划为本区。另外,分布在晋陕峡谷两侧的蚀余黄土丘陵沟壑区为黄土盖帽,易侵蚀岩穿裙,除黄土以外,基岩侵蚀也占一定比例,侵蚀特征与其他区相比有自己的特点,但因图斑南北过于狭长,东西仅跨峡谷两侧,而且从北向南侵蚀强度不同,又分属晋陕两省,若单独分出亚区和小区则范围过小,因此根据简明实用、可操作性原则,将本区划归Ⅲ亚区中相应的小区,不再单独划出。

2.二级亚区(又称小区)划分

在各一级亚区内,按照土壤侵蚀强度再划分为二级亚区(小区)。土壤侵蚀强度作为一个综合指标,是各种影响土壤侵蚀的因素综合作用造成水土流失强度差异的客观评价,而且在实际水土保持工作中,各级领导部门也正是根据水土流失的强弱部署治理的,其最终的目的不外乎是减轻水土流失的强度,只有按强度划分的亚区也才有实用价值。因此,把土壤侵蚀强度作为落实治理对策的二级亚区划分的主导因素。

本次土壤侵蚀强度级别的划分,系根据1984年原水电部《关于土壤侵蚀类型区划分和强度分级标准的规定(试行)》中的分级标准确定的,具有形式简明、操作性强、便于与其他资料对比等特点。水蚀强度分级见表5-2。黄河流域微度与轻度的土壤侵蚀界限一般用0.1万 t/(km² · a),强度和极强度界限一般用1.0万 t/(km² · a)。

表 5-2 土壤侵蚀水蚀强度分级[30]

级 别	土壤侵蚀模数(万 t/(km²·a))	平均流失厚度(mm/a)
微 度	<0.02、0.05、0.1	<0.16、0.4、0.8
轻 度	0.02、0.05、0.1~0.25	0.16、0.4、0.8~2.0
中 度	0.25~0.5	2.0~4.0
强 度	0.5~0.8	4.0~6.0
极强度	0.8~1.5	6.0~12.0
剧 烈	>1.5	>12.0

亚区划分中,还兼顾了地貌、行政区界和流域的完整性,因为同一地貌在土壤侵蚀特征上应具有一定的相似性。尽量保持行政界线和流域的完整性是考虑到水土保持治理的统一协调和方便实施。

亚区划分结果见图 5-1,亚区面积量算结果见表 5-3～表 5-7。

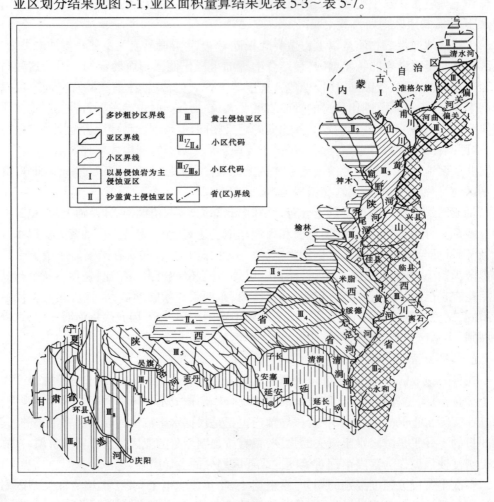

图 5-1 黄河中游多沙粗沙区亚区划分图

表 5-3

多沙粗沙区按省(区)行政面积统计

（单位：km²）

分区名		陕西省				山西省				内蒙古自治区				甘肃省				宁夏回族自治区				亚区总面积	占多沙粗沙区比例(%)
亚区	小区	亚区面积	所占比例(%)	小区面积	所占比例(%)	亚区面积	所占比例(%)	小区面积	所占比例(%)	亚区面积	所占比例(%)	小区面积	所占比例(%)	亚区面积	所占比例(%)	小区面积	所占比例(%)	亚区面积	所占比例(%)	小区面积	所占比例(%)		
I区	I区	1 140	1.4	1 140	1.4					6 368	8.1	6 368	8.1									7 508	9.5
II区	II₁	10 291	13.1	2 237	2.9					2 808	3.6	2 221	2.8									13 099	16.7
	II₂											587	0.8										
	II₃			5 567	7.0																		
	II₄			2 487	3.2																		
III区	III₁	32 117	40.9			15 007	19.1							10 454	13.3			415	0.5			57 993	73.8
	III₂																						
	III₃			4 370	5.6																		
	III₄			9 635	12.2			4 045	5.1														
	III₅			6 111	7.8			10 962	14.0														
	III₆			7 855	10.0																		
	III₇															3 885	4.9			415	0.5		
	III₈			4 146	5.3											6 569	8.4						
	III₉																						
合计		43 548(55.4%)				15 007(19.1%)				9 176(11.7%)				10 454(13.3%)				415(0.5%)				78 600	100

表 5-4　　　　　　　　　　多沙粗沙区按流域面积统计　　　　　（单位:km²）

区段名		河名	流域面积	多沙粗沙区流域面积	占流域面积比例（%）	所属亚区代码	在亚区面积	所属小区代码	在小区面积	所在省(区)	所占面积
河龙区间	已控区	浑河	5 533	1 127	20.4	Ⅱ	1 127	Ⅱ₁	1 127	内蒙古	1 127
		黄甫川	3 246	3 246	100.0	Ⅰ	3 246			内蒙古	2 812
										陕西	434
		清水川	883	883	100.0	Ⅰ	883			内蒙古	298
										陕西	585
		杨家川	1 002	745	74.4	Ⅱ	745	Ⅱ₁	745	内蒙古	745
		偏关河	2 089	892	42.7	Ⅱ	113	Ⅱ₁	113	内蒙古	113
						Ⅲ	779	Ⅲ₁	779	山西	779
		窟野河	8 706	5 456	62.7	Ⅰ	1 379			内蒙古	1 966
						Ⅱ	3 082	Ⅱ₂	587	内蒙古	
								Ⅱ₂	2 208	陕西	3 490
								Ⅱ₃	287		
						Ⅲ	995	Ⅲ₃	995		
		秃尾河	3 294	1 204	36.6	Ⅱ	822	Ⅱ₃	822	陕西	1 204
						Ⅲ	382	Ⅲ₃	382		
		佳芦河	1 134	985	86.9	Ⅱ	252	Ⅱ₃	252	陕西	985
						Ⅲ	733	Ⅲ₃	508		
								Ⅲ₄	225		
		无定河	30 261	13 753	45.4	Ⅱ	6 693	Ⅱ₃	4 206	陕西	13 753
								Ⅱ₄	2 487		
						Ⅲ	7 061	Ⅲ₄	6 773		
								Ⅲ₅	288		
		县川河	1 587	1 108	69.8	Ⅲ	1 108	Ⅲ₁	1 108	山西	1 108
		朱家川	2 922	183	6.3	Ⅲ	183	Ⅲ₁	183	山西	183
		岚漪河	2 167	423	19.5	Ⅲ	423	Ⅲ₁	423	山西	423
		蔚汾河	1 478	810	54.8	Ⅲ	810	Ⅲ₂	810	山西	810
		石马川	243	243	100.0	Ⅲ	243	Ⅲ₃	243	陕西	243
		孤山川	1 272	1 272	100.0	Ⅰ	318			内蒙古	318
						Ⅱ	29	Ⅱ₂	29	陕西	954
						Ⅲ	925	Ⅲ₃	925		
		清凉寺沟	286	286	100.0	Ⅲ	286	Ⅲ₂	286	山西	286
		湫水河	1 989	1 421	71.5	Ⅲ	1 421	Ⅲ₂	1 421	山西	1 421
		三川河	4 161	1 356	32.6	Ⅲ	1 356	Ⅲ₂	1 356	山西	1 356
		屈产河	1 220	1 074	88.0	Ⅲ	1 074	Ⅲ₂	1 074	山西	1 074
		昕水河	4 326	720	16.6	Ⅲ	720	Ⅲ₂	720	山西	720

续表 5-4

区段名	河名	流域面积	多沙粗沙区流域面积	占流域面积比例（%）	所属亚区代码	在亚区面积	所属小区代码	在小区面积	所在省区	所占面积
河龙区间		乌龙河	377	377	100.0	Ⅲ	377	Ⅲ₃	377	陕西	377
	已控区	清涧河	4 080	4 080	100.0	Ⅲ	4 080	Ⅲ₄	1 056	陕西	4 080
								Ⅲ₅	121		
								Ⅲ₆	2 903		
		延河	7 687	6 685	87.0	Ⅲ	6 685	Ⅲ₅	1 858	陕西	6 685
								Ⅲ₆	4 827		
	小 计			48 330						内蒙古	7 379
										山西	8 160
										陕西	32 791
	未控区	小 计		11 570		Ⅰ	1 682			内蒙古	1 561
										陕西	121
					Ⅱ	236	Ⅱ₁	236	内蒙古	236
					Ⅲ	9 652	Ⅲ₁	1 552	山西	6 847
							Ⅲ₂	5 295		
							Ⅲ₃	940	陕西	2 805
							Ⅲ₄	1 581		
							Ⅲ₅	159		
							Ⅲ₆	125		
	合 计			59 900						内蒙古	9 176
										山西	15 007
										陕西	35 717
北洛河水系	刘家河以上		7 325	6 308	23.4	Ⅲ	6 308	Ⅲ₅	3 685	陕西	6 308
								Ⅲ₇	2 623		
	合 计			6 308							
泾河水系	蒲河(巴家嘴以上)	3 522	925	100.0	Ⅲ	925	Ⅲ₉	925	甘肃	925
	西川(庆阳以上)	10 603	11 467	60.1	Ⅲ	11 467	Ⅲ₇	1 938	陕西	1 523
										宁夏	415
							Ⅲ₈	3 885	甘肃	9 529
							Ⅲ₉	5 644		
	合 计			12 392							
多沙粗沙区 总 计				78 600						陕西	43 548
										山西	15 007
										内蒙古	9 176
										甘肃	10 454
										宁夏	415

· 133 ·

表 5-5　　　　　　　　　　　多沙粗沙区按省(区)、县(市、旗)面积统计　　　　　　　　　（单位:km²）

省(区)	各省(区)所占的面积	图中所包含的县	各县面积	各县所跨的小区代码	县在小区中所占的面积	资料说明
宁夏	415	盐池	415	Ⅲ₇	415	
甘肃	10 454	环县	6 992	Ⅲ₈	1 842	
				Ⅲ₉	5 150	
		庆阳	1 543	Ⅲ₈	269	
				Ⅲ₉	1 274	
		华池	1 774	Ⅲ₈	1 774	
		镇原	145	Ⅲ₉	145	
山西	15 007	偏关	1 266	Ⅲ₁	1 266	
		神池	86	Ⅲ₁	86	
		五寨	266	Ⅲ₁	266	
		河曲	1 177	Ⅲ₁	1 177	
		保德	765	Ⅲ₁	765	
		兴县	2 332	Ⅲ₁	485	
				Ⅲ₂	1874	
		临县	2 828	Ⅲ₂	2 828	
		离石	593	Ⅲ₂	593	
		柳林	1 290	Ⅲ₂	1 290	整县
		中阳	633	Ⅲ₂	633	
		石楼	1 624	Ⅲ₂	1 624	
		永和	1 217	Ⅲ₂	1 217	整县
		大宁	631	Ⅲ₂	631	
		隰县	299	Ⅲ₂	299	
陕西	43 548	府谷	3 212	Ⅰ	1 140	跨小区整县
				Ⅱ₂	512	
				Ⅲ₃	1 560	
		神木	4 294	Ⅱ₂	1 725	
				Ⅱ₃	609	
				Ⅲ₃	1 960	
		佳县	1 792	Ⅱ₃	229	
				Ⅲ₃	850	
				Ⅲ₄	713	
		米脂	1 212	Ⅱ₃	411	跨小区整县
				Ⅲ₄	801	
		子长	2 405	Ⅲ₄	1 715	跨区整县
				Ⅲ₆	690	
		榆林	1 318	Ⅱ₃	1 318	

省(区)	各省(区)所占的面积	图中所包含的县	各县面积	各县所跨的小区代码	县在小区中所占的面积	资料说明
陕西	43 548	横山	2 997	II₃	2 478	
				III₄	519	
		靖边	3 227	II₃	522	
				II₄	1 776	
				III₄	166	
				III₅	768	
		定边	3 123	II₄	315	
				III₅	1 118	
				III₇	1 690	
		吴旗	3 776	II₄	401	跨区整县
				III₅	1 955	
				III₇	1 420	
		子洲	2 043	III₄	2 043	整县
		吴堡	428	III₄	428	整县
		绥德	1 878	III₄	1 878	整县
		清涧	1 881	III₄	1 372	跨区整县
				III₆	509	
		志丹	2 107	III₅	836	
				III₆	235	
				III₇	1 036	
		安塞	2 586	III₅	1 434	
				III₆	1 152	
		延安市	1 573	III₆	1 573	
		延川	1 941	III₆	1 941	整县
		延长	1 755	III₆	1 755	
内蒙古	9 176	和林格尔	246	II₁	246	
		清水河	1 975	II₁	1 975	
		东胜市	173	I	173	
		达拉特旗	111	I	111	
		伊金霍洛旗	654	I	218	
				II₂	436	
		准格尔旗	6 017	I	5 866	
				II₂	151	
总　计	78 600		78 600		78 600	

表 5-6 　　　　　　　　　多沙粗沙区各亚区含县(市、旗)面积统计　　　　　　　　（单位:km²）

亚区号	省(区)名	县(市、旗)	面积	亚区号	省(区)名	县(市、旗)	面积
Ⅰ	内蒙古	伊金霍洛旗	218	Ⅲ₃	陕西	佳县	850
		准格尔旗	5 866			神木	1 960
		东胜市	173			府谷	1 560
		达拉特旗	111	Ⅲ₄	陕西	靖边	166
	陕西	府谷	1 140			横山	519
Ⅱ₁	内蒙古	清水河	1 975			子长	1 715
		和林格尔	246			子洲	2 043
Ⅱ₂	内蒙古	伊金霍洛旗	436			米脂	801
		准格尔旗	151			佳县	713
	陕西	神木	1 725			吴堡	428
		府谷	512			绥德	1 878
Ⅱ₃	陕西	佳县	229			清涧	1 372
		米脂	411	Ⅲ₅	陕西	吴旗	1 955
		榆林	1 318			定边	1 118
		神木	609			靖边	768
		横山	2 478			志丹	836
		靖边	522			安塞	1 434
Ⅱ₄	陕西	定边	315	Ⅲ₆	陕西	子长	690
		吴旗	401			安塞	1 152
		靖边	1 771			延安市	1 573
Ⅲ₁	山西	兴县	485			清涧	509
		保德	765			延川	1 941
		河曲	1 177			延长	1 755
		五寨	266			志丹	235
		神池	86	Ⅲ₇	陕西	志丹	1 036
		偏关	1 266			吴旗	1 420
Ⅲ₂	山西	大宁	631			定边	1 690
		隰县	299		宁夏	盐池	415
		永和	1 217	Ⅲ₈	甘肃	华池	1 774
		石楼	1 624			环县	1 842
		中阳	633			庆阳	269
		柳林	1 290	Ⅲ₉	甘肃	庆阳	1 274
		离石	593			镇原	145
		临县	2 828			环县	5 150
		兴县	1 847	多沙粗沙区总计			78 600

注　表 5-5、表 5-6 中离石县的多沙粗沙区面积,包括了方山县 81km² 多沙粗沙区的面积。

表 5-7 多沙粗沙区按亚区、省(区)、流域面积汇总 （单位:km²）

所属亚区			所属小区			所在省(区)		所在流域或区段		
代码	面积	百分比（%）	代码	面积	百分比（%）	名称	面积	名称	控制性	面积
Ⅰ	7 508	9.6				内蒙古	6 368	河龙区间	已控区	4 807
								河龙区间	未控区	1 561
						陕西	1 140	河龙区间	已控区	1 019
								河龙区间	未控区	121
Ⅱ	13 099	16.7	Ⅱ₁	2 221	2.8	内蒙古	2 221	河龙区间	已控区	1 985
								河龙区间	未控区	236
			Ⅱ₂	2 824	3.6	内蒙古	587	河龙区间	已控区	587
						陕西	2 237	河龙区间	已控区	2 237
			Ⅱ₃	5 567	7.1	陕西	5 567	河龙区间	已控区	5 567
			Ⅱ₄	2 487	3.2	陕西	2 487	河龙区间	已控区	2 487
Ⅲ	57 993	73.7	Ⅲ₁	4 045	5.2	山西	4 045	河龙区间	已控区	2 493
								河龙区间	未控区	1 552
			Ⅲ₂	10 962	13.9	山西	10 962	河龙区间	已控区	5 667
								河龙区间	未控区	5 295
			Ⅲ₃	4 370	5.6	陕西	4 370	河龙区间	已控区	3 430
								河龙区间	未控区	940
			Ⅲ₄	9 635	12.2	陕西	9 635	河龙区间	已控区	8 054
								河龙区间	未控区	1 581
			Ⅲ₅	6 111	7.8	陕西	6 111	河龙区间	已控区	2 267
								河龙区间	未控区	159
								北洛河		3 685
			Ⅲ₆	7 855	9.9	陕西	7 855	河龙区间	已控区	7 730
								河龙区间	未控区	125
			Ⅲ₇	4 561	5.8	陕西	4 146	北洛河		2 623
								泾河		1 523
						宁夏	415	泾河		415
			Ⅲ₈	3 885	4.9	甘肃	3 885	泾河		3 885
			Ⅲ₉	6 569	8.4	甘肃	6 569	泾河		6 569
总　计	786 000	100		78 600	100		78 600			78 600

注　小区合计中包括Ⅰ区面积。

在黄河中游多沙粗沙区区域界定一章中已谈到,本次研究的多沙粗沙区区域界定是以 50 万分之一流域地貌图为底图,并且多沙粗沙区界限也是一个宏观界限,即界限内大部分地区的产沙强度平均超过了多沙粗沙区的指标值,但在局部也有产沙强度很小的地方,如道路、水域、峁顶、平坦沙地或难侵蚀基岩出露部分,而表 5-3 至表 5-7 中数据全是在该工作图中量算的,具体到各县等小区域,其数据的精度虽然有限,但用以反映各小区所占百分比等数值还是可以的。

二、利用聚类分析法进行亚区划分

(一)聚类分析区域及样方点的确定

拟议中划分的基本亚区有易侵蚀岩为主的侵蚀亚区、沙盖黄土侵蚀亚区和黄土侵蚀亚区三种。其中,沙盖黄土侵蚀亚区界线根据卫星影像中风蚀地貌或片沙分布的明显特征可以划定;易侵蚀岩区域界线根据地质图、1:50万黄土高原土壤侵蚀图及遥感影像,并参考前人研究成果(黄委会绥德水土保持科学试验站和内蒙古水利科学研究院提供的砒砂岩界线)勾绘。因此聚类分析仅在黄土侵蚀亚区中进行。同时,根据保持行政界线完整的原则,陕西境内的黄土区面积较大,情况也比较复杂,聚类分析的范围确定在陕西境内的黄土侵蚀亚区内进行。由于一级亚区已经划分,所以,聚类分析仅用于二级亚区(小区)划分,最终聚类分析体现在对陕西省境内黄土侵蚀亚区的二级划分中。

根据黄河中游多沙粗沙区区域界定专题组提供的1:50万黄河中游多沙粗沙区范围图,按经纬度均匀布设样方点,在陕西境内黄土区共确定样方点81个(见图5-2)。

图 5-2　聚类分析样方点示意图

(二)指标体系

根据特尔菲法专家征询意见结果所确立的用于聚类分析的指标体系,包括全沙输沙模数、粗泥沙输沙模数、沟壑密度、相对高差、植被盖度、地面组成物质、汛期降水量、垦殖指数和人口密度9个指标。其中，前两个指标反映侵蚀状况，后两个指标反应社会经济情况，其余的则反映自然地理状况。

（三）指标量化

根据上述指标体系，分别在各样方点取值，即指标量化。

（1）全沙输沙模数、粗泥沙输沙模数指标，根据黄土高原地区1:50万全沙和粗泥沙输沙模数图并参考1:50万全沙和粗泥沙模数等值线图，采用内插法进行量化。

（2）沟谷密度、相对高差指标，根据样方点所在位置，在1:5万（少数地区用1:10万）地形图实际量取。

（3）地面组成物质、植被盖度指标，利用地质图、植被图、卫星影像等资料确定。为了取值和计算机处理方便，对这两项指标进行了等级评分，结果见表5-8和表5-9。

表5-8   地面组成物质分值

组 成 物 质	抗蚀性指数划分	组 成 物 质	抗蚀性指数划分
g 沙砾	1	r 黄土+易侵蚀岩	4
s 沙	1	b 黄土+难侵蚀岩	6
y 沙质黏土	2	e 易蚀岩	8
l 黄土	3	h 难蚀岩	10
n 黄土+沙	3		

表5-9   植被盖度等级

植被盖度等级	覆盖面积百分比	植被盖度等级	复盖面积百分比
1	>70%	4	10%～30%
2	50%～70%	5	<10%
3	30%～50%		

（4）参考特尔菲法得出的各指标权重对指标赋值。地面组成物质、土壤侵蚀强度的权重较大，这和主导因素法划分的原则是一致的。

（5）垦殖指数、人口密度指标，均以样方点所在县的人口和经济发展统计资料为准。

（四）聚类分析过程及结果

在上述指标选取及数值化的基础上，对陕西境内黄土侵蚀亚区81个样方点进行聚类分析处理，全过程均在计算机上进行。本次分析采用统计软件 SPSS 7.5 FOR WINDOWS95，选取系统分级聚类方法，首先对已量化的指标进行归化，在此基础上得出距离系数，进行聚类合并，并用重心法得出树状图（DENDROGRAM）（如图5-3）。由于原树状图占篇幅过大，简化后的图将第一级两两相聚的样方以"+"号表示，即"样方号"列中每行的两个样方表示已进行了第一级合并，根据课题要求，我们选取了如图中竖虚线所划一级，共有5个小区，分别以 A、B、C、D、E 作为聚类小区代码，在多沙粗沙区亚区划分底图上得出聚类分析结果示意图(图5-2中粗实线所勾划的部分)。由于样方点分布的空间差异性,示意图中各小区的范围以树状图中样方点的集中分布区为准,分散点则归入所在位置的其他小区。

聚类分析客观直接,但具有一定的机械性,从实际情况出发,参照地貌等其他要素作了修改调整,最终得出亚区划分图(图5-2),与图5-1划分结果较为吻合。

第四节　各亚区的特征

一、以易侵蚀岩为主的侵蚀亚区(Ⅰ)

(一)自然环境

该亚区位于多沙粗沙区东北部内蒙古与陕西省毗邻地区,包括内蒙古自治区的准格尔旗大部、东胜市东端、达拉特旗东南、伊金霍洛旗东端及陕西省府谷县北部,总面积0.75万 km^2,占多沙粗沙区面积的9.6%。区内主要河流有黄甫川、清水川及孤山川上游,西北隅发育了束会川、四道沟等特牛川的支流。

本区地处黄土高原和鄂尔多斯高原的过渡地带,也是半干旱向干旱区的过渡地带,农业经济逐渐由南部的农业区转为北部的牧业区。

亚区气候为温带半干旱、干旱大陆性气候,年降水量 350~470mm。降水集中在 7~9 月,汛期降水量占年降水量的 85%以上,且多以暴雨形式出现。此外,本亚区北部靠近毛乌素沙漠,冬、春季节常有大风和沙尘暴天气,年平均风速为 2.6~3.6m/s,年均大风日数为 24.6~29.4 天,年平均沙尘暴天气 1.5~4.3 天。

亚区内植被稀疏,许多地区地表呈裸露状态,仅在荒坡、沟底及丘间洼地集水部位,生长有豆科、禾本科、藜科的草本植物或小灌木。乔木林稀少,现有小块林多为水土保持林。

亚区地面组成物质以砒砂岩等易侵蚀岩为主,基岩裸露普遍。砒砂岩是当地群众对松散结构岩层的俗称,特指侏罗纪和白垩纪的厚层砂岩,成岩程度低,颗粒之间胶结程度差,抗蚀性弱,表层风化破碎,遇水极易崩解。中生界砂岩、泥岩、砂页岩在地表广泛出露。据统计,在黄甫川流域的地面物质中,这些易侵蚀岩可占到51%。这些基岩中的粗泥沙比例高达79.8%[4]。由于表层岩层风化强烈,多节理裂隙,易受外营力侵蚀搬运,因此本区成为黄河粗泥沙的主要来源地之一。另外,第四纪形成的风沙物质呈片状、斑状覆盖于地表,尤其以特牛川上游及黄甫川上游一带分布较多。

区内北部以台状土石丘陵为主,南部以红土丘陵(内蒙古)和黄土梁峁丘陵沟壑(陕西)为主,清水河流域局部地区分布蚀余黄土丘陵和梁状黄土丘陵地貌。该区海拔高度较高,大多数地区在 1 200~1 400m 之间。沟壑密度为 4.28~5.52km/km²。总体上,地表切割深度和沟壑密度均自北向南增大,表现出南部地形更为破碎的特点。

本区作为晋陕蒙接壤地区的一部分,其最大的优势就在于优质煤炭资源特别丰富,是世界上罕见的特大煤田之一,仅内蒙古东胜、准格尔煤田的已探明储量即为 1 212 亿 t (1985 年)。煤炭资源的开发必将为本区的综合治理创造极有利的条件。

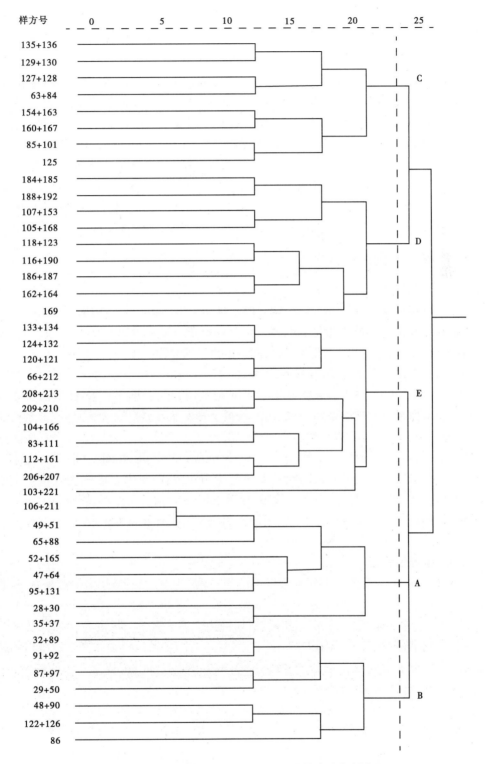

图 5-3 黄河中游多沙粗沙区亚区划分聚类分析树状图

(二)土壤侵蚀特征

该亚区属风水混合侵蚀区,风蚀和水蚀都很强烈。冬春季以风蚀为主,风蚀模数达 1 500～7 500 t/(km²·a)[4]。夏秋季以水蚀为主,水蚀输沙模数在 15 000～25 000 t/(km²·a),属特剧烈侵蚀区。除黄土外,基岩产沙量亦较大,致使各河流悬移质较粗,如黄甫川多年平均输沙量 5 377 万 t,其中粗泥沙输沙量达 3 166 万 t,占悬移质泥沙的 61%,黄甫川站以上粗泥沙模数 6 440～10 270t/(km²·a),其中 1 225 万 t 粗泥沙来自基岩风化物,占粗泥沙输沙量的 39%❶。亚区的土壤侵蚀特征有三点值得重视:一是侵蚀类型多样化,水蚀、风蚀、重力侵蚀及人为侵蚀俱在,且各种方式交错迭加,时间交替分布,几乎全年每季节都有较强的土壤侵蚀现象;二是土壤侵蚀的突发性大,夏季暴雨频发时表现最为明显,一场暴雨即可造成严重的侵蚀,并以产粗泥沙为主;三是伴随着能源矿产资源的开发,以废渣堆积为主的人为侵蚀越来越占据重要地位,防治人为侵蚀的任务繁重。

二、沙盖黄土侵蚀亚区(Ⅱ)

(一)自然环境

沙盖黄土侵蚀亚区呈长条形自东北向西南延伸于多沙粗沙区的北部,包括晋西北、内蒙古伊旗和准旗东南部及陕北北部地区。该亚区属黄土高原北部风蚀—水蚀过渡区,自东向西延伸跨度较大,面积 1.31 万 km²,占多沙粗沙区总面积的 16.7%。

亚区内植被覆盖度多在 30% 以下,以耐旱的草本植物为主。在固定和半固定沙丘沙地有大量的沙棘、沙柳,乔木类较少。年降水量 350～430mm,汛期降水量约占 73%。

亚区内地面组成物质以第四系风成沙、沙黄土和中生界砂页岩为主,地貌类型东西差异较大,秃尾河上中游、佳芦河上游、无定河中游及乌兰木伦河支流牸牛川以东地区多为盖沙黄土梁、梁峁丘陵沟壑,沟壑密度在 3.5～5.8km/km² 之间,相对高差 120～150m;牸牛川以西多为沙质波状高平原及固定和半固定沙丘沙地;白于山北坡则为盖沙黄土梁峁丘陵宽谷沟壑,地表比较平缓,沟壑密度 3～4.5 km/km²,相对高差不足 100m。

该亚区煤炭资源丰富,神府煤田位于区内,1985 年保有储量 656 亿 t,西部有丰富的天然气资源。

(二)土壤侵蚀特征

侵蚀方式多样,在南部黄土丘陵区以水蚀为主,西北部沙丘沙地以风蚀为主,多数地区以水—风混合侵蚀为主,以盖沙黄土丘陵地貌侵蚀产沙最为强烈,水蚀模数多在 10 000 t/(km²·a) 以上,总体属极强度、特剧烈侵蚀,风蚀为中度。在水—风混合侵蚀区随季节侵蚀方式有所侧重,夏秋季多暴雨以水蚀为主,冬春季干冷多风以风蚀为主。黄甫川和窟野河之间的广大地区为侵蚀中心,土壤侵蚀模数在 20 000t/(km²·a) 以上。由于煤炭开发,引发的人为侵蚀也日趋严重。

该亚区为河龙区间粗泥沙的主要产地,以窟野河为例,据 1966～1988 年资料统计,神木以上河段粗泥沙占悬移质沙量的 62.04%,近年由于煤炭开采,河流泥沙粗化,粗泥沙已占悬移质沙量的 76.3%❶。

---

❶陕西师范大学黄土高原环境研究室.黄河中游河龙区间多沙粗沙区产粗沙机理及治理对策研究.1995 年 8 月

纵观本亚区的土壤侵蚀,与其他两个亚区相比,呈现出以下几个方面的基本特点:

(1)侵蚀方式主要以水力侵蚀为主,其次为风力侵蚀,总体上为风水蚀混合侵蚀区。

(2)乌兰木伦河极强度侵蚀小区(Ⅱ₂)具备同Ⅰ亚区一样的人为侵蚀日趋严重的基本特征,其原因在于神府煤田等能源矿产资源的开发。

(3)从地域分布上看,区内土壤侵蚀强度呈现出由西北向东南逐步递减的趋势。

(三)小区划分及各小区特征

根据土壤侵蚀强度的差异,本亚区可分为4个小区:浑河极强度侵蚀小区($Ⅱ_1$),乌兰木伦河极强度侵蚀小区($Ⅱ_2$),神木—横山特剧烈侵蚀小区($Ⅱ_3$),白于山北坡强度侵蚀小区($Ⅱ_4$)。

1.浑河极强度侵蚀小区($Ⅱ_1$)

本小区位于多沙粗沙区东北角,行政上属于内蒙古自治区清水河县大部和和林格尔县南部,在流域上为浑河及其支流清水河中下游。该小区总面积0.22万 km^2,占多沙粗沙区总面积的2.8%。

地表组成物质复杂,出露有沙黄土、中生界砂岩、页岩和泥岩、第四纪风成沙等。其中浑河以东地区以沙质黄土为主,浑河以西则以薄层黄土和易侵蚀基岩为主,北部有风沙分布。该小区地貌类型包括黄土缓梁丘陵沟壑、黄土斜梁丘陵沟壑、黄土梁峁丘陵沟壑、梁状黄土中山、台状土石丘陵以及沙地。本小区沟壑密度为2.3~4.2km/km²,切割深度为70~220m,沟壑密度和切割深度均自北向南增大。

小区内植被稀疏,以清水河为界,以北植被覆盖度小于10%,北部沙区为裸露区;以南大部分地区植被覆盖度为10%~30%,东南局部地区植被覆盖度在30%~50%之间。

本区以水力侵蚀为主,清水河县城以西的黄土梁峁丘陵沟壑是小区内侵蚀最为强烈的地区,侵蚀模数达18 000~21 000t/(km²·a),小区南部侵蚀模数为8 500~10 000 t/(km²·a)。总体为极强度侵蚀。河流粗泥沙输沙模数为2 000~5 000 t/(km²·a)。

2.乌兰木伦河极强度侵蚀小区($Ⅱ_2$)

本小区包括乌兰木伦河和秃尾川流域大部分,行政上属于陕西省神木县东北部、府谷县西北,内蒙古伊金霍洛旗东部及准格尔旗西南隅,面积0.28万 km^2,占多沙粗沙区总面积的3.7%。区内为神府煤田开发区,煤田开发对本小区的侵蚀环境有长远的影响。

本小区年降水量350~430mm,降水集中于夏季。冬春季节风力强盛,年平均风速2.5m/s,平均大风日数16.2天,沙尘暴日数10.7天。

本小区地面组成物质以第四系风成沙、沙黄土和中生界砂页岩为主,局部有砾岩层。地貌以沙盖黄土丘陵、沙质波状高平原为主,其中,秃尾川以东为黄土丘陵地貌,沟壑密度达3.9~5.8km/km²,秃尾川以西有固定、半固定沙丘、沙地和少量流动沙丘,沟壑密度较低,地表平缓,植被覆盖度较低,一般仅有30%左右,且以耐旱的草本植物为主,另有人工幼林呈斑点状分布。

本小区水力侵蚀主要位于盖沙坡面、黄土梁峁斜坡及沟谷,侵蚀强烈。同时,风蚀也很强烈,主要发生在冬末至夏初。据 1966～1988 年泥沙资料统计[1],窟野河神木以上河段年均输沙量为 7 066 万 t,年均输粗泥沙量 4 364 万 t,粗泥沙占悬移质沙量的 62 %。近年来,由于煤矿开采,河流泥沙粗化,王道垣塔测站测得的粗泥沙占总沙量的 76.3 %。该小区风蚀为中—强度,风蚀模数在 3 000～7 500t/(km²·a)之间。风蚀范围内,表土年风蚀深度 0.2～1.5cm。该小区牸牛川以东及乌兰木伦河下游地区以水蚀为主,侵蚀模数一般在 15 000t/(km²·a)左右。局部分水岭平坦,地表侵蚀模数较小,为 8 500～10 000t/(km²·a),总体属极强度侵蚀。牸牛川以西及乌兰木伦河中上游地区以风蚀为主,水蚀主要表现为切沟和冲沟侵蚀,面蚀相对较轻。本小区粗泥沙模数自西向东增大,乌兰木伦河以东地区,粗泥沙模数达 5 000～10 000t/(km²·a)。

3. 神木—横山特剧烈侵蚀小区(Ⅱ₃)

该小区位于秃尾河上中游、佳芦河上游及无定河中游地区,行政上隶属陕西省神木县中部、佳县西北部、米脂西北部、横山中部、榆林东南部和靖边县东端,面积 0.56 万 km²,占多沙粗沙区总面积的 7 %。

地表覆盖黄土和风沙物质,以片沙覆盖的黄土梁峁丘陵沟壑为主,梁峁顶面海拔1 000～1 300m,相对切割深度为 80～120m,切割深度一般南部大于北部,南部切割深度在 100～120m,而北部近风沙区切割深度小于100m,沟壑密度 6～8km/km²。

本小区植被覆盖度小于 10 %。以大理河河源区为界,以西水蚀模数多在 10 000～15 000t/(km²·a)之间;以东水蚀模数多大于 15 000t/(km²·a)。其中,无定河与大理河分水岭地区、窟野河下游及佳芦河上游的两岸侵蚀剧烈,侵蚀模数大于 20 000t/(km²·a),全区总体属特剧烈侵蚀[2]。该小区风蚀集中在河谷两岸川台地,为强度风蚀。黄土丘陵迎风坡也有一定的风蚀现象。本小区大部分地区粗泥沙输沙模数在 2 000t/(km²·a)左右,仅有窟野河下游及佳芦河上游地区粗泥沙输沙模数在 5 000～10 000t/(km²·a)之间。

4. 白于山北坡强度侵蚀小区(Ⅱ₄)

该小区指白于山北坡一带,包括无定河上游的一些支流。行政上隶属陕西省靖边县西部、吴旗县北部、定边县东端,面积 0.25 万 km²,占多沙粗沙区总面积的 3.2 %。

区内年均降水量420mm,汛期降水量可占年降水量的 60 %左右。地表组成物质主要为沙黄土。地貌主要为黄土梁峁丘陵宽谷(涧地)沟壑,北部有黄土残塬梁峁丘陵沟壑。塬梁面海拔 1 500～1 600m,地表比较平缓,梁缓涧宽、梁涧相间,涧底部宽平,由冲积或风积黄土状土组成,是农业基地。沟壑密度在 3.0～4.5km/km² 之间,南部白于山主脊一带沟壑密度较北部大一些,切割深度较小,大部分地区切割深度接近 100m,一般仅 70～90m。有的涧底受近期流水侵蚀,形成破涧。沟头侵蚀与沟岸扩张强烈,重力侵蚀严重。植被覆盖度在 10 %～30 %之间,局部地区有人工林和草场。本小区侵蚀模数较小,北部侵蚀模数为 5 000～7 000t/km²,南部近白于山顶侵蚀模数在 10 000t/(km²·a)左右,总体为强度侵蚀。粗泥沙输沙模数 2 000t/(km²·a)左右。由于无定河上游的新桥水库截流,

---

[1] 陕西师范大学黄土高原环境研究室. 黄河中游河龙区间多沙粗沙区产粗沙机理及治理对策研究.1995 年 8 月
[2] 在水利部土壤侵蚀强度分级标准[30]剧烈侵蚀一级中再分出特剧烈侵蚀,指侵蚀模数>2.0 万 t/(km²·a)的地区。

实际上向下游输移的粗泥沙很少。

三、黄土侵蚀亚区（Ⅲ）

（一）自然环境

本亚区是黄土高原土壤侵蚀的典型地区,也是水土保持的重点地区。在图幅内所占面积最大,包括晋西北,吕梁山以西山西省境,陕西的孤山川中下游,窟野河、秃尾河、佳芦河下游,无定河中下游,清涧河下游,延河中下游等流域及北洛河上游、甘肃马莲河中上游的部分地区,共计5.80万km²,占多沙粗沙区总面积的73.7%。

区内年均降水量350～500mm,汛期降水量210～384mm,吴旗一带汛期降水量降至198～210mm。区内南部降水量增大,清涧河—延河流域汛期降水量300～356mm,而山西的汛期降水量较陕西大,平均353mm,大宁一带可达384mm。大部地区植被稀少,植被覆盖度小于30%,地表垦殖指数高,多坡耕地,大于25°坡耕地占35%～41%,人为对植被的破坏较严重。

地面组成物质以典型黄土为主,北部有沙黄土分布,河流上游一般可切入下伏第三纪红土或中生代易侵蚀岩。地貌类型复杂多样,沟壑纵横,黄土梁峁丘陵沟壑分布最广泛,黄土斜梁丘陵沟壑也较多,沿晋陕峡谷为蚀余黄土丘陵沟壑,志丹以北多见梁或梁峁状黄土中山,陇东为黄土梁塬丘陵沟壑,环县附近及大宁、隰县一带有残塬分布。区内在地貌形态上有较大的差异,即使同为黄土梁峁丘陵沟壑,由东北向西南仍有明显区别,如孤山川中下游—佳芦河下游,梁峁起伏,梁短峁小,沟壑密度5～6.7km/km²,相对高差100～150m,向西南到绥德、米脂一带的无定河下游,梁峁逐渐增大,沟壑密度5～6km/km²,相对高差增大到120～190m,再向西南至白于山南坡,梁长峁大,受白于山隆起影响,相对高差达180～250m,沟壑密度降至3.3～3.5 km/km²。

区内煤炭、石油和天然气资源较丰富。

（二）土壤侵蚀特征

水力侵蚀方式极具特征,坡面和沟谷侵蚀都很严重。大多数地区土壤侵蚀模数在10 000t/(km²·a)以上,总体为特剧烈侵蚀—极强度侵蚀,尤以陕西清涧河以北地区侵蚀最为严重,孤山川、窟野河和佳芦河中下游为侵蚀中心,土壤侵蚀模数达20 000 t/(km²·a)。晋西、清涧河下游—延河中下游及马莲河东—华池为强度侵蚀,马莲河以西属极强度侵蚀。

本亚区为河龙区间粗泥沙的主要产区,产粗泥沙规律如下:

(1)黄河右岸比左岸产粗泥沙量大,晋西粗泥沙输沙模数在2 000～4 000t/(km²·a)。右岸陕西一侧的窟野河下游和无定河下游是河龙区间高集中产粗泥沙区,黄土产粗泥沙模数在5 000t/(km²·a)以上,为多沙粗沙区侵蚀最为强烈的地区。

(2)产粗泥沙强度由南向北增大,无定河中游粗泥沙输沙模数为4 000～6 000 t/(km²·a),窟野河及孤山川中下游粗泥沙输沙模数为6 000～8 000t/(km²·a)。

（三）小区划分及各小区特征

根据区内侵蚀强度的明显差异,同时结合地貌特征及保持行政区划完整性等,可将本亚区分为9个小区,即:河保偏特剧烈侵蚀小区(Ⅲ₁),晋西极强度侵蚀小区(Ⅲ₂),府谷—

佳县(孤山川中下游—佳芦河下游)特剧烈侵蚀小区(III_3),无定河下游特剧烈侵蚀小区(III_4),白于山南坡特剧烈侵蚀小区(III_5),清涧河下游—延河中下游极强度侵蚀小区(III_6),马莲河上游—北洛河上游强度侵蚀小区(III_7),马莲河东—华池强度侵蚀小区(III_8),马莲河西极强度侵蚀小区(III_9)。

1.河保偏特剧烈侵蚀小区(III_1)

该小区位于晋西北,包括河曲、保德、偏关县大部分,神池县西北和西南隅,五寨县西北部,兴县北部。北自晋蒙交界,南至兴县岚漪河、蔚汾河间的分水岭;西起黄河东岸,东达吕梁山前,区内主要河流有偏关河、县川河、朱家川。全区面积 0.40 万 km^2,占多沙粗沙区总面积的 5.1%。

年均降水量 400~500mm。大部分地表植被裸露,植被覆盖度小于 30%。

小区内黄土梁峁丘陵沟壑广布,沿晋陕峡谷为蚀余黄土丘陵沟壑区。地面坡度普遍大于 25°,沟壑密度平均 3.42km/km²,相对高差平均 146.5m。以朱家川为界,北部沟壑密度平均 3.45km/km²,相对高差平均 170m;以南沟壑密度平均 4.2km/km²,相对高差平均 192m,这说明朱家川以南的沟壑密度和相对高差均大于北部。

坡面侵蚀强烈,以黄土梁峁丘陵沟壑为最,全沙模数 18 000~21 000t/(km²·a),偏关—河曲间的侵蚀模数可达 21 000~25 000t/(km²·a),晋陕峡谷侵蚀较弱,全沙输沙模数介于 7 000~8 500t/(km²·a)之间,粗泥沙输沙模数为 2 000~4 000t/(km²·a)。偏关河偏关站实测多年平均粗泥沙输沙模数 2 800t/(km²·a)。

本区是山西省水土保持的重点地区,在水土流失治理上总结出了许多有益的经验,特别是河曲县户包小流域治理的经验在黄土高原地区的推广,对整个黄土高原的水土保持工作的开展有极大的意义。

2.晋西极强度侵蚀小区(III_2)

该小区位于吕梁山以西山西省境内,包括柳林、永和县全部,保德、兴县、临县、石楼、大宁县大部分,离石、中阳和隰县的西部,北起蔚汾河流域,南达昕水河流域,西从黄河东岸,东至吕梁山东麓,区内主要河流有蔚汾河、湫水河、三川河、屈产河、昕水河等。全区面积 1.10 万 km^2,占多沙粗沙区总面积的 14%。

区内年均降水量 350~384mm,植被覆盖度小于 10%。地貌以黄土梁峁丘陵沟壑为主,离石、中阳、石楼一带为黄土斜梁丘陵沟壑,大宁、隰县附近及大宁东北均可见残塬分布,黄河沿岸为蚀余黄土丘陵沟壑。全区沟壑密度平均 4.39km/km²,南部残塬区沟壑密度仅 3.32km/km²,而临县以北梁峁区,沟壑密度较大,在 6.11~6.54km/km² 之间。

该小区总体为极强度侵蚀区,三川河下游以北的黄土梁峁丘陵沟壑区、湫水河下游右岸与黄河之间的三角地区和柳林以南的黄土缓梁丘陵沟壑区为侵蚀中心,三川河下游以南石楼、永和、隰县交界的黄土斜梁丘陵沟壑和大宁一带黄土残塬梁峁丘陵沟壑,侵蚀相对较弱,水蚀模数在 7 000~12 600t/(km²·a)。粗泥沙模数以兴县—临县—永和连线为界,以东为 1 300~2 000t/(km²·a),以西为 2 000~3 000t/(km²·a)。区内对三川河流域的治理已经取得明显的效益。

3.府谷—佳县(孤山川中下游—佳芦河下游)特剧烈侵蚀小区(Ⅲ₃)

该小区位于陕西省境内,包括府谷县的大部,神木县的南部和佳县的北部,北起孤山川中下游,南达佳县县城,东从黄河西岸向西与Ⅱ₂区相邻,含孤山川的中下游,石马川流域,窟野河、秃尾河、佳芦河的下游。面积 0.44 万 km²,占多沙粗沙区总面积的 5.6%。

本小区属典型的黄土梁峁丘陵沟壑区,梁峁起伏,地形破碎,梁短峁小,梁峁顶海拔 1 000～1 300m,由西北向东南递降,沟谷深切,相对切割深度 200～300m,沟壑密度 5～7 km/km²,坡度多在 25°～35°,红土出露面积大;黄河沿岸为蚀余黄土丘陵沟壑,沟壑深切入基岩,基岩面上成帽状上覆侵蚀残余的黄土,坡度达 35°～70°。地面覆盖物质主要由黄土、中生界砂岩、泥岩和第三系红土组成。坡面侵蚀、沟蚀和边坡重力侵蚀活跃,崩塌、滑坡遍布,密度达 18.4 处/100km²。

本小区是黄土高原土壤侵蚀最为严重的地区,大多数地区水蚀模数在 25 000 t/(km²·a)以上,窟野河下游是河龙区间三个高集中产粗泥沙区之一,黄土产粗泥沙模数在5 000t/(km²·a)以上,温家川站测得窟野河多年平均输沙量为 1.04 亿 t,多年平均输沙模数12 043t/km²,年均产粗泥沙 6 374 万 t,占全沙量的 61%,粗泥沙输沙模数7 373 t/(km²·a)。孤山川高石崖站测得年均输沙量 2 277 万 t,输沙模数18 028t/(km²·a)。年均粗泥沙量 1 182 万 t,占全沙量的 52%,粗泥沙输沙模数高达 9 400t/(km²·a),两河年均产沙占河龙区间年均产沙量(6.61 亿 t)的 19.2%,产粗泥沙占河龙区间年均粗泥沙总量(3.01 亿 t)的25.1%[1]。为多沙粗沙区侵蚀最为强烈的地区。

4.无定河下游特剧烈侵蚀小区(Ⅲ₄)

该小区位于陕西省境内无定河中下游地区,包括绥德、吴堡、子洲的全部及清涧的大部,佳县的南部,米脂的东南部,横山东南部,靖边的东南隅,子长的北部。北起佳芦河,南至秀延河、大理河上游,东达黄河西岸,大部分地区属于无定河中下游流域,南部属于清涧河中下游流域,北部属于佳芦河流域。主要河流有黄河、无定河及其支流大理河、淮宁河等。面积 0.96 万 km²,占多沙粗沙区总面积的 12.2%。

本小区大部分属于黄土峁状、梁峁状丘陵沟壑。全区海拔 1 000～1 250m,相对切割深度 100～150m。地貌形态为上峁下梁、峁梁起伏、峁小梁短(由Ⅲ₃区到本区梁峁已逐渐增大)、峁多梁少,子长和清涧一带反映明显。梁峁区相对切割深度变化在 100～200m 之间,梁峁坡多为 15°～20°,沟谷坡多为 25°～45°,蚀余黄土丘陵沟壑地区谷坡达 35°～70°。沟间地与沟谷地之比为 4:6,沟壑密度为 6～8km/km²。冲沟、干沟从下游多切入砂页岩或红土中,沟底常有一些洪积或冲积小阶地,是建设基本农田的较好地段。

无定河下游也是河龙区间三个高集中产粗泥沙区之一,子长、清涧一带水蚀模数在15 000t/(km²·a)以上,为特剧烈侵蚀。据 20 世纪 60 年代中期到 80 年代末期水文观测资料统计,无定河川口站年均输沙量 1.57 亿 t,全沙输沙模数 5 192t/(km²·a),年均粗泥沙输沙量8 711万 t,粗泥沙输沙模数 2 883t/(km².a),占河龙区间全沙的 23.7%,粗泥沙占河龙区间粗泥沙的 28.9%。

---

[1]陕西师范大学黄土高原环境研究室 . 黄河中游河龙区间多沙粗沙区产粗沙机理及治理对策研究 .1995 年 8 月

本小区总的侵蚀强度次于Ⅲ₃区,土壤侵蚀模数为 18 000~21 500t/(km²·a)。

5. 白于山南坡特剧烈侵蚀小区(Ⅲ₅)

该小区位于陕西省境内北洛河上游和延河上游,包括吴旗、志丹、安塞三县北部及定边、靖边二县位于白于山南侧的地区。西起洛河上游石涝川,东至子长与安塞交界,南由吴旗—志丹连线,北达白于山南麓,主要河流有北洛河支流头道川、乱石头川、宁赛川及延河支流杏子河,全区面积 0.61 万 km²,占多沙粗沙区总面积的 7.8%。

区内年均降水量 500mm 左右,但多集中在 6~9 月,约占全年降水量的 65%。植被覆盖度 10%~25%,梁顶及谷坡植被稀疏,多被垦殖,坡耕地达 75% 以上,其中大于 25° 的坡耕地占 35%。

本小区仍以黄土梁峁丘陵沟壑为主,但梁状丘陵居多。受白于山新构造运动隆起的影响,地势较高,海拔 1 400~1 600m,相对高差较上两区增大,而沟壑密度减小为 3~6 km/km²。吴旗北部演变为黄土长梁大峁沟壑,志丹以北多见梁峁状黄土中山,区内黄土梁的骨架由易侵蚀岩组成,上覆 60~100m 厚的黄土,黄土梁的延伸方向受河网的控制,主梁多呈 NW—SE 走向,梁地西北部较宽,约 150~300m,形如猪背,长 4~10km,切割深度 100~200m。随着河网密度的增加东南部梁地逐渐变窄,相对切割深度 150~200m,梁坡变陡,主梁地两侧冲沟、河沟密度加大,局部地段有梁峁状、峁梁状沟壑地貌出现。总体而言,本小区梁长沟深,有明显的主次梁之分,河沟呈树枝状或羽状结构。谷坡一般在 20°~45°,滑坡、崩塌屡见不鲜。

本小区总的侵蚀强度次于Ⅲ₄区,土壤侵蚀模数为 12 000~18 000t/(km²·a),粗泥沙输沙模数为 2 000~3 000t/(km²·a)。志丹、吴旗北部水蚀模数 15 000~18 000t/(km²·a),白于山南坡沟谷切割比北坡强烈,坡面侵蚀和重力侵蚀严重。

6. 清涧河下游—延河中下游极强度侵蚀小区(Ⅲ₆)

该小区位于陕西省境内清涧河流域及延河中下游地区,南部延河流域属于黄土丘陵沟壑区第二副区,其余都属于黄土丘陵沟壑区第一副区。包括延川县全部、延长及延安北部、志丹县东南、安塞、子长和清涧三县的南部。西起延河与北洛河的分水岭,东达黄河西岸,北起吴旗—子长—清涧连线,南至延安—延长连线。主要河流有黄河,延河支流杏子河、蟠龙川,清涧河及其支流秀延河、永坪川等。面积 0.79 万 km²,占多沙粗沙区总面积的 10%。

区内年均降水量 500mm 左右,植被覆盖度低,为 8%~15%。

本小区为黄土梁峁状丘陵沟壑,沿黄河两岸为蚀余黄土丘陵沟壑,海拔 1 300~1 600m。地貌形态特征为峁多梁窄,峁梁起伏,沟间地较为开阔。河流朔源侵蚀和下切强烈,横剖面多呈"V"字形,使基岩裸露,延川—延长间为黄土残塬梁峁丘陵沟壑,沟谷侵蚀严重,沟道延伸快,致使塬边、梁边不断被蚕食。

本小区地表垦殖指数高,大于 25° 坡耕地占 40.5%。土壤侵蚀模数 10 000~15 000 t/(km²·a),其中粗沙侵蚀模数为 2 500~4 000t/(km²·a),总的侵蚀强度次于Ⅲ₅区。

7. 马莲河上游—北洛河上游强度侵蚀小区(Ⅲ₇)

该小区位于陕西省境内定边县马莲河支流西川上游和北洛河上游,包括吴旗南部和志丹北部。西北从陕甘交界的马莲河支流东川流域向东南达志丹县周河流域,主要河流有马莲河支流东川、北洛河及其支流周河。面积 0.46 万 km²,占多沙粗沙区总面积的 5.3%。

区内年均降水量 315mm,汛期降水量 170mm,占年降水量的 55%。东部植被覆盖度 10%~30%,中西部均小于 10%。

地貌以黄土斜梁丘陵沟壑为主,西北部环河上游为黄土梁塬丘陵沟壑,有残塬分布,黄土斜梁丘陵沟壑区沟壑密度平均 3.27km/km²,相对高差可达 250m,土壤侵蚀模数 5 000~10 000t/(km²·a),以北洛河支流二道川为界,西北部粗泥沙输沙模数大于 2 000 t/(km²·a),向东南的粗泥沙输沙模数在 2 000~1 300t/(km²·a)之间。

8.马莲河东—华池强度侵蚀小区(Ⅲ₈)

该小区位于陇东环县至华池之间,包括环县的中部和东部、华池县的西部、庆阳县东北隅。主要河流有环江支流东川和马莲河支流元城川。面积 0.39 万 km²,占多沙粗沙区总面积的 4.9%。

区内年均降水量 450~500mm,地表普遍裸露,植被覆盖度 15%~20%。大部分地区为黄土梁塬沟壑,环县县城北部和南部分布有大量的残塬,属黄土残塬丘陵沟壑,元城川流域以黄土峁状丘陵沟壑为主,其中分布有少量的黄土斜梁丘陵沟壑。区内沟壑密度平均 4.88km/km²,由北部 4.67km/km² 逐渐向南部增大至 5.3km/km²,最大达 6.79km/km²,相对高差为 138~141m。

小区内沟谷侵蚀和塬边侵蚀都很活跃,黄土梁塬丘陵沟壑和黄土梁峁丘陵沟壑侵蚀严重,特别是安山川到庆阳段环江各支流下游及环县以南,台道川以北的黄土残塬梁峁侵蚀更为剧烈,可达 10 000~12 500t/(km²·a)。粗泥沙输沙模数以元城川为界,以西粗泥沙输沙模数 2 000t/(km²·a),以东粗泥沙输沙模数 1 300~2 000t/(km²·a)。整体属于极强度侵蚀。

9.马莲河西部极强度侵蚀小区(Ⅲ₉)

该小区位于陇东环县以西,包括环县大部、庆阳北部,镇原县东北。主要河流有环江及其支流罗山川、玄城川、马坊川、合道川等,面积 0.66 万 km²,占多沙粗沙区总面积的 8.4%。

区内年降水量 450~500mm,地面裸露,植被覆盖度 10%~15%。地貌类型多样,总体以黄土梁塬丘陵沟壑为主,在环县以北的西川河右岸多见黄土高塬沟壑,残塬梁峁丘陵沟壑分布于环县西北大树塬一带及环县台道川以南、大黑河以东之间,塬面破碎,以面蚀为主,塬坡陡峭,植被破坏严重,沟蚀强烈。区内常见黄土洼地,是较好的农耕地。

本小区沟壑密度 4.4~5.4km/km²,输沙模数在 7 000~8 500t/(km²·a),属于强度侵蚀,在整个多沙粗沙区是侵蚀较弱的小区。环县及其周围侵蚀较严重,沿环县向西至各支流的上源,地貌为黄土斜梁丘陵宽谷,沟壑密度变小,为 4km/km²。侵蚀减弱,再向西到黄土中山,输沙模数下降到 5 000~7 000t/(km²·a)。区内粗泥沙模数一般在 2 000t/(km²·a)以上,大黑河流域为 1 300~2 000t/(km²·a)。

各亚区基本情况见表 5-10。

表5-10

黄河中游多沙粗沙区各亚区基本情况

亚区名	面积（km²）	小区名称	小区面积（km²）	地貌类型	沟壑密度（km/km²）	相对高差（m）	植被覆盖率（%）	全沙输沙模数（t/km²·a）	粗泥沙输沙模数（t/km²·a）	侵蚀强度等级	所在省（区）
易侵蚀岩为主的侵蚀亚区 I	7 508（9.6%）		7 508	土石丘陵、黄土梁峁丘陵沟壑	4.3~5.5	150~200	<15	15 000~25 000	6 400~10 000	特剧烈	内蒙古
沙盖黄土侵蚀亚区 II	13 099（16.7%）	浑河极强度侵蚀小区 II₁	2 221	黄土梁状—梁峁状丘陵沟壑、土石丘陵、沙地	2.3~4.2	70~220	<30	8 500~21 000	2 000~5 000	极强度	陕西
		乌兰木伦河极强度侵蚀小区 II₂	2 824	沙盖黄土丘陵	3.9~5.8	130~160	<30	8 500~18 000	5 000~10 000	极强度	内蒙古
		神木—横山特剧烈侵蚀小区 II₃	5 567	片沙覆盖的黄土梁峁丘陵沟壑	6~8	80~120	<10	15 000~20 000	5 000~10 000	特剧烈	陕西
		白于山北坡强度侵蚀小区 II₄	2 487	黄土梁峁丘陵宽谷沟壑、黄土残塬、梁峁丘陵沟壑	3~4.5	70~90	10~30	3 500~10 000	2 000左右	强度	陕西
黄土侵蚀亚区 III	57 993（73.7%）	河保偏特剧烈侵蚀小区 III₁	4 045	黄土梁峁丘陵沟壑	3.5~4.3	170~190	<30	18 000~25 000	2 000~4 000	特剧烈	山西
		晋西极强度侵蚀小区 III₂	10 962	黄土梁峁丘陵沟壑	3~6.5	150~250	<10	8 000~21 000	1 300~3 000	极强度	山西
		府谷—佳县特剧烈侵蚀小区 III₃	4 370	黄土梁峁丘陵沟壑	5~8	200~300	<10	>25 000	>5 000	特剧烈	陕西
		无定河下游特剧烈侵蚀小区 III₄	9 635	黄土峁状、梁峁丘陵沟壑	5~6	100~200	<10	>15 000	>5 000	特剧烈	陕西
		白于山南坡特剧烈侵蚀小区 III₅	6 111	黄土梁状、梁峁丘陵沟壑	4~6	100~250	10~25	12 000~18 000	2 000~3 000	特剧烈	陕西
		清涧河下游—延河中下游极强度侵蚀小区 III₆	7 855	黄土梁峁丘陵沟壑	3~3.5	180~200	<15	10 000~15 000	2 500~4 000	极强度	陕西
		马莲河上游—北洛河上游强度侵蚀小区 III₇	4 561	黄土斜梁丘陵沟壑	4~6	250左右	<30	5 000~10 000	2 000	强度	宁夏
		马莲河—华池极强度侵蚀小区 III₈	3 885	黄土梁塬丘陵沟壑、黄土残塬	4.7~5.3	140左右	15~20	7 000~12 500	2 000左右	极强度	甘肃
		马莲河西部强度侵蚀小区 III₉	6 569	黄土梁塬丘陵沟壑	4.4~5.4	120左右	10~15	5 000~8 500	>2 000	强度	甘肃

第五节　黄河中游多沙粗沙区治理开发方略探讨

治黄之症结在于泥沙。解决黄河泥沙问题,关键还在于搞好中游多沙粗沙区的综合治理,这样才能大幅度地减少入黄泥沙。因此,如何进行全面的综合治理、集中治理、快速治理,才是研究解决黄河泥沙问题之最终目的。但治理与开发是息息相关的对立统一体,只有在正确的方略指导下,多沙粗沙区的综合治理与开发才能沿着符合客观规律和科学的道路前进。值此党中央和国务院号召全国人民全面实施"西部大开发战略"之际,研究探讨黄河中游多沙粗沙区的治理开发方略就显得更为紧迫和重要。

一、治理开发现状及问题

(一)治理成就

据有关资料分析[55],截至 1995 年,黄河中游多沙粗沙区已完成水土流失治理面积 3.94 万 km²,占总面积的 25.2%。其中梯田 69.48 万 hm²,水地 10.81 万 hm²,坝地 17.72 hm²,乔木林 17.72 万 hm²,灌木林 161.55 万 hm²,人工草地 78.48 万 hm²,还有天然林 37.86 万 hm²。工程措施、植物措施分别占水土保持措施总面积的 24.9%和 75.1%。

与此同时,还重点开展了以治沟骨干工程为支撑的沟道坝系工程建设(见表 5-11)。

表 5-11　　　　　黄河中游多沙粗沙区沟道坝系工程现状分布　　　　　(单位:座)

沟道坝系建设项目	吴堡以北	吴堡以南	泾洛河上游	合　计
淤地坝	15 014	15 779	9 369	40 380
治沟骨干工程	369	340	83	792
水库与拦泥坝	41	77	15	133

(1)淤地坝。从 20 世纪 50 年代陆续开始有组织、有计划地修建淤地坝,其中以 60 年代、70 年代修建较多,而 80 年代、90 年代修建较少。截至 1998 年,共建成 40 380 座。其中,吴堡以北修建 15 014 座,吴堡以南修建 15 779 座,泾洛河上游修建 0.94 万座。

(2)治沟骨干工程。1986 年开始试点,到 1999 年,共建成 792 座(其中吴堡以北 369 座,吴堡以南 340 座,泾洛河上游 83 座),控制面积 5 623km²,总库容 8.87 亿 m³。其中,拦泥库容 5.42 亿 m³,已拦泥 3.12 亿 t。

(3)水库与拦泥库。从 50 年代开始陆续修建,部分坝库分布在黄河支流。其中,无定河上游芦河、红柳河分布较多,形成坝库群。到 1994 年,全区共完成水库与拦泥库 133 座,控制面积 2.39 万 km²,总库容 25.54 亿 m³,已淤积库容 12.36 亿 m³。该区三个河段坝库分布情况是:吴堡以北 41 座,吴堡以南 77 座,泾洛河上游 15 座。

各项水土保持措施使该区生态环境有了一定的好转,土地利用结构和农林牧经济结构的调整开始起步,农业人均产粮 351kg,人均产值达 464 元,70%～80%的人口初步解决了温饱问题。同时,削减了部分流域的洪峰,减轻了洪水灾害;根据《人民治黄 50 年水土保持效益分析》研究成果,年均减少入黄泥沙达 2.4 亿 t,约占该区总输沙量的 20%,其中坝系工程减沙1.6亿t,占67%(见表5-12);治理程度较高的无定河、三川河减少入黄泥沙50%左右,提高了水资源的综合利用率。

表5-12　　　　　　　　　　多沙粗沙区水土保持措施减沙情况

分　类	梯　田	沟道工程	水保林	种　草	合　计
减沙量(亿t)	0.46	1.61	0.29	0.04	2.40
比例(%)	19.2	67.1	12.1	1.6	100

(二)综合治理的特点及经验

从黄河中游试点和重点小流域综合治理实践看,多沙粗沙区综合治理的特点及经验主要归纳为以下几个方面:

(1)由面上分散的单项治理转变为以小流域为单元的综合治理,这是黄河中游多沙粗沙区水土保持工作的一个质的飞跃。

(2)小流域综合治理是一项复杂的系统工程,科学的综合治理规划、适宜的措施配置体系和完善的管理服务体系是实现成功治理的重要途径。

(3)小流域综合治理是一项群众性很强的事业,成功的小流域治理,必须建立一种能够充分调动千千万万群众治山治水积极性的机制。这种机制至少应包括政策机制、责任机制和利益机制三个方面。

(4)小流域综合治理从一定程度上来说是一种政府行为,领导重视、机构健全、部门协调一致是实现成功治理的必要条件。

(三)存在问题

当前本区在综合治理开发方面,存在的主要问题是:治理管治理,开发管开发,治理和开发严重脱节,缺少一个全面、科学的总体治理规划。具体表现在以下几个方面:

(1)新增水土流失日趋严重,有的地方边治理边破坏屡见不鲜,有的地方甚至破坏大于治理。

(2)区域总的治理程度还较低,且进展缓慢。

(3)沟道坝系工程发展缓慢,不适应多沙粗沙区大幅度减少入黄泥沙的需要。

(4)科技力量不足,科技水平低,难以全面实行科学治理和科学管理。

(5)资金投入太少,且管理薄弱,不能适应综合治理开发的需要。

上述诸多问题都与投入太少密切相关。40多年来,国家通过各种渠道在黄河流域用于水土保持的投资约11亿元,平均每治理1km²约投入1万元。国家投入不足反映在两个方面:一是整体投入不足,按照《黄河流域黄土高原地区水土保持生态环境建设规划》,到2030年多沙粗沙区治理需要国家投入240亿元,每年8亿元。目前国家实际投入每年只有约3亿元;二是单位面积投入不足,多沙粗沙区每治理1km²需要中央投资25万元,治沟骨干工程单坝建设造价90万元,实际国家对综合治理只补助3万~5万元/km²,治沟骨干工程国家补助20万~30万元/座。同时该区属国家级贫困县集中地区,地方财政基础薄弱,群众生活困难,自筹能力有限。三方面原因导致水土保持投入的严重不足,影响了治理进度和质量。

二、总体治理开发方略

(一)指导思想

黄河中游多沙粗沙区在黄河流域有"承东启西"的过渡作用,并且在治黄大业中也有重要的战略地位,因此,该区的重点在于通过根治多沙粗沙区的严重水土流失,改善生态环境。其综合治理开发的指导思想可以概括为:全面贯彻落实中共中央、国务院关于西部大开发、黄河治理和水土保持生态环境建设的战略部署,按照多沙粗沙区的水土流失特点,采取科学合理的水土保持措施,有效地减少入黄泥沙,大力改善生态环境与农业生产条件,促进群众脱贫致富,为国家西部大开发战略的实施与加快黄河的治理开发服务,逐步建立一个有序和谐的人地关系系统——实现符合当地特性的"山川秀美"宏图。

(二)治理开发方略

黄河中游多沙粗沙区综合治理开发的总方略为:坚持防治并举,坡沟兼治,综合治理,注重植被建设与保护,加强预防监督,努力控制人为新增水土流失的发展;在加快坡面治理的同时,大力加强沟道治理,特别是加快以治沟骨干工程和淤地坝为主的沟道坝系建设,全面实现多沙粗沙区拦沙减蚀、保土蓄水、改善生态环境的综合效益。

(三)实现方略的战略措施

坚决贯彻落实"退耕还林(草)、封山绿化、个体承包、以粮代赈"的政策措施,稳定、控制基本农田规模和数量,对坡耕地大力实施退耕还林还草,加快植被建设。加强预防保护和监督,避免产生新的水土流失。针对多沙粗沙区沟壑密度大、重力侵蚀严重的特点,必须突出以治沟骨干工程和淤地坝为主的沟道坝系建设,加大工作力度,就地拦蓄利用水沙资源,建设高产稳产农田,促进退耕还林还草,长期保持拦泥淤地效果。

由于多沙粗沙区各方面的生产力基础相对薄弱,因此,必须采取"优先突破(开发建设地区),集中深入(环境治理地区)、重点投入(开发和治理项目)"的水土保持战略,要充分体现"集中"的精神,切忌"全面开花"和"撒胡椒面"。同时,还必须注意总体协调,特别是资源开发和环境治理的协调;另外,还须注意重点与一般,外循环与内循环,地区利益与国家利益的协调等。协调的最基本手段不是行政调解和干预,而是通过制定一系列的相关政策、法令、法规等,提供并实施政策性的保护。此外,多沙粗沙区的综合治理开发还必须强调"稳步发展",逐渐推进,千万不能盲目乐观、急于求成,但应该做到"抓住机遇,稳中有快"。

三、亚区治理开发方略

(一)以易侵蚀岩为主的侵蚀亚区(Ⅰ)

1.综合治理现状及存在问题

该亚区综合治理虽然取得了一定成效,但治理程度依然很低。以砒砂岩地区为例,截至1992年,累计治理面积1 642km²,占区域总面积的14.1%。其中,建设基本农田223km²,人均0.06hm²,营造水土保持林199km²,人均0.05hm²,种植灌草1 020km²,人均0.32hm²。这些措施的实施有效地减缓了砒砂岩区的水土流失,取得了一定的生态、经济和社会效益。

从现有的水土保持措施技术体系的综合配置来看,该亚区主要以防治水蚀和风蚀的坡面植物措施为主。仍以砒砂岩区为例,植物措施面积占到水土保持措施总面积的86.4%。植物措施中又以灌草措施为主,占水土保持措施总面积的74.3%。以防治水蚀和重力侵蚀为主的沟道工程措施和农业措施相对较少,"三田"面积仅占水土保持措施总面积的13.6%(详见表5-13)。本区的坡面工程措施以水平沟为主,沟底以淤地坝为主(见表5-14),但数量相对较少,尤其是治沟骨干工程就更少了。应当在今后的综合治理与开发中,进一步加强治沟骨干工程建设,充分发挥治沟骨干工程的拦洪作用。但应当说明的是,目前关于砒砂岩地区的筑坝技术,尚无成熟的研究成果可以利用,还须尽快组织深入研究,以便及时指导生产。

表5-13 砒砂岩区水土保持措施数量结构

项 目	总面积	措施面积	农业措施		草地措施		林业措施	
			等高耕作梯田	水地坝地	草	灌木	乔木林	经济林
措施面积(km²)	11 628	1 641.53	152.47	70.67	443.53	776.13	169.13	29.60
占总面积(%)	100	14.05	1.31	0.60	3.80	6.64	1.45	0.25
占措施面积(%)		100	9.29	4.31	27.02	47.28	10.30	1.80

表5-14 砒砂岩区黄甫川流域水保工程措施数量结构

项 目	水平沟 (km²)	鱼鳞坑 (km²)	谷边埂 (km²)	谷坊小塘坝		淤地坝	
				数量 (座)	土方 (万 m³)	数量 (座)	土方 (万 m³)
措施数量	155.8	21.3	3.9	178	71.2	167	1 336
占总面积(%)	4.81	0.66	0.12				
占措施面积(%)	35.3	4.83	0.88				

另外,该亚区以防治工矿区人为侵蚀为主的综合防治措施也仅仅处于起步阶段,随着矿区资源开发的进一步深入,亟待加强。

2.治理开发的基本方略

该亚区环境综合治理与区域资源开发之间的依存关系十分密切,故应采取"开发与治理并重,以开发促治理,边开发边治理,积极寻求砒砂岩地区治理的技术支持体系"的综合治理开发方略。应处理好以下几个方面的关系:

(1)处理好国家和地方的经济关系,做到既能满足国家对能源方面的要求,又要促进地方脱贫致富与经济振兴。

(2)处理好大、中、小型煤矿建设的关系,做到有计划、有组织地进行规模开发,严禁乱挖滥采,乱堆乱放,各自为政,各行其事,从而导致严重的人为新增水土流失。

(3)处理好开发与治理的关系,坚持开发与治理同步进行,各项工程建设必须要有相应的水土保持规划,认真贯彻谁开发、谁治理的原则。

(二)沙盖黄土侵蚀亚区(Ⅱ)

1.综合治理现状及存在问题

该亚区的综合治理同样走的是以小流域为单元的综合治理之路。西北部(以六道沟流域为代表)的综合治理初步形成了以基本农田为主的种植业结构优化和以林草植被建设为主的林草业土地利用优化相结合的新格局,在水土保持技术措施的防治体系上将沟道坝系工程建设和坡面林草植被建设置于同等重要的地位,农业措施的综合效益则突出地表现在大幅度地调整了农作物的布局结构上。通过调整,增加了以商品性豆类作物为主的经济作物播种面积,提高了农产品的商品率;东南部(Ⅱ₃和Ⅱ₄亚区)的综合治理在坡面上初步形成了以林草植被建设为主的防风固沙治理模式,即建立了灌、草、乔有机结合的水土保持综合防护体系;沟底(主要包括河谷阶地和风沙滩地)初步形成了坝、井、渠、田结合的灌排网络,突出了以水地建设为中心的基本农田建设。

存在的主要问题包括:①"点"的治理成果虽然较为显著,但在面上推广得比较少,点面结合得不紧;②工矿区因开发建设项目引起的人为新增水土流失日益严重;③对水资源来源区的保护重视得不够;④面上的土地利用结构优化及调整等水土保持农业措施较为薄弱,有待进一步加强。

2.治理开发的基本方略

该亚区的环境综合治理与区域资源开发之间的互相依赖关系很密切,应采取"治理开发并举,以控制人为水土流失为中心,搞好环境综合治理,建设林草牧业和防风固沙林,加强对区内极有限的水资源的保护与合理利用"的综合治理开发方略。在一些环境条件非常恶劣的地区,诸如Ⅱ₂和Ⅲ₃水蚀风蚀复合侵蚀区,甚至要因地制宜地走"先治理后开发"的路子,使生态环境尽快得以向良性转化。

现阶段综合治理的方略应该是:在开发区以控制人为水土流失为中心,搞好环境综合治理;非开发区以建设林草植被为基础,以突出经济效益为中心,以提高林牧业产值为主体,全面开发,协调发展。另外,还要加强对区内极其有限的水资源的保护与合理利用。

(三)黄土侵蚀亚区(Ⅲ)

1.综合治理现状及存在问题

该亚区的水土保持综合治理,可谓历史悠久。经历了初期的以打坝淤地或修梯田为主的单项治理,中期的以基本农田建设为中心和坡面植物措施为主的综合治理,再到目前的坡沟兼治、突出经济效益的综合开发治理三个阶段,取得了许多成功的经验和失败的教训。成功的经验主要是:水土保持措施的综合配置上,以小流域为治理单元,根据流域的地貌特征和水土流失方式,从峁顶到沟底按照不同的土地类型,依据"因地制宜、因害设防"的原则,布设了不同的水土保持措施,形成了系统的水土保持综合防治体系模式——"三道防线"模式(高原沟壑区)或"五道防线"模式(丘陵沟壑区),涌现出了一批综合治理典型,以无定河、三川河等流域为"点"带动"面"的治理格局已初步形成。失败的教训则主要是:水土保持措施子系统与经济发展子系统不能协调发展、互相配合、互相促进,以致于综合治理的成果得不到巩固,一旦离开国家投资,难以持久地发展和大面积推广。为此,应着重解决好以下几个问题:

(1)从总体上来讲,该亚区的治理程度还是比较低且进展缓慢,今后的治理任务依然艰巨,为适应水土保持生态环境建设的需要,有必要向上档次、上规模的方向发展。

(2)梯田和坝地等基本农田建设,近十年来虽然取得了很大进展,但效益并不很好,尤其是梯田建设所创造的经济效益过低,不适应区域农业经济发展的需要。

(3)以沟道工程措施和坡面植物措施为主体的水土保持综合防治体系虽然初步形成,但土地利用结构的配置并没有达到优化,且管理比较粗放,不能发挥应有的综合效益。

(4)以水土保持为基础的林业建设更多地停留在粗放经营的阶段,林种的选择和更新换代不能适应市场经济发展的需要,经济效益体现得并不明显。

(5)人类活动对水土保持的负面影响没有得到足够的重视。与Ⅰ、Ⅱ区相比,该亚区人为新增的水土流失主要不是由能源、矿产资源开发引起的,而是由农村宅基地的建设、小型加工厂(水泥厂、机砖厂等)和小城镇建设所引发的,这种情况十分普遍。由此引发的人为新增水土流失数量巨大,不容忽视。此外,坡耕地引发的水土流失也相当严重。

(6)不少地方边治理、边破坏现象相当严重,有的地方甚至破坏大于治理。破坏面积最大的是毁林毁草、陡坡开荒扩种,破坏的根本原因在于农业人口数量的进一步增加。

2.治理开发的基本方略

与Ⅰ、Ⅱ两个亚区相比,该亚区环境综合治理与区域资源开发之间的互相依赖关系显得并不是非常密切。首先是区域资源开发在短期内不可能得到大规模发展,因为暂时不具备这方面的自然环境条件,不宜大规模地发展大型工矿企业;其次,该亚区的环境综合治理无法依赖系统内部的经济实力来支援。但无论从系统内还是系统外进行综合考虑,该亚区以水土流失为中心的环境综合治理显得非常紧迫和重要,为此,必须充分地借助于系统外部的经济力量来进行。

本亚区的综合治理开发方略应当是:"依靠系统外能量输入,以环境治理为主,资源开发为辅,积极推广点上经验,进行水土保持型生态环境建设,使水土保持向高、精、细发展"。

总之,由于本区严酷的自然条件,必须充分调动各方面的积极性,以改善区域生态环境为主,进行综合治理;同时,因地制宜地搞好相应的区域经济开发工作,使其逐渐步入"以治理保开发、以开发促治理"的良性循环。

因此,我们要积极响应江泽民总书记、朱镕基总理有关本地区水土保持生态环境建设的重要讲话和指示精神,认清形势,转变观念,充分用好用足现行政策,积极筹措资金,精心组织施工,有步骤有重点地搞好本区的水土保持综合治理,为"再造一个山川秀美的西北地区"而立新功。

第六节　结论与讨论

一、关于亚区划分

(1)多年来,在黄河流域开展的不同层次、不同目的要求的水土保持与土壤侵蚀等方面的分区研究较多,但针对多沙粗沙区这一特定涵义的地区,以减少下游淤积为主要目的的区域划分及治理方略研究,还未专门涉及。本次亚区划分正是为弥补这一缺陷,为加快多沙粗沙区的治理提供科学依据而设定的。

(2)本次亚区划分遵循的原则是:综合性原则,亚区之间差异性和亚区内部相似性原则,主导因素(因子)原则,治理与开发方略的一致性原则,可操作性及实用性原则等。指标体系科学地反映了影响土壤侵蚀的自然和社会因素,其中地面组成物质和土壤侵蚀强度(全沙模数和粗泥沙模数)所占权重较大,因此,无论是主导因素法或者聚类分析法,都将它们作为最主要的因子。具体地说,用于主导因素法进行亚区划分的指标体系是地面组成物质和土壤侵蚀强度(全沙模数和粗泥沙模数),在黄土侵蚀区陕西部分用于聚类分析的指标体系包括全沙模数、粗泥沙模数、沟壑密度、相对高差、地面组成物质、地面物质抗蚀性、植被覆盖度、汛期降水量、暴雨日数、工程活动强度共10个因子。

(3)本次亚区划分主要是利用主导因素法,先以地面组成物质为主,将多沙粗沙区划分为易侵蚀岩为主的侵蚀亚区(Ⅰ)、沙盖黄土侵蚀亚区(Ⅱ)、黄土侵蚀亚区(Ⅲ)等三个一级亚区;再按照土壤侵蚀强度,把一级亚区进一步划分为14个二级亚区(小区),并编绘了亚区划分图。还利用聚类分析法对黄土侵蚀区陕西部分二级亚区的划分进行了验证,其结果二者基本吻合。

(4)分析了各亚区及二级亚区的基本特征,提供了有关亚区和小区的各种面积等基本情况的数据资料。

(5)本次亚区划分范围特殊,目的明确;指标体系是经广泛征求专家意见后确定的,资料较新;以主导因素法为主,辅之以聚类分析法,方法正确;在亚区划分的各个阶段都及时地征询了专家的意见,得到了专家的帮助,使亚区划分更具有科学性和一定的权威性。

二、关于治理方略探讨

(一)关于治理开发现状及存在问题

多沙粗沙区的治理开发现在仍然停留在综合治理阶段,综合开发的工作相对十分薄弱,即治理开发的水平相对较低。可以概括为:治理成就较为突出,也积累了许多比较成功的综合治理先进经验,但综合开发滞后,治理与开发有机结合不足。在新的形势下对该区域的综合治理开发应该有不同于往常的新思路。

(二)关于总体治理开发方略

黄河中游多沙粗沙区综合治理开发的总方略应该为:坚持防治并举,坡沟兼治,综合治理,注重植被建设与保护,加强预防监督,努力控制人为新增水土流失的发展;在加快坡面治理的同时,大力加强沟道治理,特别是加快以治沟骨干工程和淤地坝为主的沟道坝系建设,全面实现多沙粗沙区拦沙减蚀、保土蓄水、改善生态环境的综合效益。

(三)关于亚区治理开发方略

(1)以易侵蚀岩为主的侵蚀亚区:开发与治理并重,以开发促治理,积极寻求砒砂岩地区治理的技术支持体系。

(2)沙盖黄土侵蚀亚区:治理开发并举,以控制人为水土流失为中心,搞好环境综合治理;建设林草牧业和防风固沙林,加强对区内极有限的水资源的保护与合理利用。

(3)黄土侵蚀亚区:依靠系统外能量输入,以环境治理为主,资源开发为辅,把开发寓于治理之中,积极推广点上经验,进行水土保持型生态环境建设,使水土保持向高、精、细发展。

三、讨论

经过众多地学工作者多年的潜心研究,关于多沙粗沙区的产沙机理、土壤侵蚀的区域分异规律等问题,已获得了基本一致的认识,也已总结出了一定的治理方略和大量行之有效的治理技术。目前,西部大开发的高潮已经到来,中央提出:实施黄土高原生态环境治理是开发的前提和首要工作,这给多沙粗沙区的治理提供了有力的政策和技术支持。现在的问题是应充分利用这一机遇,将这些科研成果尽快用于实践中去,下大力气进行实施,借西部大开发的东风,加快生态环境治理的步伐。具体地说,应从以下方面进一步做好工作:

(1)认真研究朱镕基总理提出的 16 字方针在各亚区如何具体实施。按流域并结合亚区特征进行新的水土保持规划,周密安排,分期部署、分期实施。

(2)根据各亚区的产沙特征、治理现状及治理难易情况,进行资金投入和技术支持力度的适度倾斜。

(3)应继续加强水土保持工程措施,以小流域为单元,建坝淤地,有效地拦截泥沙。同时,应积极寻求对砒砂岩区实施科学和快速治理的技术方法。

(4)目前,多沙粗沙区有 4 个问题值得考虑和深入研究:一是如何将点上的治理经验尽快在面上推广;二是水土保持的社会支持体系建设(政府行为、政策法令、计划生育、人口素质等)要加强;三是根据各地区的不同产沙特征提出的有针对性的治理方略急需尽快取得共识;四是区域资源开发和生态环境治理的矛盾突出,急需开展开发与治理有机结合的区域可持续发展研究。

参 考 文 献

1 龚时旸,熊贵枢.黄河泥沙来源和地区分布.人民黄河,1979(1)

2 景可.黄土高原的几个侵蚀问题.人民黄河,1986(8)

3 唐克丽,熊贵枢,梁季阳等.黄河流域的侵蚀与径流泥沙变化.北京:中国科学技术出版社,1995

4 中国科学院黄土高原综合科学考察队.黄土高原地区土壤侵蚀区域特征及治理途径.北京:科学出版社,1990

5 景可,陈永宗,李风新.黄河泥沙与环境.北京:科学出版社,1993

6 钱宁、王可钦、阎林德等.黄河中游粗泥沙来源区及其对黄河下游冲淤的影响.见:河流泥沙国际学术讨论会论文集.北京:光华出版社,1980

7 钱宁,张仁,周志德.河床演变学.北京:科学出版社,1987

8 阎文哲.水坠法筑坝治沟 加快多沙粗沙区治理.人民黄河,1985(3)

9 綦连安.关于黄河治理的思考.人民黄河,1994(12)

10 景可,陈浩.黄河中游粗沙区的范围、数量及其基岩产沙的研究.科学通报,1986(12)

11 陈永宗,景可,卢金发等.黄土高原侵蚀产沙的时空变化.见:中美黄河下游防洪措施学术讨论会文集.北京:中国环境科学出版社,1988

12 景可.黄河中游粗沙区基岩产沙研究.见:地貌与第四纪研究进展.北京:测绘出版社,1991

13 马秀峰.关于黄河粗颗粒泥沙来源问题的商榷.人民黄河,1982(4)

14 陈永宗,景可.黄河粗泥沙来源及其近期变化.见:黄河粗泥沙来源及侵蚀产沙机理研究文集.北京:气象出版社,1989

15 支俊峰,李世明,邱宝冲.黄河流域粗泥沙来源及分布研究.水土保持学报,1992(2)

16 钱宁,万兆惠.泥沙运动力学.北京:科学出版社,1986

17 [美]范诺尼.泥沙工程.北京:水利电力出版社,1981

18 沈照理,刘亚光,杨成田等.水文地质学.北京:科学出版社,1985

19 钱宁.往事回忆三则.见:纪念钱宁同志.北京:清华大学出版社、水利电力出版社,1987

20 龚时旸,熊贵枢.黄河泥沙的来源和输移.见:河流泥沙国际学术讨论会论文集.北京:光华出版社,1980

21 黄委会水文局,黄河水文志编辑室.黄河水文志.郑州:河南人民出版社,1996

22 中华人民共和国水利部.中华人民共和国行业标准SL49－92.见:河流泥沙颗粒分析规程.北京:水利电力出版社,1993

23 赵伯良,王雄世,刘明月等.粒径计法颗粒分析历史资料改正方法实验研究.人民黄河,1995(4)

24 熊贵枢,孙桐先,朱清雪.黄河下游输沙量及冲淤量测验资料的误差分析.见:第二次河流泥沙国际学术讨论会论文集.北京:水利电力出版社,1983

25 赵文林.黄河泥沙.郑州:黄河水利出版社,1996

26 杨庆安,龙毓骞,缪凤举.黄河三门峡水利枢纽运用与研究.郑州:河南人民出版社,1995

27 潘贤弟,赵业安,李勇等.三门峡水库修建后黄河下游河道演变.见:黄河三门峡水利枢纽运用研究文集.郑州:河南人民出版社,1994

28 陕西黄河小北干流志编纂委员会.陕西小北干流志.郑州:黄河水利出版社,1999

29 徐建华.黄河流域的现状与未来减沙评估.见:水土保持科学研究与进展论文集.北京:中国林业出版社,1993

30 水利电力部．关于土壤侵蚀类型区划分和强度分级标准的规定(试行)．中国水土保持，1984(10)

31 甘枝茂．黄土高原地貌与土壤侵蚀研究．西安：陕西人民出版社，1990

32 中国水利学会泥沙专业委员会．泥沙手册．北京：中国环境科学出版社，1992

33 徐建华,李雪梅,李世明等．延河流域水沙还原计算方法探讨．人民黄河，1997(8)

34 中国科学院黄土高原综合科学考察队．黄土高原地区土壤侵蚀与侵蚀类型图说明书．北京：地震出版社，1990

35 景可,李钜章,李凤新．黄河中游粗沙范围界定研究．土壤侵蚀与水土保持学报，1997(9)

36 麦乔威,李保如,程秀文．黄河泥沙研究30年．人民黄河，1979(4)

37 支俊峰,李世明,邱宝冲．黄河流域粗泥沙来源及分布研究．水土保持学报，1992(2)

38 熊贵枢．加速治理多沙区是根治黄河的捷径．人民黄河，1993(11)

39 孟庆枚主编．黄土高原水土保持．郑州：黄河水利出版社，1996

40 林来照,薛耀文．黄河中游实测1 700kg/m³含沙量的可靠性分析．人民黄河，1997(1)

41 刘东生．黄河中游黄土．北京：科学出版社，1964

42 马秀峰．关于黄河粗颗粒泥沙来源问题的商榷．人民黄河，1982(4)

43 杨根生,邱醒民,黄兆华等．黄土高原地区北部风沙区土壤沙漠化综合治理．北京：科学出版社，1991

44 吴正．风沙地貌学．北京：科学出版社，1987

45 孙兴帮,苗敬达．右玉县风蚀规律研究．水土保持通报，1990(2)

46 Sun Zhongtang,Fu Xuanqi.Benefits of Comprehesive control of the Qinhe small sandy land watershed,Proceedings of the Fourth International Symposium on River Sedimentation,June5～9 1989

47 李少龙,苏春江,白立新等．小流域泥沙来源的²²⁶Ra分析法．山地研究 1995,13(3)

48 张信宝．¹³⁷Cs法测算梁峁坡农耕地土壤侵蚀量的初探．水土保持学报，1988,8(5)

49 陈彰岑,于德广,雷元静等．黄河中游多沙粗沙区快速治理模式的实践与理论．郑州：黄河水利出版社，1998

50 冯国安．黄河粗泥沙主要来自风沙．中国水土保持，1992(3)、(4)

51 景可,卢金发,梁季阳等．黄河中游侵蚀环境特征和变化趋势．郑州：黄河水利出版社，1997

52 卢金发,甘枝茂,钟德才等．黄土高原土壤侵蚀类型与强度图．西安：西安地图出版社，1990

53 中国科学院地质研究所．中国陆地卫星假彩色影像图集(第一册)．北京：科学出版社，1983

54 陕西省地矿局遥感图集编辑组．陕西省遥感地质图集．西安：陕西人民美术出版社，1990

55 常茂德,赵光耀,田杏芳等．黄河中游多沙粗沙区小流域治理模式及其评价．郑州：黄河水利出版社，1997

56 中国科学院黄土高原综合科学考察队．黄土高原地区综合治理与开发—宏观战略与总体方案．北京：中国科学技术出版社，1991

57 朱兰琴．黄河300问．郑州：黄河水利出版社，1998

58 国务院发展研究中心编(吴明玲主编)．九十年代中国西部地区经济发展战略．北京：华夏出版社，1991

59 冯国安,郑宝明．陕北王茂沟流域综合治理的启示．人民黄河，1998(1)

附 录

附录一

鉴 定 意 见

2000年5月23日,受河南省科学技术委员会委托,黄河水利委员会主持召开了黄委会水文局等单位完成的"黄河中游多沙粗沙区区域界定及产沙输沙规律研究"成果鉴定会(鉴定委员会名单附后),鉴定委员会全体成员审阅了成果报告,听取了项目组的汇报,经过认真讨论一致认为:本项目全面完成了合同所规定的研究计划,达到了考核目标,符合鉴定要求。

一、主要研究成果

对黄河粗泥沙粒径界限作了全面系统的分析论证,进一步确定了黄河粗泥沙界限为0.05mm;研究提出了多沙粗沙区区域界定的原则、方法和指标体系,得出了黄河中游本底的多沙区面积为11.92万 km²,多沙粗沙区面积为7.86万 km²,同时分析了产沙区域的动态变化;分析了黄河中游多沙粗沙区产沙环境的过渡性特征,明确了大部分的泥沙(包括粗泥沙)主要来自黄土,黄土、基岩、风沙三者的共同作用是形成黄河中游洪水期高含沙量和粗泥沙的主要原因;确定了亚区划分的原则和指标体系,划分出三个一级亚区以及14个二级亚区,探讨了亚区治理方略。

二、本项目研究内容全面系统,资料充分可靠,技术路线正确,科学性和实用性强,研究成果创新点在于:

1.基础资料整理分析方法严谨,进行了颗分资料统一改正和泥沙观测资料的同步插补,明显提高了基础资料的一致性和可靠性。

2.以主槽淤积物中占多数为前提,采用了悬移质沙量平衡法和淤积物取样分析相结合的方法,对粗泥沙粒径的界限进行了全面的论证。

3.采用输沙模数指标法对多沙粗沙区区域进行了科学界定。

4.根据多沙粗沙区的特点,首次进行了亚区的划分,增加了成果的实用性。

三、该项目研究成果应用前景广阔,为黄河中游重点治理、下游防洪减淤、水资源开发利用、改善生态环境提供了科学依据。总体上达到了国际先进水平。

四、问题与建议

建议对黄河中游风蚀产沙问题应进一步研究。

鉴定委员会主　任:徐乾清

副主任:黄自强、王正秋

2000年5月23日

附录二

黄河淤积何处来　专家研究有新说

——研究确认：粒径大于 0.05 毫米粗泥沙对黄河下游危害最大

新华社郑州电（记者　**刘健　郑秀云**）黄河素有"斗水七沙"之称，然而淤积在黄河下游河道的泥沙来自何处？黄河水利委员会历时 4 年作出的《黄河中游多沙粗沙区区域界定及产沙输沙规律研究》报告，对此给予了科学的结论。

这项最新的研究成果表明，黄河中游 7.86 万平方公里的多沙粗沙区是造成黄河下游淤积的主要泥沙来源区。这一区域包括陕北、晋西、内蒙古南部和甘肃东部的 44 个县，其中 54% 的多沙粗沙区在陕西省。专家认为，确定了多沙粗沙区，也就找到了黄河中游水土保持的重点治理区，对于治黄有着重要意义。

这项研究确认粒径大于 0.05 毫米的泥沙为黄河"粗泥沙"。在黄河下游主槽中，这个粒径以上的泥沙占淤积量的 72%，对黄河下游危害最大。研究分析确定，以多年平均每平方公里总输沙量大于 5 000 吨的地区为多沙区，以多年平均每平方公里大于 0.05 毫米粒径的泥沙总输沙量大于 1 300 吨的地区为粗沙区。经过地质查勘、卫星地貌图片和数据分析，最终确认黄河中游多沙粗沙区面积为 7.86 万平方公里。

《人民日报》2000 年 6 月 14 日报道

附录三

一项水利最新研究成果表明

黄河泥沙主要来自中游粗沙区

本报北京 7 月 11 日电(记者　**郑北鹰)**　造成黄河下游严重淤积的泥沙究竟来自何处？长期以来一直没有一个确切的答案。来自水利部黄河水利委员会等单位的最新研究成果——历时 4 年的《黄河中游多沙粗沙区区域界定及产沙输沙规律研究》表明：黄河中游 7.86 万平方公里的多沙粗沙区是造成黄河三门峡库区和黄河下游淤积的主要泥沙来源区。该区域包括陕北、晋西、内蒙古南部和甘肃东部的 44 个县,其中 55% 的多沙粗沙区在陕西省。

据悉,粒径大于 0.05 毫米的泥沙为黄河"粗泥沙"。在黄河三门峡库区和黄河下游河道淤积的泥沙中,这种粒径以上的泥沙含量接近半数,而在黄河的主河道中达到 72%,对黄河河道危害最大。这些泥沙 60%～70% 来自黄土地区,其次是基岩,随风而来的沙尘也有一定影响。

水利部水土保持司司长焦居仁认为,这一研究成果在治理黄河大业中有着极其重要的作用,黄河中游多沙粗沙区综合治理的总方略应该是,坚持防治并举、坡沟兼治、综合治理,注重植被建设和保护,加强预防监督,努力控制人为新增水土流失面积的发展;在加快坡面治理的同时,大力加强沟道治理,特别是加快以治沟骨干工程和淤地坝为主的沟道坝系建设,全面实现多沙粗沙区拦沙、减蚀、保土、蓄水,改善生态环境的综合效益。

《光明日报》2000 年 7 月 12 日报道

黄河泥沙哪里来

最新研究界定中游多沙粗沙区区域

本报讯(记者 **郑秀云** 通讯员 **王明海**)造成黄河下游严重淤积的泥沙究竟来自何处? 黄河水利委员会等单位的最新研究成果给出了确切答案。

这项研究成果确认,黄河中游 7.86 万平方公里的多沙粗沙区是造成黄河三门峡库区和黄河下游淤积的主要泥沙来源区。该区域包括陕北、晋西、内蒙古南部和甘肃东部的 44 个县,其中 55% 的多沙粗沙区在陕西省。

早在 70 年代,治黄工作者已经认识到,淤积在黄河三门峡库区和黄河下游的泥沙大部分是粗泥沙,主要来自黄河中游的粗沙区。但是,黄河粗泥沙的含义和粒径界限以及粗沙区区域的界定,都存在很大争议。历时 4 年的《黄河中游多沙粗沙区区域界定及产沙输沙规律研究》,终于给出了科学的结论。

这项研究以主槽中淤积物占多数为前提,首先确认粒径大于 0.05 毫米的泥沙为黄河"粗泥沙"。在黄河三门峡库区和黄河下游河道淤积泥沙中,这种粒径以上的泥沙含量接近半数,而在主槽中达到 72%,对黄河下游河道主槽危害最大。

界定多沙粗沙区采用了二重性原则,认为既是多沙区又是粗沙区的地区为多沙粗沙区。经分析确定,以多年平均每平方公里总输沙量大于 5 000 吨的地区为多沙区,以多年平均每平方公里大于 0.05 毫米粒径的泥沙总输沙量大于 1 300 吨的地区为粗沙区。经过内业分析、外业查勘和卫星地貌图片等综合修正,最后确定黄河中游多沙区面积为 11.92 万平方公里,粗沙区面积为 7.86 万平方公里。故最终确认黄河中游多沙粗沙区面积为 7.86 万平方公里。

这项研究还表明,黄河 60%~70% 的泥沙包括粗泥沙来自黄土,其次是基岩,风沙产沙也有一定影响。

专家认为,黄河中游多沙粗沙区在黄河流域有"承东启西"的过渡作用,在治黄大业中也有重要的战略地位。黄河中游多沙粗沙区综合治理的总方略应该为:坚持防治并举、坡沟兼治、综合治理,注重植被建设和保护,加强预防监督,努力控制人为新增水土流失面积的发展;在加快坡面治理的同时,大力加强沟道治理,特别是加快以治沟骨干工程和淤地坝为主的沟道坝系建设,全面实现多沙粗沙区拦沙减蚀、保土蓄水、改善生态环境的综合效益。

《中国水利报》2000 年 6 月 15 日报道

附录五

黄河多沙粗沙区区域界定有新说

本报讯(记者 **王明海**) 黄河下游河道及三门峡库区淤积危害最大的泥沙到底来自何处,其产沙、输沙规律如何,长期以来,一直存有较大争议。5月23日,在郑州召开的"黄河中游多沙粗沙区区域界定及产沙输沙规律研究"项目鉴定会,对此提出了新的研究成果,并被中国工程院院士徐乾清等10名专家学者认定为具有国际先进水平。

该研究成果对黄河"粗泥沙"界限作了全面系统的分析论证,研究提出了多沙粗沙区区域界定的原则、方法和指标体系,得出了黄河中游本底的多沙区面积为11.92万平方公里(过去的研究成果为5.8万～21万平方公里),多沙粗沙区面积为7.86万平方公里(过去为3.8万～21万平方公里),同时分析了产沙区域的动态变化,研究了黄河中游多沙粗沙区产沙环境的过渡性特征,明确了大部分的泥沙(包括粗泥沙)主要来自黄土,其黄土、基岩、风沙三者的共同作用是形成黄河中游洪水期高含沙量和粗泥沙的主要原因,并对多沙粗沙区的治理方略进行了探讨。

"黄河中游多沙粗沙区区域界定及产沙输沙规律研究"系水利部科技计划项目、黄委会水保科研基金项目,该研究项目由黄委会水文局、水科院,陕西师范大学,中科院地理所,内蒙古水科院,黄委会绥德水保站等单位共同承担,经过项目组近50名科技人员历时4年的不懈努力,取得最终研究成果。

在5月23日召开的项目鉴定会上,由中国工程院院士徐乾清担任鉴定委员会主任,有关方面的10名专家、学者为鉴定委员的项目鉴定委员会,认为该研究成果将为黄河中游水土流失重点治理、下游防洪减淤、水资源开发利用、改善生态环境等提供了科学依据。

《黄河报》2000年6月2日报道

后　记

为了查清淤积在黄河下游的泥沙、特别是粗泥沙的主要来源地,探寻黄河中游多沙粗沙区产沙输沙规律和治理开发方略,1995 年,黄委会将"黄河中游多沙粗沙区区域界定及产沙输沙规律研究"列为水土保持科研基金重点项目,组织有关单位进行协作研究。经过黄委会水文局、黄委会黄河水利科学研究院、陕西师范大学、中国科学院地理研究所、内蒙古水利科学研究院以及黄委会绥德水土保持科学试验站等单位的 50 多名科技人员,经过四年多的辛勤工作、联合攻关,完成了研究内容和目标任务,并于 2000 年 5 月 23 日通过了鉴定验收。鉴定委员会专家认为:该项研究成果应用前景广阔,为黄河中游重点治理、下游防洪减淤、水资源开发利用、改善生态环境提供了科学依据。总体上达到了国际先进水平。

鉴定会不久,各大新闻媒体都纷纷进行了报道:中央电视台(2000 年 6 月 12 日新闻 30 分、6 月 13 日现在播报、6 月 14 日早间新闻、7 月 12 日早间新闻)、中央人民广播电台(6 月 15 日早间新闻)、河南电视台(6 月 14 日新闻联播)、人民日报海外版(6 月 14 日)、光明日报(7 月 12 日)、解放日报(6 月 9 日)、南京日报(6 月 10 日)、长春日报(6 月 14 日)、北京日报(6 月 18 日)、海南日报(6 月 11 日)、陕西日报(6 月 10 日)、河南日报(6 月 12 日)、江南时报(6 月 12 日)、大河报(6 月 10 日)、成都晚报(6 月 10 日)、中国水利报(6 月 15 日)、黄河报(6 月 2 日)、黄河电视台(5 月 29 日)、新华网(6 月 12 日)、中国新闻社网站(6 月 13 日)、南京新闻热线网站(6 月 14 日)等都以"黄河泥沙哪里来"、"黄河淤沙何处来"、"黄河淤沙哪里来,专家研究有新说"和"黄河泥沙主要来自中游粗沙区"等为题目,作了详细报道。

本课题提出的黄河中游多沙粗沙区面积为 7.86 万 km² ,已得到水利部、黄委会和有关部门的认可,并在水利部的有关报告中采用❶:"7.86 万 km² 的多沙粗沙区,是黄河泥沙的集中来源区,对黄河下游河床淤积有重大影响,与黄河防洪有直接关系。其中,沟道坝系工程又是减少入黄泥沙的主要措施。建议将以治沟骨干工程和淤地坝为主的沟道坝系工程,纳入黄河下游防洪保安工程体系,列入防洪基建计划,由流域机构统一组织实施"。

我们相信,在今后的黄河治理开发,特别是黄河中游水土流失治理工作中,本研究成果将会产生具有深远影响的积极作用。

为了使读者对本项研究成果有进一步的了解,作者将专家们对该项成果的鉴定意见及有关媒体对该项成果的报道,作为附录附于书末。

---

❶ 中华人民共和国水利部."黄河中游多沙粗沙区水土保持工作汇报",2000 年 9 月

关于发布黄河中游多沙粗沙区区域界定成果
通　　告

　　根据黄河治理和水土保持工作的需要,我委于 1995 年立项,就黄河中游多沙粗沙区区域界定进行研究。经过黄委会水文局、黄委会水科院、陕西师范大学、中国科学院地理研究所、内蒙古水利科学研究院、黄委会绥德水土保持科学试验站等单位四年多联合攻关,完成了研究任务,于 2000 年 5 月 23 日通过以中国工程院徐乾清院士为组长的专家组鉴定。鉴定确认:本项目研究内容全面、系统,资料充分、可靠,技术路线正确,科学性和实用性强,其成果应用前景广阔,为黄河中游重点治理、下游防洪减淤、水资源开发利用、改善生态环境提供了科学依据。现将有关研究成果通告如下:

　　1. 以粒径大于等于 0.05mm 为黄河粗泥沙界限,以多年平均输沙模数大于等于 5000t/km^2 为多沙区指标,确定黄河中游多沙区面积为 11.92 万 km^2。

　　2. 采用二重性原则,以多年平均输沙模数大于等于 5000t/km^2 和粗泥沙模数大于等于 1300t/km^2 为多沙粗沙区指标,确定黄河中游多沙粗沙区面积为 7.86 万 km^2,涉及陕西、山西、内蒙古、甘肃和宁夏五省(区)。

　　我委认为,该项研究成果确定的面积和范围可作为黄河的基础数据,现正式对外发布。各单位需要使用更详细的资料可与黄委会水文局联系。

　　特此通告

水利部黄河水利委员会

2000 年 11 月 23 日